CW00539853

OMNIBUS

Valerio Massimo Manfredi

QUINTO COMANDAMENTO

Romanzo

MONDADORI

librimondadori.it
anobii.com

Quinto comandamento
di Valerio Massimo Manfredi
Collezione Omnibus

ISBN 978-88-04-68384-1

Pubblicato in accordo con Grandi & Associati, Milano
I edizione settembre 2018

QUINTO COMANDAMENTO

A Christine mia

Non sono venuto a portare la pace ma la spada

MATTEO, X, 32 - 11,5

Prologo

Ospedale San Gaetano, Imola, 11 febbraio 2004, ore 6

L'uomo percorse l'atrio dell'ospedale e si presentò all'accettazione. Indossava un giaccone di pelle nera con tasche sul petto e spalline, jeans e anfibi lucidissimi, maglioncino di lana grigia e Ray-Ban scuri sul naso, benché fosse una giornata nebbiosa.

Sulla manica destra aveva cucito uno scudetto di pelle nera con la croce bianca a otto punte degli Ospitalieri, e due lettere: FC.

L'impiegato lo accolse perplesso: «Mi dica».

«Non ho niente da dire» rispose l'uomo con il giaccone di pelle nera.

«Prego?» domandò il giovane.

«Devo vedere padre Marco Giraldi. So che è ricoverato in questo ospedale.» Aveva una voce rauca e profonda come i grandi fumatori, ma denti bianchi e mani curate.

«Lei chi è? Non è ora di visite.»

L'uomo si tolse i Ray-Ban e gli piantò in faccia due occhi da rapace: «Mi chiamo Jean Lautrec e devo vedere padre Marco. Non farmelo ripetere, non ho tempo da perdere».

«Lei adesso esce subito di qua o chiamo la sicurezza.» Alzò la cornetta per formare il numero. L'uomo lo afferrò per il polso e strinse fin quasi a stritolarglielo. Il giovane lasciò cadere il ricevitore con una smorfia di dolore. L'uomo afferrò la cornetta e la sbatté contro il banco mandandola in frantumi. Poi sradicò il computer dalla sua base e lo girò verso di sé con la tastiera. Digitò "Marco Giraldi", lesse e lo rigirò verso l'impiegato.

«Torno presto. Nel frattempo stai calmo.»

L'impiegato, tremante, accennò di sì e si diede a raccogliere i frantumi della cornetta mentre l'uomo saliva di corsa le scale senza fare rumore, come se avesse ai piedi dei mocassini. L'osservò di sottecchi: c'era qualcosa di strano in lui. Aveva spalle larghe, i muscoli delle braccia gli gonfiavano le maniche, ma aveva i capelli grigi e rughe attorno agli occhi che denunciavano un'età più avanzata di quanto non mostrassero la sua forza e la sua corporatura.

Jean Lautrec si avvicinò silenzioso alla stanza numero nove, terzo piano; entrò. Era una camera tripla con due letti vuoti e al centro quello di padre Marco. Indossava la camicia da ospedale sul corpo nudo, i polsi erano immobilizzati da due cinturini di velcro e altri due gli bloccavano le caviglie. Era intubato con un respiratore, aveva un ago nella vena del braccio sinistro collegato al flacone della fleboclisi. Un catetere distillava gocce di urina in una sacca di plastica fissata all'intelaiatura del letto, un monitor scandiva il battito del suo cuore. Respirava a bocca aperta mostrando le numerose otturazioni nei denti consunti come quelli di un vecchio cavallo sfinito.

Lautrec sfiorò con la mano i cinturini che lo fissavano al letto. Sospirò, poi gli si avvicinò e disse: «Cosa ti hanno fatto, comandante, chi ti ha ridotto in questo stato?».

«Noi» rispose una voce alle sue spalle.

Lautrec si voltò di scatto, il pugno chiuso pronto a colpire.

Il giovane infermiere sorrise: «Mi chiamo Giorgio, Giorgio Masera, e sono addetto all'assistenza degli ospiti di questo reparto».

Lautrec si rilassò vedendo che il ragazzo non aveva mostrato alcuna reazione al trovarsi un estraneo nella camera in un orario assolutamente interdetto ai visitatori e passò una mano sulla fronte di padre Marco: «Sta morendo, vero?».

«Nemmeno per sogno. Padre Marco è un leone. Cinque

giorni fa, quando ce l'hanno portato, in tre non riuscivamo a tenerlo fermo. Niente male per un uomo prossimo agli ottanta... Con chi ho il piacere di parlare?»

Lautrec gli si avvicinò: «Il mio nome non ti direbbe nulla. Ho saputo per puro caso del suo improvviso ricovero in questo... luogo e sono venuto di corsa. Fra quattro ore dovrò imbarcarmi su un aereo in partenza da Milano... Diciamo che sono un amico di padre Marco, forse il suo migliore amico, anche se lui non lo sa ed è meglio così».

Giorgio Masera lo fissò incuriosito. Chi era mai quell'uomo attempato con il corpo e la voce di un quarantenne?

«È in coma farmacologico» disse poi. «Era in preda a convulsioni violente e c'era il pericolo che il cuore entrasse in fibrillazione, o addirittura cedesse. Sembra che tutto questo dipendesse dal fatto che...»

Non fece a tempo a terminare la frase che la porta si aprì di scatto ed entrò una guardia giurata: «Ehi, tu, esci immediatamente di qui e seguimi fuori da questo ospedale se non vuoi passare dei guai».

Lautrec notò con la coda dell'occhio che aveva avvicinato la mano alla fondina e gli andò incontro: «Non sto facendo niente, quindi vattene o nei prossimi tre secondi ti avrò disarmato e ti avrò messo in bocca la canna della tua pistola».

Masera si mise fra i due: «Agente, va tutto bene. È solo un amico un po' particolare di padre Marco. Stiamo scambiando qualche parola».

«L'impiegato all'accettazione è in stato di shock e lei mi dice che va tutto bene?»

«Solo un po' di spavento e un telefono rotto. L'ho visto anche io. Davvero, può andare, agente. Le giuro che non succede niente.»

L'agente annuì, ma si piazzò appena fuori dalla porta. Masera riprese il suo discorso da dove l'aveva lasciato: «... Per motivi che ignoriamo, sembra che avesse cominciato a mostrare comportamenti insoliti e aggressivi, estranei alla sua personalità...».

«Estranei, dici?» lo interruppe Lautrec. «Io non ne sarei così sicuro.»

Masera sembrò non raccogliere e proseguì: «Improvvisamente, le convulsioni. Lo hanno portato qui in ambulanza con i polsi e le caviglie fissati alla barella...». Esitò qualche istante. «In un'altra epoca, invece che un medico avrebbero chiamato un esorcista. Le analisi del sangue hanno rilevato l'assenza completa di una sostanza fondamentale per la sua terapia di routine, prescritta dai nostri medici. Infatti, lo seguiamo da tempo e per quanto sappiamo è sempre stato molto preciso nell'assunzione delle sue medicine. Vede questa flebo? Stiamo diminuendo il farmaco che lo mantiene in coma e somministrando quello che manca, necessario a contrastare una sostanza tossica pericolosa presente nel suo organismo. Lo stiamo quindi svegliando poco alla volta. Quando aprirà gli occhi non si ricorderà di niente e qualche giorno dopo sarà bello come nuovo, pronto per essere dimesso.»

«Parli come un dottore. Sei sicuro di quello che dici?»

Masera sorrise: «Il professor Savelli, primario di questo reparto e ordinario di neurologia all'università di Bologna, decide le terapie e i trattamenti clinici. Noi non facciamo che eseguire le sue prescrizioni. Infatti padre Marco sta reagendo veramente bene alle cure. Quando è arrivato era in condizioni molto precarie e data la sua età non più verde c'era da temere il peggio. A breve arriverà padre Martino, un suo confratello della casa di riposo di Sant'Apollinare in Classe, che lo assiste di giorno. È il confratello che lo ha accompagnato qui; pensare che non faceva altro che coprirlo di insulti nello stato in cui era, proprio non lo poteva vedere! Ma confidiamo che quando si sveglierà sarà la persona buona e gentile che è sempre stato. Tornerà esattamente come prima».

Padre Martino entrò poco dopo per il turno di assistenza diurna e il suo primo sguardo non fu per il confratello in coma ma per l'oscuro personaggio che gli stava accanto e che parlava con Giorgio Masera.

«Venga, padre» gli disse l'infermiere. «Le faccio portare un caffè?»

«L'ho già preso, grazie.»

«Le dispiace se accompagno questo signore all'uscita? Tornerò fra qualche minuto. La situazione è tranquilla e in netto miglioramento direi, e comunque passerà il professore per la visita verso le otto.»

«Vada pure. Io non mi muovo da qui.»

Lautrec guardò con un certo fastidio l'infermiere per la sua iniziativa non richiesta: «Non ho bisogno che mi accompagni. Me la cavo da solo».

«Devo dirle soltanto poche cose riguardo a questo episodio. Cosa c'è nel sangue di padre Marco e che cosa non c'è che invece dovrebbe esserci. Sempre che le interessi.»

Jean Lautrec non rispose ma si lasciò accompagnare, e Giorgio Masera capì che aveva poco tempo per raccontargli una lunga storia: «Nelle notti di guardia, ho letto di nascosto il suo diario. Non se ne separa mai. Se ci fosse tempo, potrei dirle molte cose. Vede, non è la prima volta che gli succede. Ma potrà raccontargliele lui stesso quando si sveglierà. Almeno così spero. Lei potrà tornare a fargli visita, se le farà piacere».

«Meglio di no» rispose Lautrec. «Io sono uno dei demoni del suo inferno.»

1

Fazenda Pires, Terra do Meio, Brasile, 15 ottobre 2003, ore 1.30

L'intera area era circondata da una recinzione metallica con filo spinato pattugliata da un paio di guardie armate. Ognuno dei due uomini percorreva una metà del perimetro di circa trecento metri, fino a incontrare il compagno. Poi volgevano le spalle l'uno all'altro e percorrevano a ritroso lo stesso itinerario fino a incontrarsi di nuovo dalla parte opposta. L'uno e l'altro tenevano due rottweiler al guinzaglio.

Padre Marco aveva calcolato sull'orologio, regalo di suo padre per il giorno della cresima, il tempo che trascorreva dal momento in cui i due guardiani si separavano a quello in cui si ritrovavano dalla parte opposta del circuito e aveva preparato tutto l'occorrente per la sua incursione. Dopo essersi cosparso con olio di palma per cancellare ogni altro odore, si passò più volte davanti alla bocca e al naso una benda di cotone inzuppato dello stesso olio per impedire l'inalazione di vapori tossici, poi impugnò un paio di tronchesi e tagliò nella rete metallica un varco largo e alto a sufficienza da permettergli di entrare agevolmente. Alla cintura teneva una torcia e una bottiglia di plastica rigida per raccogliere il campione che gli serviva.

Vedeva davanti a sé una sterminata distesa di fusti da trenta galloni verniciati di nero, che riflettevano debolmente le luci dei fari disseminati sul vasto cortile asfaltato. Sul fondo, verso nord, si distingueva la sagoma di un piccolo Piper PA25.

Il vento.

L'aveva fatto osservare in ogni variazione dai suoi Xavantes, che lo consideravano praticamente il loro capo e che si muovevano nella foresta come pesci nell'acqua. Sapevano da che parte tirava e a che ora si quietava.

Sulla base di quelle informazioni padre Marco si era appostato sottovento in modo che i cani non percepissero il suo odore, pur camuffato.

Al momento opportuno scivolò all'interno del recinto con la sua pinza Leatherman, anch'essa un regalo, per il suo quinto anniversario di messa, da parte dei suoi familiari. Si nascose in mezzo ai fusti di lamiera pieni di micidiali veleni. Poi si alzò, incastrò le ganasce della pinza nel tappo a vite e lo fece ruotare in senso antiorario. Infilò all'interno una cannula da prelievo e rilasciò il liquido nella bottiglia, poi riavvitò il tappo. Ma mentre eseguiva la manovra nell'angolo meno illuminato del cortile, il tappo gli scivolò di lato e ricadde sulla lamiera. Nel silenzio della notte quel suono metallico fu udito nettamente dai guardiani che si portarono subito alla bocca i fischietti per dare l'allarme. I cani si misero a latrare, ma non sapevano da che parte volgersi.

Padre Marco tornò rapidamente verso il taglio nella recinzione, uscì e si lanciò di corsa nel folto della foresta.

«Corri» diceva a se stesso. «Corri, corri, corri!» E volava nel sottobosco, svegliando gli uccelli nei nidi ed eccitando le creature della selva che si aggiravano sotto la vasta cupola verde in cerca di preda. Di tanto in tanto il fuggiasco si volgeva indietro per capire cosa stesse succedendo alle sue spalle. L'allarme aveva attivato le sirene e acceso fasci di luci sulle torrette di sorveglianza. Lui cercava di mantenersi sul sentiero senza accendere la torcia elettrica, per non farsi scoprire.

Perché si era gettato in quell'avventura? Non avrebbe potuto starsene tranquillo nella sua missione a formare i catechisti, ad annunciare il Vangelo, a celebrare la messa e a chiacchierare di tanto in tanto con lo sciamano? Perché? Perché?

Lo sapeva il perché e sapeva perché i cani lo inseguivano e si avvicinavano sempre di più.

Ma come riuscivano a fiutare le sue impronte?

Il cuore gli scoppiava, sentiva le sanguisughe cadergli sul collo e sulle braccia nude, sentiva lo sfrascare del sottobosco: giaguaro? E quale serpente gli sarebbe piombato addosso da un albero per prostrarlo a terra e avvolgerlo subito fra le sue spire?

Corri!

Doveva trovare un corso d'acqua per far perdere le sue tracce. Alligatori? Anaconda? Orrore che lo attanagliava ma passo dopo passo, respiro dopo respiro, si sentiva più lontano. La bottiglia avvolta di stracci gli batteva sulla coscia. Sentiva un odore sempre più netto e sempre più ripugnante. Sapeva che il prodotto era molto volatile e insidiosissimo. Liberava molecole assassine che si annidavano nel grasso sottocutaneo e da lì non era possibile snidarle. Pensò che forse, anzi certamente, quel liquido non era diluito, pronto per l'irrorazione. Era concentrato. Se c'era l'odore, il liquido fuoriusciva, anche se in minime parti, trasudava, sì. L'avrebbe ucciso? Sarebbe stato considerato un martire della conservazione dell'ambiente?

Trovò un piccolo rio che correva veloce ma poco profondo. Quello che gli ci voleva. I cani erano vicini. Si fermò qualche istante per guardare indietro: le guardie erano cinque o sei. Ogni uomo portava un elmetto con torcia elettrica incorporata ed era armato di fucile d'assalto. Doveva seminare i cani se voleva sopravvivere, o sarebbe stato ucciso entro pochi minuti.

Si gettò nell'acqua e riprese subito a correre più veloce che poteva. Dopo una mezz'ora udì i latrati dei cani affievolirsi lontano: avevano perso la traccia e cercavano avanti e indietro per ritrovarla.

Ce l'aveva fatta ma era fradicio, ogni passo sollevava spruzzi. I crampi della fame gli torcevano lo stomaco: era sfinito, il respiro si faceva sempre più breve.

Il veleno.

Da tanto tempo cercava di inchiodare i *fazendeiros* ai loro crimini. Da quando era giunto, anni prima, in un lembo di terra fra due affluenti dell'Iriri.

Un villaggio di indios Xipaya al centro. Venti capanne, due maiali, polli, uno sciamano, un cane, una scimmia, un armadillo, un serpentello color corallo, uccelli di ogni specie, farfalle, fiori e piante mai viste prima, profumi che inebriavano, pesci di ogni forma e colore che si avvicinavano a riva e giocavano con i bambini. Sabbie e ciottoli luccicanti, pietre dure nere, viola, blu, verdi, argento e oro. Frutta di ogni sapore, dai colori splendenti. Alberi alti come torri, che venti uomini non riuscivano ad abbracciare. Un paradiso terrestre.

L'ultimo lembo rimasto? Aveva pregato Dio perché proteggesse quel luogo che lui stesso aveva creato e, se questo non fosse stato possibile, accettasse in cambio e in sacrificio la sua vita.

Dopo un soggiorno in Italia, vi era tornato. Erano passati solo due anni. Piante giganti nude e scheletrite, colossi disperati con lembi di pelle disseccata che pendevano inerti dai rami e dai tronchi, carogne di migliaia di animali, anche di quelli che mai si vedevano, protetti da un dio più piccolo ma molto attento alle sue creature, piume di uccelli scarnificati, ossa che marcivano nel fango, poltiglia di morte, migliaia, migliaia, migliaia di pesci, non più d'argento e d'oro, putridi, ammorbanti.

Gridava: «Dio, perché, perché?». Gridava ancora, dentro di sé, adesso che i cani si allontanavano, verso occidente.

Diossina... era diossina quella che portava nel suo recipiente di plastica?

Una banana era già qualcosa, un poco di energia. Poi i latrati si erano fatti più vicini ed era tornato nel fiume. Così vicini che forse a breve li avrebbe visti, e dietro le guardie, armate, facce di pietra. Poi i cani si erano allontanati, rapidi come se un altro fuggiasco li trascinasse lontano.

Capì. Andavano ad aspettarlo. Dove puoi fermare un missionario? Sulla strada della missione di São Félix: deve tornarci prima o poi.

Tornare indietro? Impossibile, sarebbe morto prima di arrivare in qualunque posto. Andò avanti avvolto dai fumi sottili del veleno. Un secondo giorno. Un terzo. I cani erano spariti, si erano stancati di aspettarlo? Certamente, perché lui non andava a São Félix, andava in un altro villaggio. Un mango e acqua di fonte. Si sentì meglio. Arrivò a destinazione debole, sfinito, la testa gli girava; stramazzò mentre il sole calava fra le chiome degli alberi.

Molecole di veleno. Ma come si chiamavano? Di che cosa erano fatte? Di sicuro, l'ordine era di ucciderlo quando lo avessero trovato: poi farlo a pezzi e darlo in pasto ai cani. Recuperare la bottiglia con il campione di prodotto concentrato. Cancellare ogni traccia del suo tentativo di trovare la prova.

Prima di chiudere gli occhi vide il piccolo aeroplano che volava basso sulla foresta e vaporizzava veleno. Si lasciava dietro una lunga nube iridescente come il velo di una sposa.

Si svegliò in un ospedale a Belém. Quanto tempo era passato? Un medico in camice bianco, con lineamenti da indio gli disse che aveva avuto un comportamento estremamente violento. L'avevano legato con bracciali e cavigliere di velcro.

Arrivò padre Domenico: «Ti tengono sedato, Marco, e noi vegliamo su di te. Mi capisci? Forse ti riporteremo in Italia, presto. Tornerai alle tue montagne in val Seriana, farai le tue escursioni, andrai con i pastori sui pascoli alti, e forse anche io verrò con te. Ricordi quando eravamo bambini e andavamo a cercare more e lamponi? Andremo al maso da Giorgio a mangiare la polenta con il formaggio di monte, ricordi? Ti farà bene e dimenticherai questa brutta avventura».

«Dimenticare? Io non voglio dimenticare. Voglio denunciarli tutti, voglio che marciscano in galera, maledetti bastardi! E se non andranno in galera penserò io a loro!»

Padre Domenico lo guardò profondamente turbato. Da dove veniva tutta quella violenza, quell'astio, quella sete di vendetta?

«Dov'è il campione che ho prelevato dal fusto della fazenda Pires?»

«Marco... non lo so dov'è. Quando ti hanno trovato, crollato a terra, eravamo tutti sconvolti, angosciati... non ci abbiamo pensato. Abbiamo cercato di portarti subito in ospedale.»

«Non può essere! Ho rischiato la vita per prelevare quel campione. Non potete averlo perduto!»

Cominciò ad agitarsi come se volesse liberarsi dai lacci; faceva muovere tutto il letto, sembrava che stesse per ribaltarsi. Urlava. Arrivarono gli infermieri per immobilizzarlo e fargli un'altra iniezione di sedativo. Si voltava verso padre Domenico: «Sei un traditore! Un falso! L'hai buttato via. E io che ho rischiato la pelle per procurarmelo!».

Il sedativo fece finalmente effetto e padre Marco sprofondò in un sonno di piombo. Mugolò a lungo, poi il mugolio si mutò in un rantolo. Sembrava dovesse morire da un momento all'altro.

Rimase in quello stato per giorni e giorni finché, a mano a mano, le cure fecero effetto e dapprima poté essere slegato e poi si alzò in piedi e cominciò a camminare. Da ultimo gli fu permesso di scendere in giardino e ricevere visite.

Padre Domenico lo accompagnò: «Marco, ti devo dire una cosa importante. Abbiamo finalmente trovato il tuo campione; l'aveva nascosto il tuo sciamano xavante scavando una buca nel terreno dietro il villaggio. Glielo hai dato tu?».

«E come?» rispose padre Marco. «Mi avete detto che sono crollato a terra e sono rimasto in coma fino a pochi giorni fa.»

«Forse eravate già d'accordo nel caso tu fossi stato ferito o fossi morto. Ti fidi più dello sciamano che di me.»

«A te voglio più bene. Siamo amici da una vita... Lui però... è come i progenitori prima del peccato originale.»

Padre Domenico scosse il capo: «Mi hai dato del bastardo e del traditore. Marco, ti rendi conto?».

«No. Non mi rendo conto. Sono stato o no in coma per venti giorni? E allora che cosa ti aspetti da uno in quelle condizioni?»

«Niente, è ovvio. Il mio timore è che, essendo sotto l'effetto di una intossicazione che può avere conseguenze di tipo neurologico, tu abbia detto in realtà quello che pensavi di me.»

«Non so che cosa ho detto e che cosa ho fatto...»

«Hai preso a cazzotti un paio di infermieri ed è per quello che dall'ospedale ti hanno trasferito in una clinica psichiatrica dove sei stato dichiarato elemento pericoloso.»

Padre Marco abbassò lo sguardo.

«Ascolta, la cosa migliore da fare è che tu torni in Italia. Se vuoi vengo con te. Mi piacerebbe...»

«Non importa: hai tanto da fare qui, specialmente se io vado via...»

«Sì, è meglio che tu vada. Almeno per un periodo. I vertici della congregazione sono preoccupati. Hai sporto denunce, poi hai violato un'area privata e interdetta. Lo so, nessuno ti ha visto in faccia, ma i segreti non tengono per molto: prima o poi si saprà. Sei nel mirino dei *fazendeiros*. Sanno che a mettere in atto certe imprese non ci sei che tu e te l'hanno giurata.

Torna in Italia, Marco. Il superiore della nostra congregazione in Brasile teme un incidente. Noi dobbiamo avere buone relazioni con le autorità del paese che ci ospita affinché la congregazione possa svolgere il suo compito.»

«Anche se i proprietari terrieri avvelenano le piante, le acque, la terra, uccidono ogni forma vivente, inclusi gli abitanti della foresta? Gli Xavantes sono pronti a scendere in guerra e nel loro ambiente possono essere molto pericolosi. E se questo accadesse non potrei lasciarli soli, perché hanno in me un'illimitata fiducia.»

Padre Domenico chinò il capo in un atteggiamento fra il rassegnato e l'incredulo, poi riprese: «Non scherzare, sarebbe un massacro».

«Non scherzo per nulla. Quelli sono dei guerrieri e la morte è messa nel conto.»

«E anche tu sei un guerriero, non è così?»

«Io non faccio guerre, Domenico. Faccio battaglie. È diverso.»

Padre Domenico tacque per qualche tempo e sembrò che padre Marco si fosse assopito. «Sai, in questi momenti mi ricordo come scopristi la tua vocazione.»

Padre Marco riaprì gli occhi: «Anche io... come fosse adesso! Un missionario saveriano venne un giorno a scuola nel nostro paese a raccontare le sue avventure di evangelizzatore dei popoli animisti e pagani dell'Africa e tutti noi ascoltavamo rapiti: la foresta, i leopardi e i coccodrilli, gli indigeni armati di lance e di archi... Alla fine domandò: "C'è qualcuno fra voi che vuole farsi missionario come me?". Alzai la mano».

«E non ti sei mai pentito?»

«Mai. Anche se...»

«Che cosa?»

«Quando fui ordinato sacerdote...»

«Che cosa?» ripeté quasi ansioso padre Domenico.

«Non ricordo niente.»

«Che vuoi dire?»

«Quello che ho detto. Posso rivedere, se voglio, ogni singola scena della mia vita, come in un film a colori, tranne quella. Non ho nella mente nemmeno un'immagine della mia ordinazione sacerdotale.»

Padre Domenico si chiuse in un profondo silenzio.

2

Ospedale San Gaetano, Imola, 11 febbraio 2004

Il primario entrò di buon umore: «Come sta il nostro reverendo padre?» domandò avvicinandosi.

Masera gli mostrò i valori della colinesterasi, del battito cardiaco, della pressione. Il professore continuò la visita, poi lo prese sottobraccio e lo condusse verso la porta.

«Ha visto gli sbalzi di pressione, Masera? Possono essere molto pericolosi. Diamogli un diuretico.»

«Coincidono con le sue crisi ma il resto dei valori è buono. A parte la colinesterasi, naturalmente, che è ancora molto bassa.»

«Quello è l'effetto della diossina che ha inalato quella notte. Rallentiamo il processo di risveglio, così possiamo controllare perfettamente il dosaggio di tutti i farmaci. Deve continuare ad assumere con costanza le sue medicine. Gli effetti di questo tipo di avvelenamento non sono del tutto conosciuti, ma è nota la sua caratteristica fortemente neurotossica. Il sistema nervoso può essere aggredito da questa molecola con effetti estremamente dannosi: dal cancro fino alle manifestazioni allucinogene e alle convulsioni, come quelle che abbiamo visto scuotere il corpo di padre Marco. Finora siamo stati fortunati, ma non possiamo ancora cantare vittoria.»

«Il Neurocital lo stiamo già somministrando per endovena. Quanto al resto, può stare certo che il paziente non viene mai lasciato solo e che i controlli vengono fatti almeno quattro volte al giorno. Il superiore generale della congregazione, padre Dominici, vuole essere informato costantemente. I due sono amici e fu il generale ad andare ad accogliere padre Marco quando fu portato in Italia dal Brasile.»

«Continui così finché tutti i valori non saranno rientrati nella norma» rispose il professor Savelli. «Stiamo andando abbastanza bene, ma c'è ancora bisogno di tempo... Mi descriva queste crisi.»

«Ormai sono meno frequenti, ma prima, le assicuro, faceva paura. Gridava, imprecava.»

«Imprecava? Come?»

«Ti sparo in testa, hai capito? Ti sparo in quella testa di cazzo!»

Il professor Savelli sussultò: «La prego, Masera, la prego... Davvero diceva quelle cose?».

«Altro che. E cambiava voce come in certi vecchi film horror.»

«Santo cielo... Gli dia quel diuretico.»

Masera si girò verso padre Marco: «A volte sussulta dolorosamente, forse sono i ricordi che gli affiorano alla memoria. Questa mattina alle sei, se fosse stato qui, avrebbe assistito a una scena inquietante: una specie di cavaliere delle tenebre spuntato da chissà dove è venuto a fargli visita. L'ho sentito dire "Chi ti ha ridotto in questo stato, comandante?". Ha detto "comandante", capisce, professore?».

«Capisco... e non riesco a spiegarmelo.»

«Nessuno ci riesce. Nemmeno i suoi confratelli...»

Ardesio, val Seriana, 7 gennaio 1945

Il camioncino, adattato da una Balilla e provvisto di un cassone, scendeva in direzione di Bergamo. Sul sedile anteriore, oltre al guidatore, sedevano due giovani in abito talare: uno era un missionario saveriano di nome padre Domenico, appena ordinato sacerdote, l'altro era un giovane seminarista adolescente, anche lui in veste talare. Era magro ma alto come il suo compagno di viaggio e si chiamava Marco Giraldi.

Dietro, nel cassone, rannicchiati fra sacchi di granoturco

c'erano altri due giovanotti: uno con un giaccone di panno grigio e l'altro con un'uniforme dell'esercito sdrucita e con i buchi di molte battaglie che lasciavano passare l'aria gelida del mattino. Ambedue imbracciavano uno Sten e portavano quattro o cinque caricatori infilati nella cintura.

«P&P» disse Marco Giraldi, che aveva un debole per gli acronimi. «Preti e Partigiani.»

«Bell'accoppiata» commentò Leone, invalido di guerra, che guidava con l'unica mano rimastagli la Balilla.

«Tu l'hai mai imbracciato uno di quelli?» domandò Marco al guidatore indicando i mitra.

«Sei matto? Io ero un assaltatore della brigata Leonessa e sparavo con il MAB, il Beretta, a raffica e a singolo. Bell'arma... Speriamo che ci basti la benzina.»

Passarono Albino e Nembro, poi Leone prese una piccola strada sterrata che saliva a destra verso un poggio: aveva notato qualcosa che non gli piaceva.

«Che c'è?» domandò padre Domenico.

«Ho visto qualcosa sulla strada» rispose Leone. «Sembra un posto di blocco.»

Tutti scesero dal camioncino, uno dei due partigiani estrasse dal tascapane un binocolo e scrutò in basso verso il fondo valle.

«Tedeschi» disse. «Un posto di blocco.»

«Quanti sono?» chiese l'altro.

«Sette... otto. Ma ce ne potrebbero essere degli altri nascosti nel camion sotto il telone.»

«Troppi. Non possiamo farcela.»

«Siete pazzi?» intervenne Leone. «Neanche a pensarci.»

«Ho un'idea migliore» disse il primo dei due. «Ci mettiamo la gabbana dei preti così passiamo tranquillamente, e loro li facciamo andare a piedi.»

«A piedi ci vai tu!» esclamò Marco Giraldi e si mostrò con in mano il mitra di uno dei due partigiani lasciato per un momento incustodito fra i sacchi.

Tutti si guardarono in faccia allibiti.

«Potresti farti male con quell'arnese, pretino» disse il partigiano. «Dammelo subito.»

«Prova a prendermelo» rispose Marco a muso duro.

«Ehi, ehi» intervenne ancora Leone. «Non scherziamo con quella roba. In ogni caso non avete documenti e la tonaca da prete non è sufficiente. Allora decido io: voi due, ragazzi» e si volse ai partigiani «andate avanti per il sentiero fino ad Alzano e lì ci troverete ad aspettarvi di fianco all'osteria della Botticella. La conoscete, no?»

I due accennarono che sì, la conoscevano. E la lite finì lì.

«Le armi nascondetele smontate sotto il giaccone e poi si riparte.» Ma tutti, da Leone a padre Domenico ai partigiani, erano rimasti stupefatti per il gesto di Marco. Nessuno di loro aveva mai visto un seminarista con un mitra in mano. Leone gli fece cenno di restituire lo Sten al partigiano e Marco obbedì.

Ripartirono e, quando i tedeschi li fermarono al posto di blocco, scesero e mostrarono i documenti di identità. Le vesti talari fecero il resto e il camioncino poté proseguire indisturbato. Nessuno dei suoi occupanti però proferì parola fino all'osteria. Arrivati ad Alzano raggiunsero La Botticella e si fermarono.

«Tanto vale che andiamo a prenderci qualcosa» disse Leone, «quelli vengono a piedi e ci vorrà del tempo.»

Entrarono e si guardarono intorno: c'erano pochi avventori che giocavano a briscola e sorbivano del surrogato di caffè fumante con grappa. Leone ordinò tre fette di pane e un pezzo di stracchino casareccio. I tre erano partiti digiuni e mangiarono di buon appetito. Leone fece venire anche un quartino di bianco. Finito che ebbe di mangiare, padre Domenico si ritirò in un angolo a leggere il breviario, Marco invece restò con Leone a giocare a briscola di niente e così passavano il tempo senza farci caso. Poi, a un tratto, la porta si aprì e apparvero due soldati tedeschi con un sottufficiale che cominciarono a controllare meticolosamente i documenti. Cercavano di sicuro dei disertori o uomini da reclutare e da mandare a lavorare in Germania.

Controllarono anche padre Domenico e il giovane Marco Giraldi, pensando forse che si fossero travestiti per sfuggire a un arresto, ma i loro documenti erano in regola. Leone si avvicinò a Marco e gli disse a bassa voce: «Questi vanno per le lunghe... temo che quei due che erano con noi sul camioncino possano arrivare da un momento all'altro: ci sarà una sparatoria con morti e feriti. Te la senti di uscire?».

«Certamente» rispose Marco.

«Bene, esci dalla porta posteriore che dà verso il cesso. Nessuno ti dirà niente. Chiuditi nel gabinetto e guarda fuori. Vedranno il camioncino e cercheranno di raggiungerci. Fagli un segnale con qualcosa, un fazzoletto, un pezzo della tua tonaca, quello che vuoi, e appena sono a tiro digli di andare subito a nascondersi finché i tedeschi non se ne saranno andati.»

Marco annuì e domandò ai tedeschi di poter usare il gabinetto. Quelli ridacchiarono accennando al numero dei bottoni della sua tonaca. Marco raggiunse lo sgabuzzino graveolente e se ne restò fermo lì finché non vide i due partigiani; allora uscì e fece cenno che si avvicinassero. Intanto i tedeschi avevano ultimato i loro controlli e si allontanavano nella direzione opposta.

I tre si salutarono.

«Non venite più con noi?» domandò Marco.

«No» rispose il giovane, «per noi va bene qui.» Poi chiese: «Come ti chiami, pretino?».

«Marco. E tu?»

«Gino. Senti, se dovessi cambiare idea e ti stancassi di dire rosari tutto il giorno, vieni a Gromo, vai all'osteria del castello e chiedi all'oste di Gabriele. Gino è il mio nome di battaglia. Te lo darò io uno di questi», e gli mostrò lo Sten.

Marco sorrise e disse solo: «Buona fortuna, ragazzi. Che Dio ve la mandi buona».

Anche Gino sorrise: «Dio? Con me non si è mai fatto vivo. Ma se lo vedi salutamelo».

"Stanne certo" pensò Marco senza aprire bocca.

3

Il camioncino proseguì fino a Bergamo senza ulteriori problemi e arrivò a destinazione verso le undici di sera. Padre Domenico mise mano al portafoglio e lasciò quindici lire a Leone per il noleggio del mezzo e per il consumo della benzina. Marco fu invece accompagnato nell'ufficio del prefetto, che lo attendeva nonostante la tarda ora.

Il prefetto era uno studente del terzo anno di Teologia, magro e allampanato, con capelli gialli e occhi fin troppo chiari, quasi incolori. Gli indicò la camerata in fondo a un lungo corridoio pavimentato con piastrelle di graniglia rosse e bianche su cui i suoi scarponi da montanaro facevano risuonare ogni passo come se fossero di ferro. C'erano dieci lettini. Quello del prefetto era circondato da una tenda di cotone bianco per garantirgli riservatezza. Quello di Marco era fiancheggiato da un armadietto in cui avrebbe custodito i suoi effetti personali.

Ogni mobile, ogni suppellettile, i muri e i pavimenti, le cucine che sapevano di cavolo bollito: tutto era essenziale e frugale, ai limiti della povertà, ma pulito e dignitoso. Marco, che aveva visto quanta miseria la guerra aveva portato e quanta umiliazione sul popolo e sul paese, constatava che la Chiesa in un modo o nell'altro riusciva sempre a conservare una capacità ammirevole di sopravvivenza, forse perché durava da venti secoli e forse sarebbe durata in eterno.

Quella mattina aveva salutato i suoi genitori e i suoi familiari senza versare una lacrima. Sua madre poi era talmente religiosa che si sentiva felice di aver potuto donare un figlio a Dio. Quanto a lui, non vedeva l'ora di terminare i suoi studi e il suo tirocinio per poter partire per luoghi lontani. Nella sua mente l'unica cultura ammessa era stata quella religiosa e per gli studi era lo stesso. Non aveva nessuna curiosità di realtà diverse. Era solito dire che Dio era grande e occupava tutto lo spazio. Eppure il suo desiderio di avventura e di conquista era fortissimo, altrettanto forte che la fede.

Nemmeno l'amicizia lo attirava in particolar modo, perché era un sentimento privato e di fatto esclusivo, che contrastava con l'educazione che riceveva. Ogni giorno e ogni notte si doveva pregare e ogni mattina si doveva fare la meditazione guidata da un padre anziano prima di assistere alla messa e all'ostensione del candido disco di pane azzimo e del calice, corpo e sangue di Cristo. Sull'altare pendeva un quadro che raffigurava una crocefissione con un drappello di soldati romani che prestavano servizio all'esecuzione. In quell'immagine Gesù era rappresentato morto, con il capo reclinato sul petto; il centurione in atto di estrarre il ferro della sua lancia dal torace del condannato. Spesso gli capitava di fissare il suo sguardo sui legionari coperti di ferro piuttosto che sul corpo pallido del Rex Judaeorum.

Gli piaceva lo sport e altrettanto gli piacevano i lavori agricoli nelle fattorie della congregazione: vi si dedicava assiduamente e così aveva sviluppato un corpo potente e muscoloso.

Un giorno, mentre camminava per la città con i suoi compagni diretto a una chiesa che custodiva una sacra immagine della Vergine, vide una parata militare: un battaglione di giovani e in prima fila giovanissimi armati con i nuovi MAB Beretta, vestiti di nero come lui, della stessa età di quei due a cui avevano dato un passaggio. Se si fossero incontrati avrebbero sparato gli uni sugli altri, pur parlando la stessa lingua e lo stesso dialetto, credendo gli uni e gli altri di essere nel giusto.

Poi i giovani in uniforme si schierarono nella piazza e un

ufficiale si staccò dal battaglione e pronunciò un discorso ardente e delirante. Parlò solo per qualche minuto, parlò di morire per la Patria e per l'onore d'Italia. Poi proclamò il nome di cinque nuovi volontari e li chiamò a sé. Erano poco più che adolescenti.

Per un attimo lo sguardo di Marco incrociò quello di uno di loro. Uno sguardo duro e fiero, sicuramente non aveva più di tredici, quattordici anni. Li avevano indottrinati, convinti che la cosa migliore per loro era combattere e se necessario morire per l'onore del loro paese. Certamente non si rendevano conto di che cosa significasse morire prima ancora di essere cresciuti.

Eppure quello sguardo lo ferì. Lo avvertì come un rimprovero. Marco si era votato a Dio e questo comportava una condizione tranquilla e onorata: vitto e alloggio sicuri, canti in musica gregoriana, rispetto per l'abito che portava, non solo da parte degli italiani ma anche dei tedeschi, molti dei quali erano bavaresi e cattolici.

La religione e la Chiesa non conoscevano confini né differenze etniche o linguistiche. La fede e il latino erano comuni a tutti, anche se la pronuncia germanica gli faceva venire l'orticaria: meglio l'accento bergamasco.

Terminata l'adunata, i miliziani si sparsero per la città. Rimase solo il più giovane di tutti, l'adolescente che aveva attirato l'attenzione di Marco. Sembrava addirittura che lo stesse fissando.

«Perché mi guardi?» gli chiese Marco a un tratto.

«Per capire» rispose.

«Capire cosa?»

«Come fai a fare il prete mentre il tuo paese è in fiamme, mentre tutto va in malora. Comodo, no?»

«Non è comodo» replicò Marco, «è doloroso.»

«Però ti salvi la pelle, e non ti manca né pane né un piatto di minestra né un bicchiere di vino.»

«Ti sbagli. Non sai quanti sacerdoti e religiosi hanno pagato con la vita per aver difeso la propria gente dai rastrellamenti, dalla prigionia, dalle torture, dagli stupri.»

«Incidenti del mestiere» commentò cinico il ragazzo. «E

non dirmi che hai fatto questa scelta per vocazione: Dio non è mai venuto a trovarti. Ha altro da fare.»

«Sì» rispose, «ho avuto la vocazione. Mi sto preparando: studio, prego e medito. Non voglio uccidere. Sangue chiama sangue... non lo vedi?»

«Come avvoltoio genera avvoltoio...» concluse il ragazzo.

«Vattene o fra qualche giorno potresti trovarti a uccidere i tuoi compagni di scuola dove hai imparato quella frase, un tuo amico che ha una diversa uniforme o nessuna uniforme. Come ti chiami?»

«Piero.»

«Piero e poi?»

«E poi niente. Addio.»

Si allontanò per raggiungere il suo gruppetto.

Marco lo vide ancora tre mesi dopo con una uniforme grigia, un basco dello stesso colore e la camicia nera. Era l'uniforme della Decima MAS.

"Dio" pregò Marco in cuor suo, "Signore, salvalo."

Gli rimasero impressi di lui lo sguardo torvo, gli occhi grigi, da rapace, assurdi per un ragazzo di quell'età. Chissà quali spaventose esperienze aveva passato, a quante crudeltà ed efferatezze aveva assistito. Ricordò a lungo quegli occhi e quell'attitudine di silenziosa disperazione.

Meditò nei giorni e nei mesi e negli anni successivi, durante gli studi di filosofia e di teologia, e quell'immagine gli tornò in mente anche quando si avvicinava il giorno della sacra ordinazione: «*Tu es sacerdos in Aeternum*», e anche il giorno in cui dovette prostrarsi al suolo e ricevere l'imposizione delle mani, meditò sulle parole del ragazzo dagli occhi di falco. "Però ti salvi la pelle, e non ti manca né pane né un piatto di minestra né un bicchiere di vino." Era davvero così? Era doveroso a volte combattere? O sempre porgere l'altra guancia? La guancia di chi? La propria o quella degli altri? Chi aveva ragione? E aveva senso in quell'ora della sua vita preoccuparsene?

La sua mente si affollò di immagini d'orrore, di corpi straziati, violati. Era doveroso lasciare tutto alla divina Provvidenza o solo comodo? E quel ragazzo dallo sguardo cattivo avrebbe avuto la pietà della Misericordia divina e della divina Provvidenza? Dov'era Piero in quel momento? Aveva fame, aveva freddo, aveva paura, forse? Piero e poi? Piero e poi niente.

Si alzò dal pavimento quando si accorse che i suoi confratelli erano già tutti in piedi, bianchi nei loro camici lunghi fino a terra.

Per alcuni anni fece tirocinio in Italia come supporto nelle parrocchie più disagiate, poi come insegnante nei seminari della congregazione, finché un giorno il rettore del convitto in cui prestava la sua opera di insegnante lo chiamò nel suo ufficio.

«Marco» gli disse, «l'anno prossimo partirai in missione.»

"Finalmente!" pensò fra sé. "Era ora." Poi domandò: «Posso chiedere dove?».

«In Congo. Probabilmente nel Kivu, una zona di frontiera a nordest» rispose il rettore. «La situazione laggiù è molto difficile. I belgi si stanno disimpegnando perché i partiti indipendentisti diventano ogni giorno sempre più aggressivi e c'è ovviamente chi ha interesse a soffiare sul fuoco. È del tutto lecito che una nazione reclami la propria indipendenza e rivendichi di gestire il proprio destino e il futuro della sua gente, ma quel paese enorme che ha risorse e ricchezze infinite non ha una classe dirigente.

E qui c'è la responsabilità della potenza coloniale, ma in parte anche nostra. Ci siamo molto occupati della loro formazione religiosa, di conquistare le comunità alla rivelazione cristiana e cattolica, ma non abbiamo pensato a istruirle nell'arte della politica, della gestione dell'economia e nell'etica dell'amministrazione.

Che cosa succederà quando i belgi se ne saranno andati? Io temo il peggio. Certo, si è deciso per un periodo di co-gestione di un anno in modo da formare gli amministratori, ma ti sembra sufficiente? Se per formare un prete» e lo fissò negli occhi «ci sono voluti cinque anni di studio assiduo, non credi che ci vorrebbe di più a formare un ministro dell'istruzione, della sanità, delle infrastrutture?»

«Sicuramente» rispose padre Marco. «E quindi?»

«I belgi, scaduto l'anno di gestione comune, se ne andranno. È probabile che anche molti civili se ne andranno, scortati dai militari, ma noi resteremo.»

«Mi sembra giusto» commentò padre Marco.

«Anche se rischioso. Ed è per questo che ho pensato a te.»

«Posso chiedere il perché, monsignore?»

«Perché sei un uomo coraggioso. L'ho notato in più occasioni, specialmente durante la guerra civile. Non ti ho visto mai tremare. Hai sempre preso l'iniziativa. Sei robusto, resistente. Un vero soldato di Cristo.»

Padre Marco restò in silenzio per qualche minuto e il rettore non interruppe i suoi pensieri.

«Quando dovrò partire esattamente?»

«Fra dieci mesi. Avrai tempo di studiare lo swahili, gli usi e i costumi di quella gente, imparerai i rudimenti di parecchi mestieri: falegname, meccanico, muratore, agricoltore, fornaio. Devi saper fare di tutto. Apprenderai anche tecniche di sopravvivenza, ti allenerai a marciare per chilometri e chilometri mangiando poco o niente, ti abituerai a sopportare la sete e la fame...»

Nessuno aveva mai parlato a padre Marco in quel modo: sembravano le parole di un ufficiale che prepara i suoi gruppi d'assalto.

«Hai mai sparato?»

«Qualche volta sono andato ai beccaccini con degli amici.»

«E ne hai preso qualcuno? Intendo dire di beccaccino.»

«Ovviamente» sorrise. «Non sparo mai sugli amici. Sì, diversi.»

«Non pensare mai di usare un'arma da fuoco.»

«Non sarà necessario, monsignore» rispose padre Marco.

Il rettore avrebbe voluto chiedere: "E se lo fosse?", ma preferì non farlo.

E così padre Marco completò la sua preparazione con marce estenuanti sulle montagne, sui sentieri a precipizio, sulle pareti rocciose, e con arrampicate sulle ferrate dolomitiche, con un pezzo di pane e una fetta di formaggio nello zaino, che dovevano bastare per tutta la giornata fino al momento di tornare alla base in una piccola comunità della sua congregazione ai bordi di un bosco di abeti.

Durante quegli anni si era asciugato e indurito, perdendo tutto il superfluo, riducendosi a un fascio di nervi e muscoli. Non vedeva l'ora di essere chiamato per partire.

Le sue marce le faceva da solo, fermandosi sui picchi rocciosi a contemplare i paesaggi spettacolari della catena alpina e delle torri dolomitiche, o il Monte Pelmo che sembrava il trono di Dio con lo schienale, la seduta e i braccioli. In quei momenti meditava intensamente penetrando con il pensiero nelle più nascoste profondità del suo spirito. A volte non faceva ritorno. Al calar della notte raccoglieva un fascio di rami secchi di mugo e con il suo Zippo vi appiccava il fuoco, che subito scoppiettava profumato di resina, poi vi arrostiva il pane e vi faceva fondere sopra il formaggio, bevendo dalla borraccia l'acqua attinta dall'ultimo ruscello, acqua gelida delle altezze.

Al lume della sua lampada a gas leggeva l'ufficio di Compieta, con i salmi, e un brano della Bibbia con le imprese di David nel deserto. Poi stendeva sul prato il suo sacco a pelo in un riparo sotto roccia e si coricava supino, così da poter ammirare il cielo limpido brulicare di stelle e il grande velo della galassia stendersi da un capo all'altro del firmamento.

Dovunque facesse scorrere lo sguardo non vedeva alcun segno di presenza umana e cercava di immaginare come dovesse apparire il suo piccolo bivacco dalla cima che aveva di fronte sul lato opposto della valle. Non si esercitò durante l'inverno, perché era certo che sarebbe stato tempo sprecato. Non avrebbe mai trovato neve in Congo, nemmeno sulle cime più alte.

Si esercitò di frequente anche a scendere un rio con una canoa o con un piccolo gommone e una pagaia. Aveva sentito dire che saper governare un natante, di qualunque tipo, poteva essere di vitale importanza in quelle regioni.

Un giorno, senza alcun preavviso, il rettore lo convocò nel suo studio e gli comunicò che doveva partire prima di sera. Avrebbe fatto solo una sosta a Venezia con un paio di confratelli, perché il patriarca della città aveva espresso il desiderio di incontrarli.

Era un uomo dall'espressione bonaria e dalla corporatura massiccia. Lineamenti da contadino. Contrariamente a quello che padre Marco si aspettava, cenarono assieme: risotto o zuppa di verdura a scelta, una omelette di due uova con patate arrosto e caffè. Poi una partita a briscola. Niente orazioni o salmi o letture edificanti, ma esclamazioni di esultanza o di disappunto a seconda dell'andamento del gioco.

A padre Marco toccò come compagno il patriarca in persona e in coppia riuscirono ad aggiudicarsi la maggior parte delle partite: le vincite erano solo simboliche, con dei piccoli gettoni di legno che rappresentavano i denari vinti o persi. Alla fine i due restarono da soli a conversare.

«Che cosa vuoi fare quando sarai in missione?» gli domandò il prelato.

«Convertire quante più persone possibile alla fede in Cristo e andare poi un giorno tutti quanti in paradiso.»

Il patriarca lo fissò perplesso, cercando di capire se dicesse sul serio o se avesse pronunciato quelle parole solo per compiacerlo: era mai possibile che un giocatore di briscola tanto accanito e scaltro avesse una fede così cieca? Era davvero così determinato a infilzare anima dopo anima da regalare al Signore come un pescatore che infilza un pesce dopo l'altro con la fiocina? Il suo sguardo penetrante mostrava anche altri lati del suo carattere.

A quel punto il patriarca si alzò in piedi dicendo: «Vedi di non fare troppi disastri», e lentamente salì le scale che portavano al piano di sopra.

Padre Marco fece lo stesso dieci minuti dopo e una volta in camera recitò la Compieta. Quando si coricò era stanco ed eccitato al tempo stesso. L'ultima frase che gli risuonò nella mente prima di addormentarsi fu: "Piero e poi niente".

4

Padre Marco si alzò alle sei, si vestì e scese in cappella assieme ai confratelli per assistere alla messa celebrata dal rettore del convitto. Poi passarono in refettorio per la prima colazione: caffelatte con fette di pane abbrustolito spalmate di burro e marmellata di prugne. Gli sembrò un lusso quasi eccessivo e gli vennero ancora in mente le parole di Piero.

Finito il pasto, padre Marco tornò in camera a lavarsi i denti e a chiudere il bagaglio. Vi stipò, oltre ai suoi effetti personali, due vesti talari bianche da missione e anche un cinturone di pelle marrone che aveva comprato dal calzolaio del paese. Aveva solo un paio di calzature robuste, alte fino al polpaccio, e le indossò mettendo invece in valigia un paio di sandali. Le vesti erano di un cotone resistente con i bottoni fissati a regola d'arte. Per il viaggio aveva preparato uno spolverino con il collo aperto, molto più comodo. Nell'angolo interno della valigia, prima di chiudere, notò un santino con la Madonna di Monte Berico: doveva avergliело messo sua madre come viatico e benedizione perché fra donne ci si intende. Lei sapeva cosa significa perdere un figlio.

Un pulmino Volkswagen li condusse a piazzale Roma, dove li aspettava una motobarca che li portò alla stazione di Santa Lucia con tutti i bagagli, compresi i sacchi con provviste e medicinali. Di là partirono in direzione di Roma.

Viaggiavano in seconda classe (e chi l'aveva mai vista la

prima?), a una velocità notevole perché il convoglio era trainato da una locomotiva elettrica.

Era bella la campagna toscana: pascoli verdi erano bordati dalle sagome scure e acute dei cipressi, i vigneti seguivano le ondulazioni del terreno e già mostravano sui tralci piccoli grappoli nutriti dal sole e dalla pioggia. Sui colli si potevano scorgere castelli e borghi, ville meravigliose. Forse anche i generali vittoriosi dei "liberatori" non avevano osato distruggere tanto incanto, tanta magia. Si vedevano ancora le ferite della guerra, squarci su un corpo di assoluta bellezza.

A mano a mano che si avvicinavano a Roma padre Marco avvertiva nel cuore uno struggimento sconosciuto. Sentiva di amare ogni angolo di quella terra miracolosa, ogni pianta e ogni ruscello, ogni valle e ogni fiume, ogni torre e ogni pieve. Sarebbe mai più tornato?

A Roma si incontrò con il suo superiore, padre Vezzali, e con altri quattro confratelli che avrebbero viaggiato con loro. Arrivarono all'aeroporto di Fiumicino verso le nove di sera, dopo aver sostato per un paio d'ore nella casa della congregazione non lontano dal Vaticano per rinfrescarsi, mangiare qualcosa e acquistare delle provviste per la lunga traversata che li attendeva.

Non aveva mai preso un aereo e si tenne aggrappato ai braccioli quando il Douglas DC7 di Sabena accelerò e poi si staccò dalla pista. Viaggiava seduto accanto a padre Vezzali, che si fece il segno della croce, strinse la corona e recitò il rosario per quasi tutto il viaggio. Padre Marco lesse un giornale belga che trattava anche il problema dell'avvicendamento dei congolesi al governo coloniale e delle temute violenze degli estremisti che sarebbero potute divampare nel paese.

L'aereo fece scalo a Dakar per poi ripartire, dopo tre ore, in direzione Léopoldville.

Padre Vezzali era un uomo poco comunicativo e scambiava con padre Marco solo qualche frase di tanto in tanto. Marco, peraltro, era attratto dalla vista del paesaggio prima desertico, un mare sconfinato di sabbia e di dune, che gradatamente si colorava dei colori della steppa e poi della savana. Dopo cominciò il verde sempre più fitto e più cupo della foresta, lo spettacolo grandioso della potenza della natura.

A Léopoldville incontrarono il nunzio apostolico monsignor Aurelio Solari, un uomo dal profilo affilato e dallo sguardo penetrante che li mise al corrente della situazione.

«A Roma pensano che dobbiamo prendere il posto dei padri Bianchi nella regione orientale del Congo, in vista dell'Indipendenza del paese dal Belgio. I padri Bianchi sono in gran parte belgi e olandesi e potrebbero essere esposti a ritorsioni molto dure. Voi siete tutti italiani e in quanto tali non avete un passato coloniale in questo paese. Prepariamoci comunque a un periodo durissimo di caos e di violenze. Non esiste una classe dirigente perché nessuno l'ha formata: non i belgi e nemmeno noi. Non ne avevamo la possibilità né i mezzi, ma forse neppure l'intenzione. Tutto considerato, anche nell'apostolato esiste il calcolo di un rapporto costi-benefici. In questa situazione può succedere di tutto. Il Congo cela tesori inestimabili nel suo sottosuolo e le compagnie minerarie non hanno nessuna intenzione di perdere il controllo di queste risorse. Ai piani alti della politica si sono resi conto che la sovranità su immensi territori poteva fare il prestigio delle dinastie regnanti, ma non il tornaconto dei nuovi potentati economici e finanziari.

Al Belgio non costa molto concedere l'indipendenza, anzi. Non è più tenuto a fornire una costosa assistenza medica, una istruzione elementare, media e universitaria che pure ha costi elevati, infrastrutture, poste etc. È sufficiente mantenere aperti i canali dello sfruttamento delle risorse. Badate bene, i belgi non sono peggio di altri, anzi, fino a ora hanno gestito i servizi in maniera ragguardevole».

Marco notò che il nunzio non aveva fatto particolari raccomandazioni né aveva dato consigli. Sfogliava un registro. «Uvira... è qui che sei destinato. È la tua prima missione?» gli domandò il prelato.

«Sì, è la prima» rispose padre Marco.

«Qualcuno ti ha detto che potrebbe essere anche l'ultima?»

«Non ce n'era bisogno, monsignore. Quando uno sceglie di intraprendere questa strada sa che può essere destinato a compiti pericolosi in luoghi difficili e impervi, fra genti che non hanno mai conosciuto altro che violenza...»

«Non dirmi che aspiri al martirio» lo interruppe il prelato. «Io parlavo di molto meno.»

Padre Marco lo guardò interdetto.

«Intendo dire che potrebbe non finire mai. Qui sei arrivato e qui potresti morire... di acciacchi e di vecchiaia, magari di malaria.»

In quello strano colloquio, padre Vezzali non diceva una parola, spostava solo la sua attenzione da uno all'altro.

«Non io» rispose Marco. «Non io. E adesso, per favore, ci spieghi come dovremo comportarci, così mi preparo.»

Vezzali lo fulminò con uno sguardo; il nunzio, invece, non fece una piega.

«A Bukavu» rispose «c'è un centro per l'apprendimento dello swahili. Dovete imparare la lingua per predicare, confessare, comprendere.»

Li congedò aprendo la porta. Padre Marco fece passare prima il suo superiore e in quel breve indugio il nunzio gli appoggiò la mano sul braccio: «Non fare caso a quello che dico: sono un vecchio prete inacidito che ha dimenticato da tempi immemorabili gli entusiasmi dei suoi vent'anni. Non credo che questa sia la tua ultima missione: sarà la prima di molte». Lo fissò negli occhi. «Tu non sei fatto per marcire in un buco a masticare tapioca per il resto dei tuoi giorni. Buona fortuna, ragazzo.»

Padre Marco raggiunse il suo superiore e insieme a lui si diresse all'aeroporto, dove li aspettava un Piper con ai comandi un fratello coadiutore dagli occhi furbi e svelti. Fecero sedere dietro il superiore e Marco si mise accanto al pilota.

«Come ti chiami?»

«Renzo.»

«Nome vero o nome d'arte?»

«L'uno e l'altro. E tu?»

«Marco. Anche questo è l'uno e l'altro. Mi insegni a guidare questo bombardiere?»

«Come no? Non ci vuole niente. Allacciati, si parte.»

Renzo mise in moto: il Piper rullò sulla pista e decollò a metà percorso.

Fu un viaggio magnifico. Se solo non ci fosse stato il superiore sarebbe stato perfetto. Renzo ogni tanto gli mostrava con il dito gli aspetti più belli del paesaggio, le colonne militari che percorrevano le piste dell'interno, sintomi inquietanti di una violenza che stava per esplodere, i villaggi e qualche missione, le chiome immense di alberi plurisecolari da cui si alzavano nubi di uccelli. Videro perfino un branco di elefanti: creature maestose, mirabili, segno della potenza di Dio e della Natura. Renzo si abbassò, ma non tanto da spaventarli o da disperderli. Marco non li aveva mai visti, nemmeno al circo o allo zoo. E ringraziò Dio per quel privilegio.

L'Africa era il luogo in cui ancora (ma per quanto?) sopravvivevano lacerti dell'Eden. Era convinto che il giardino dei progenitori e della loro innocenza ancestrale non fosse altro che la Terra intatta e inviolata delle ere più remote, dove l'uomo viveva come qualunque altra creatura senza devastare, dominare, annientare.

Di tanto in tanto Renzo gli faceva prendere i comandi di nascosto dal superiore e Marco si accendeva di entusiasmo. Dov'erano i piccoli villaggi delle sue montagne? Le immutabili tradizioni, la povertà permanente, il pane strappato con fatica alla terra esausta, l'odore di stalla onnipresente. Sembravano più lontani della luna e delle stelle. Lui che a stento aveva inforcato la bicicletta stava guidando un aeroplano e gli sembrava di averlo sempre fatto.

Le parole del nunzio avevano messo Marco di buon umore perché le vedeva confermate dalla foresta che si estendeva fino all'orizzonte, dagli stormi di migliaia, di milioni di uccelli, dai fiumi solenni nel loro scorrere lento e poi nel precipitare improvviso delle cascate iridescenti, colonne dell'infinito, torri di bianca spuma che il sole animava di colori e di una luce surreale, paradisiaca.

«Fratel Renzo, riprenda immediatamente i comandi!» La voce di padre Vezzali risuonò alle loro spalle: doveva essersi addormentato e ora si era svegliato nel momento meno opportuno.

Renzo obbedì con un sospiro e riprese un po' di quota per tranquillizzarlo. Volava sicuro come se percorresse un invisibile sentiero del cielo a lui solo evidente.

Quando il superiore si fu di nuovo addormentato, Marco indicò un'apparecchiatura inserita sotto la plancia e domandò: «Che cos'è questa cosa?».

«La mia voce» rispose Renzo. «Imparerai a conoscerla.»

«Una radio?»

«Sì. Una ricetrasmittente. Ti abituerai a chiamare e a rispondere. In molti casi può essere risolutiva.»

Atterrarono a Bukavu e padre Vezzali trovò un uomo con una jeep che lo portò al vescovado, dove avrebbe dovuto discutere gli scenari possibili dopo il ritiro dei belgi e le eventuali contromisure.

Marco e Renzo aspettarono all'uscita dell'aeroporto che qualcuno venisse a prenderli per portarli nel luogo in cui Marco avrebbe studiato lo swahili. Dopo una mezz'ora arrivò un camioncino da cui scese un giovane poco più che trentenne che li salutò: «Mi chiamo Louis e sono dei padri Bianchi. Montate, che vi porto alla scuola».

I due salirono accanto a lui sul sedile e in capo a mezz'ora giunsero a destinazione: una casetta imbiancata a calce con all'interno alcune camere. Una era destinata all'insegnamento della lingua locale, di cui si occupava un fratello coadiutore africano.

«Come ti chiami, oltre Louis?» domandò Marco.

«Chevallier, Louis Chevallier» fu la risposta, «e sono vallone. Per questo mi hanno lasciato qui. Posso passare per un francese. Ma mi sto facendo preparare dei documenti falsi all'ambasciata francese se mi riesce. Ho degli amici. E tu?»

«Giraldi, Marco Giraldi. Sono italiano, di un paese a nord di Bergamo.»

«È la tua prima missione, vero?»

«Sì. Non ero mai uscito dall'Italia.»

«Perché lo hai fatto, a parte la vocazione?»

Louis sembrava volerlo provocare e Marco non si fece pregare: «Volevo vedere gli elefanti, i leoni, le iene».

«E il galagone dalla coda grassa no?»

«No, quello no.»

«Fra un po' rimpiangerai di non essere stato allo zoo o al circo.»

«Io dico di no.»

«Io dico di sì.»

«Vedremo chi avrà ragione.»

«Dici sul serio?»

«Io non scherzo quasi mai.»

«Deve essere vero. Hai la faccia di uno tosto. E il tuo francese non è niente male. Allora stammi ad ascoltare: i quattro che hanno viaggiato con voi sono stati assegnati a Uvira, la sede del vostro superiore provinciale; io ho l'incarico di visitare le piccole comunità della montagna. Vuoi venire con me?»

«Non chiedo di meglio.»

«Bene. Non subito, però. Adesso ho degli impegni e tu intanto devi imparare il tuo swahili e poi fare tirocinio a Uvira con gli altri. Quando sarà il momento ti farò vedere la creatura più straordinaria che tu possa immaginare: il gorilla di montagna. È quasi come noi ma pesa due quintali, tutti muscoli.»

«Non vedo l'ora.»

«Sai sparare?»

«Sì.»

«Allora andremo anche a caccia. Ma quando saremo nelle terre dei gorilla dovrai sparare solo se te lo dico io.»

Marco assentì. Si strinsero la mano.

Amici.

Marco si applicò di buona lena allo studio della lingua locale, ma era deciso a imparare anche gli idiomi tribali per potersi inserire meglio nelle varie comunità: Barega, Babuyu, Bashi e altri ancora. Tutto era nuovo per lui, tutto era eccitante, però si rendeva conto che occorrevano anche prudenza e moderazione. Non si trattava solo di conquistare anime ed espandere il dominio della Chiesa cattolica, ma prima di tutto di comprendere mentalità, tradizioni, credenze, costumi antichi di chissà quanti secoli o millenni. E tutto ciò doveva farlo con umiltà e con rispetto.

Lo capì subito una sera di quella estate rovente quando celebrò una messa in un villaggio sull'altopiano dell'Itomwe per implorare la pioggia sui campi sitibondi e sui raccolti minacciati dalla siccità.

Si accorse che una messa solenne era per la comunità una specie di happening; non solo per i fedeli cattolici e per i catecumeni ma per tutti, compresi gli animisti o pagani, come erano chiamati, che erano attratti dai canti, dai paramenti, dai vasi sacri, dall'aspersorio e dal turibolo che fumigava d'incenso spandendo un intenso profumo. Marco pensò che tutto ciò suscitasse l'invidia dello sciamano, che forse vedeva minato l'ascendente che aveva sulla comunità, e covava un certo risentimento.

"Sto facendo del colonialismo culturale" pensò, e cercò su due piedi il modo di rimediare.

Lo sciamano intanto si avvicinava danzando e agitando un tintinnabolo di rame, sempre più prossimo all'altare. Prima che si verificasse un confronto sgradevole, Marco, che stava cantando la rogazione per la pioggia, s'interruppe e gli chiese a voce alta e con un largo e accattivante sorriso: «Che cosa fai?».

Lo sciamano rispose: «Quello che fai tu».

«Allora vieni accanto a me e canta con me la tua preghiera. In due si ottiene di più, credo.»

Lo sciamano, che non se l'aspettava, ne fu lusingato e cantò con il missionario la sua preghiera davanti alla comunità sorpresa e compiaciuta.

Alla fine di quella invocazione Marco proclamò: «Parola del Signore!», e tutti ripeterono all'unisono quelle parole. Marco capì di aver favorito l'instaurarsi di un'atmosfera cordiale e che i rapporti con quella gente avrebbero potuto svilupparsi su un piano di parità perché solo in una situazione di parità potevano nascere sentimenti di pace e di amicizia. Quando tornò alla missione e raccontò l'episodio a Louis, trovò che anche lui era di quell'avviso e pensò che la sua mossa fosse stata la migliore che potesse fare.

«Bel colpo!» si complimentò Louis, con il suo stile fra l'ironico e il provocatorio.

«Non era una partita a tennis» rispose Marco con lo stesso tono, «era una messa.»

Ma c'erano molti altri aspetti delle comunità tribali non meno importanti da approfondire, soprattutto per chi, come lui, aveva scarse conoscenze dei caratteri delle popolazioni di quella regione del Congo.

Nel periodo delle celebrazioni pasquali Marco aveva fatto eseguire dei quadri su cartone della via Crucis, convinto che quelle grandi illustrazioni avrebbero coinvolto gli astanti come nessuna omelia. Ma dovette rendersi conto che i mezzi visivi di forte carica emotiva andavano usati con parsimonia.

«Sono vivo per miracolo!» disse a Louis dopo una lezione di swahili.

«Addirittura! Che hai combinato questa volta?»

«Stavo illustrando ai fedeli e ai non fedeli i quadri della via Crucis e in particolare la terza stazione...»

«Gesù cade per la prima volta sotto il peso della croce...»

«Precisamente.»

«E allora?»

«Stavo illustrando la scena indicando i personaggi con una bacchetta e contemporaneamente mostravo Gesù con la corona di spine, i giudei che lo facevano bersaglio di sassate e di sputi e infine il soldato romano che lo colpiva con il flagello...»

«... e qualcuno si è emozionato troppo.»

«Esattamente. A un certo momento, proprio mentre indicavo il legionario che colpiva Gesù con la frusta, sento un sibilo a due dita dall'orecchio e... *tum*! Una freccia si conficca giusto nella schiena del legionario romano, tirata da un guerriero barega che non sopportava che un innocente venisse ferito e colpito in quella maniera. Insomma, a suo modo aveva espresso la propria indignazione.»

«Di sicuro» approvò Louis. «Peccato che avresti potuto

essere infilzato senza aver fatto alcun male. Ho letto una volta che nel Medioevo, durante le sacre rappresentazioni, l'attore che impersonava Giuda suscitava tale disapprovazione fra il pubblico che alla fine doveva fuggire di nascosto per non essere linciato. Fai più attenzione un'altra volta.»

«Ci starò più attento» rispose Marco.

«A me è andata meglio» disse Louis. «Il Natale scorso avevo suscitato una tale tenerezza negli astanti descrivendo Maria e Giuseppe e il piccolo Gesù in una mangiatoia, che se lo rubarono.»

«Il piccolo, Gesù?»

«Sì, la sua statuetta. E celebrarono il Natale a modo loro. Hanno ballato tutta la notte.»

«Un modo bellissimo, se ho capito bene.»

«Hai capito benissimo. Fra un mese partirò per visitare le comunità di montagna» disse Louis.

«Mi avevi promesso che si andava insieme.»

«E così sarà. Ci vediamo a Uvira, al caffè della Cotton Co. all'alba.»

«Ci sarò» rispose Marco.

5

Per un mese Marco lavorò quasi ogni giorno fino a tardi assieme ai suoi confratelli e ai padri Bianchi belgi per organizzare la sua missione a Mwenga, una specie di parrocchia di quella che un giorno sarebbe diventata la diocesi di Uvira, sempre pensando a quando sarebbe partito per andare a caccia in montagna con Louis e a vedere i gorilla.

In quel periodo ebbe modo anche di informarsi sulle forti tensioni politiche che attraversavano il paese, dove si stava affermando la figura di un giovane leader di nome Patrice Lumumba, nazionalista e socialista radicale, sostenuto dalle fasce più povere della popolazione.

In tutta l'area i saveriani italiani si stavano lentamente ma costantemente sostituendo ai padri Bianchi belgi.

Marco e Louis partirono un lunedì all'alba dopo aver preso un caffè nel bar della compagnia cotoniera che sorgeva lungo la strada che portava a Bukavu.

Louis Chevallier era al volante di una jeep Willys e aveva imboccato la pista che conduceva ai monti Virunga. Lassù c'erano piccoli villaggi dove ben pochi erano arrivati fino ad allora. I due esploratori, dopo alcune ore, si fermarono a Ndolera, davanti alla direzione di una fabbrica di caffè retta da un funzionario belga di nome Julien Werpen, molto esperto e capace, stimato anche dalla popolazione locale. Con lui viveva la moglie, Madame Thérèse, ma la coppia non aveva figli: avevano quindi adottato una bambina barega che avevano trovato abbandonata dieci anni prima lungo la strada durante una escursione nell'interno e che avevano chiamato Bashira.

Ora era una ragazza molto bella, pelle bruna e liscia, occhi lucenti. Aveva forme scultoree che non si preoccupava troppo di nascondere vestendosi con le stoffe leggere delle donne della sua tribù elegantemente drappeggiate sul petto e strette sui fianchi.

I due viaggiatori vennero ospitati per il pranzo e Marco notò più volte lo sguardo di Louis che si posava su Bashira, ma non volle dare a vedere di essersene accorto. Non era abituato a giudicare: non gli piaceva e non lo riteneva giusto. Ogni uomo e ogni donna avevano la loro storia e pensava che non fosse lecito intromettersi.

Finito il pranzo e ringraziata la piccola famiglia, i due si congedarono. Bashira diede loro una ghirba di acqua fresca e li salutò sorridendo: «Padre Louis, si ricordi di portarmi una piantina da fiore se ne trova una. Me l'aveva promessa».

«Lo farò, Bashira, e cercherò la più bella che si possa trovare. Guarda qua, l'ho comprato apposta.» E le mostrò un volume illustrato di botanica del Congo. Anche galante. Padre Marco cominciava a preoccuparsi, tanto più che la ragazza era stata piuttosto civettuola nel ricordargli la promessa e nel fargli capire quanto ci tenesse. Per un po' non aprì bocca e sembrò ascoltare il motore della Willys che avanzava spedita per un sentiero polveroso attraverso il territorio dei Bashi, lasciandosi dietro una nube bianca. Ogni tanto si voltava a controllare che le custodie dei fucili non facessero entrare polvere all'interno.

«Non hai detto una parola nelle ultime dieci miglia. Bashira ti ha turbato?» domandò padre Louis.

«Non più di quanto abbia turbato te» replicò Marco.

«Buon osservatore.»

«Non ci voleva molto. Non le toglievi gli occhi di dosso.»

«Mi intorbida il sangue, che ci posso fare?»

«Hai provato a pregare?»

«Mi aspettavo qualcosa di più originale: è la prima cosa che ho fatto. Non è servito a niente.»

«Serve a chi ci crede.»

«Bene: si vede che non ci credo abbastanza o non ci credo per niente. Prova tu a pregare per me, magari funziona.»

«Lascia perdere» tagliò corto Marco.

«Antilope» disse Louis e fermò subito la Willys.

«Vista» rispose Marco. Sfilò un fucile dalla custodia e lo passò a Louis. Poi estrasse l'altro, controllò che fosse in ordine, mise il colpo in canna e lo imbracciò. In un attimo erano diventati due cacciatori e non pensavano più ad altro.

«Prima tu» disse Louis.

«No, prima tu» ribatté Marco.

«Non fare il difficile: sei mio ospite, tocca a te.»

Padre Marco prese la mira. L'antilope si guardava intorno nervosa. Sentiva il pericolo e schizzò di lato mentre Marco premeva il grilletto fallendo il bersaglio. Louis sparò una frazione di secondo dopo e fulminò l'animale.

«L'hai fatto apposta» disse Marco quasi indispettito.

«Non proprio» replicò Louis. «Ho pensato che difficilmente avresti colpito il bersaglio la prima volta che imbracciavi il fucile e mi sono tenuto pronto.»

«Chi te l'ha detto che era la mia prima volta?»

Louis ignorò la domanda e si limitò a commentare: «È stato un altro il tuo errore, hai dimenticato che il tuo Browning 5 ha appunto cinque colpi nel caricatore ed è, in un certo senso, semi automatico: avresti potuto sparare tu il secondo colpo e centrare l'antilope. Ma adesso muoviamoci a metterla sul cassone, altrimenti fra dieci minuti dovremo contendercela con le iene e forse anche con i leoni».

Louis non si era sbagliato di molto. Quando ebbero caricato la carcassa dell'animale già sbucava un gruppetto di leoni dalla boscaglia. Mise in moto partendo a tutta velocità.

Sul far della sera arrivarono a un villaggio che si chiamava Kanyamugera. Gli abitanti parlavano un dialetto non facile da capire, anche se aveva qualche affinità con lo swahili, ma l'antilope da condividere con tutti fu più eloquente di qualsiasi discorso e i due padri furono accettati subito dal capo e ospitati in una capanna ben costruita e arredata con stuoie.

La notte piovve. Si udì dapprima il tuono rumoreggiare dai monti Virunga poi esplodere con fragore sul villaggio. Il riflesso dei lampi più volte illuminò a giorno l'interno della capanna.

«A che pensi?» domandò Marco.

«Ah, lo so: tu vorresti che ti dicessi che penso a Bashira e che la sua immagine turba le mie notti, e invece no, penso ai gorilla.»

«Ai gorilla?»

«Sì, proprio a loro, che non hanno riparo: si costruiscono dei nidi sugli alberi con della ramaglia e quando piove come adesso stanno lì a testa bassa a prendersi tutta l'acqua. Bashira invece sta comoda e asciutta nel suo lettuccio e domani mattina avrà la sua colazione con latte caldo e gallette spalmate di marmellata...»

«Dormiamo?» propose Marco.

«Dormiamo» rispose Louis, e piombarono nel sonno.

Una sequenza di folgori accecanti fu seguita dal crepitare secco del tuono. Louis e Marco balzarono a sedere e videro stagliarsi nell'ingresso un corpo nero luccicante di pioggia. Louis afferrò il fucile e mise il colpo in canna.

L'intruso alzò le braccia per significare che non aveva intenzioni aggressive, poi, puntandosi il dito sul petto si presentò: «Rugenge... Rugenge».

«Non vuole farci del male» disse Marco a bassa voce.

«E chi te lo dice?» replicò Louis senza lasciare il fucile.

«Abbassa quell'arma. È solo un ragazzo, non vedi?»

Louis lentamente l'appoggiò sulla stuoia volgendosi sul fianco destro. Quando si raddrizzò a sedere, Rugenge era di fronte a lui e aveva in mano il fucile di Marco.

«Lo dicevo io!» esclamò Louis stizzito. «Dovevamo montare di guardia a turno.»

«Non sarà necessario» rispose Marco. Rugenge infatti era solo incredibilmente incuriosito dall'arma che aveva in mano. L'accarezzava, lisciava la superficie levigata del calcio, le incisioni sulle guance in metallo brunito, la parete curva e lucida della camera d'acciaio del caricatore, la canna di un colore talmente unico da non potersi chiamare che colore di se stessa: color canna di fucile.

Marco si alzò lentamente, accese la fiammella del suo Zippo e Rugenge distolse l'attenzione dall'arma.

«Dammi il fucile» disse Marco nel suo swahili basico, «e ti do questo. Potrai accenderci il fuoco quando vorrai... finché dura la benzina.»

Rugenge sembrò per un momento volere l'uno e l'altro ma alla fine si rassegnò: restituì il fucile e accettò lo Zippo. Uscì e si fermò sotto la tettoia della capanna, che si scoprì in seguito essere quella del capo. Non avendo altro modo di ricambiare l'immenso dono del cibo per tutti, li avevano ospitati nella residenza più illustre del villaggio.

Rugenge stava sotto lo sporto del tetto con i piedi nel fango: se ne poteva vedere l'ombra allungarsi davanti alla porta quando lampeggiava. Non voleva allontanarsi dall'oggetto del suo desiderio: il prodotto di una civiltà evoluta, come aveva sentito dire da un insegnante belga. Sapeva a cosa serviva e avrebbe dato qualunque cosa per farne personalmente la prova. Dal canto loro, né Louis né Marco si sentivano di invitarlo all'interno, dati i precedenti.

Il giorno si diffuse sul villaggio e si specchiò nelle pozzanghere striate di verde, di azzurro e di rosa. Marco e Louis salutarono il capo rendendogli omaggio, infilarono i fucili nelle custodie, salirono sulla jeep e partirono.

Solo dopo qualche tempo si accorsero che Rugenge li stava inseguendo a grandi falcate finché li raggiunse e con un balzo si mise a sedere con le gambe penzoloni sul cassoncino posteriore della Willys. Né Louis né Marco mostrarono attenzione per la sua corsa e per il suo acrobatico salto.

Percorsero una trentina di chilometri sobbalzando sulla pista piena di buche, poi Louis si fermò e prese il fucile: «C'è un gruppo di pernici di monte da quella parte, vedi il falco come le sorveglia roteando nel cielo?». Passarono pochi minuti e una pernice si alzò in volo. Era di certo il capo stormo e presto si sarebbero mosse anche le altre.

«Ne basteranno sette o otto» disse Louis, «di più andrebbero a male.» Si avvicinò strisciando nell'erba alta e, appena un piccolo gruppo gregario si levò in volo, sparò. Un uccello cadde ai suoi piedi mentre lo stormo intero si alzava con fitto battito d'ali. Marco stava guardando un gruppo di facoceri che avanzavano grufolando quando sentì una sequenza di spari e si voltò. Rugenge aveva preso il suo fucile e aveva sparato cinque colpi abbattendo cinque uccelli, uno dopo l'altro.

Poi ognuno si diede a raccogliere la selvaggina e a caricarla sulla jeep senza dire una parola. Alla fine Marco si avvicinò a Rugenge. «Dove hai imparato a sparare a quel modo?» gli domandò in swahili.

«Qui, ora» rispose Rugenge.

«Non è possibile» replicò Marco.

«Lo è invece» disse Louis. «L'ho visto altre volte. Alcuni uomini di queste tribù della montagna hanno una specie di sensibilità misteriosa che permette loro di apprendere in tempi brevissimi comportamenti anche molto complessi.»

«Con quella precisione?»

«L'hai visto con i tuoi occhi.»

Rugenge sembrò rendersi conto che stavano parlando di lui e si avvicinò tenendo la canna del fucile rivolta verso il basso, poi lo porse per il calcio a Marco che lo prese e gli appoggiò l'altra mano sulla spalla.

«Non so se tornerò più su queste montagne» disse Marco, «ma sono certo che ci rivedremo. Forse sarai tu a cercarmi, forse sarò io a seguire le tue tracce, ma i nostri sentieri si intrecceranno ancora», e mimò le sue parole con l'incrociarsi degli avambracci, uno bianco e uno nero.

«Lo credo anche io» disse il nero, e aggiunse rivolto a Louis: «Incontrerò anche te. In un luogo lontano e poi ci sarà un giorno triste».

Louis scosse il capo con un sorriso ambiguo: come sorridesse di quella ingenua e improbabile profezia oppure per esorcizzare un pensiero inquietante che aveva improvvisamente oscurato i suoi occhi verde-azzurro.

Il giovane color dell'ebano si chinò verso un cespuglio, scavò una fossetta circolare con la punta del suo coltello ed estrasse dal terreno una pianta che aveva aperto un fiore rosso e carnoso come le labbra di una bella ragazza. «Questo è un piccolo dono» disse, «un ricordo di Rugenge.»

Louis lo prese come un segno di buon augurio pensando a Bashira, e stava per dire: "Aspetta, vieni giù con noi", ma il giovane si era già lanciato di corsa e a grandi salti giù per il pendio, diretto forse al suo villaggio.

Dalla nebbia che riempiva le valli sbucavano le vette degli otto vulcani Virunga, giganti smisurati, plasmati uno per uno dalle mani di Dio per segnare il confine fra la terra degli uomini e quella delle scimmie. Di là, un milione di anni prima, una tribù di omuncoli su gracili gambe aveva intrapreso il cammino verso settentrione, che l'avrebbe portata a conquistare il mondo intero. Sui monti di fuoco e di tenebra erano rimaste le scimmie, colossi dalle braccia enormi e dal petto immane che risuonava come un tamburo sotto i pugni martellanti. Nei loro occhi lucenti qualunque uomo poteva riconoscere le tracce di un'anima incerta non ancora capace di lacrime né di parole.

Padre Marco e padre Louis si fermarono e restarono a contemplare attoniti uno spettacolo che non avevano mai visto. Uno degli otto colossi vomitava ceneri e lava, che scendeva in un fiume di fuoco lungo i suoi fianchi. Alla loro destra si ergeva un'altra montagna altissima, la più alta di tutte, candida di neve.

«Il Ruwenzori» disse Louis sottovoce per non turbare la quiete di quel paradiso ancestrale.

6

«Eccoli» disse Louis. «I gorilla. Non fare una mossa, non alzare la voce per alcun motivo. Nemmeno io sono mai arrivato tanto vicino a un gruppo così numeroso.»

Marco si acquattò in mezzo all'erba quasi trattenendo il respiro. Avevano lasciato i fucili sulla Willys.

Il gruppo era dominato da un enorme maschio silver back di forse due quintali di peso: una creatura magnifica che sembrava dominare tutta la terra. Il gruppo era fatto di cinque o sei femmine alcune delle quali avevano i piccoli.

«Stiamo bene attenti che qualche femmina con il piccolo non ci superi sui fianchi o siamo morti» sussurrò Louis guardandosi intorno circospetto.

«Infatti, eccola» rispose Marco accennando con la testa alla sua sinistra, dove una giovane femmina pascolava con il piccolo poco distante. Louis e Marco rischiavano di trovarsi fra la madre e il cucciolo. «Arretriamo strisciando all'indietro finché non saremo vicini alla jeep.»

Cominciarono ad arretrare distanti un metro l'uno dall'altro, cercando di eguagliare il passo della femmina e poi di superarla appena si fosse fermata. C'era un termitaio poco distante che avrebbe potuto attirare la sua attenzione. Ma la femmina lo oltrepassò senza attardarsi. Forse era una costruzione abbandonata da tempo.

La femmina ora era alle loro spalle perché si muoveva più velocemente, ma i due esploratori continuavano ad arretrare più in fretta che potevano, finché sembrò materializzarsi davanti a loro il gigantesco silver back che avevano ammirato poco prima. Era giunto in un baleno e se lo trovarono di fronte, eretto sulle zampe posteriori: si batteva i pugni sul petto e ruggiva a bocca spalancata mostrando le zanne. Louis disse a Marco: «Stai fermo, sta solo cercando di spaventarci».

«Con me ci riesce benissimo» sussurrò Marco cercando di controllare il tremito delle membra. Il gorilla si avvicinò ancora, cauto, appoggiandosi anche sulle nocche delle zampe anteriori: ormai non sentiva il bisogno di sembrare più alto. Li fissò con gli occhi fiammeggianti e li annusò, poi corse vicino alla femmina con il piccolo e la sospinse indietro verso il resto del gruppo.

«Forse possiamo andare» disse Marco.

«Penso anch'io» rispose Louis. «Se avesse voluto avrebbe potuto schiacciarci come pidocchi.»

Arretrarono ancora per un centinaio di metri poi corsero più veloci che potevano, montarono sulla jeep e imboccarono il sentiero che portava prima a sud e poi a oriente. Lungo il cammino si fermarono presso una fonte a dissetarsi e padre Louis immerse nell'acqua la pianta che gli aveva donato Rugenge, assicurandosi che la zolla delle radici fosse ben inzuppata. L'avrebbe regalata a Bashira appena fossero tornati a Ndolera. Marco lo osservò ma non disse nulla.

«Ho piacere di averti incontrato; sei un tipo in gamba» disse Louis.

«Anche tu sei un tipo in gamba. E sono contento di averti conosciuto» rispose Marco. «Ma sei solo a Kiringye? Dove sono gli altri padri?»

«Alcuni, i più anziani, rimpatriati. Gli altri sono stati trasferiti in zone più protette dal nostro esercito.»

«E hanno lasciato indietro soltanto te?»

Louis restò in silenzio per qualche tempo, poi si volse verso il suo compagno di viaggio: «Forse sperano che ci lasci la pelle appena ci saranno le prime violenze e forse i padri Bianchi avranno un martire in più da vantare sulla lista dei caduti sul campo e si saranno tolti dai piedi un rompiscatole come me». Lo disse con profonda tristezza.

«Non ci credo, io penso invece che lo abbiano fatto per la stima che hanno di te. Ti hanno lasciato qui a tenere la missione della tua congregazione come il loro rappresentante, quasi un ambasciatore, perché pensano che tu sia un uomo di fegato e un pastore che non abbandona il suo gregge.»

«Sarà...» rispose Louis con scarsa convinzione. «Beato te che la vedi sempre in positivo. Di fatto io ero l'unico a ribadire con insistenza che chiamare i paracadutisti a proteggerci era un errore, una conferma che i missionari erano l'avanguardia prima e la retroguardia poi degli interessi coloniali. Ormai sono al punto che, quando mi trovo la sera solo come un cane nella casa vuota della missione, mi chiedo che cosa ci sto a fare qui.»

«Il prete, Louis. Stai a fare il prete in mezzo a questa gente smarrita e spaventata per un futuro incerto, mancanza di lavoro, pericoli incombenti. Hanno solo te.»

«Finché resisto.»

«Resisterai. Sei un guerriero.»

La conversazione si fermò lì fino a quando, percorsi altri venti chilometri, raggiunsero la casa del direttore Julien Werpen e di Madame Thérèse. Louis scese dalla jeep e si rivolse a Marco: «Prendi tu la macchina, e portala al vescovado» disse. «Io mi fermo qui. Il signor Werpen mi darà un passaggio più tardi con la sua Due Cavalli.»

«Come vuoi» rispose Marco. «Non dimenticare la pianta.»

Louis lo guardò leggendo nei suoi occhi un'espressione che gli sembrò di disapprovazione, ma finse di non dargli peso.

Marco, dal canto suo, si rese conto che ormai non poteva chiamarsi fuori da una situazione che stava per precipitare. «Non fare sciocchezze, Louis» gli disse. «Sei un bravo ragazzo ma sei anche un prete, non fare cose di cui un giorno potresti pentirti...»

«Non ti preoccupare» rispose Louis asciutto ma evidentemente imbarazzato, «so badare a me stesso.»

"Ne dubito" pensò Marco fra sé e sé, e ripartì sgommando con la jeep.

Louis lo seguì per un poco con lo sguardo poi si volse e bussò alla porta. Venne ad aprire Bashira che si illuminò in volto vedendolo e vedendo il magnifico fiore di montagna che le aveva portato. Gli gettò le braccia al collo e Louis si sentì avvampare: «I tuoi genitori...» disse. «Non vorrei che pensassero male.»

«Non sono in casa» rispose la ragazza, «sono andati in città con i signori Jobert per certi affari: torneranno per ora di cena. Ma non stia lì sulla porta, venga dentro. Almeno le faccio un caffè.»

Louis entrò e chiese un vasetto con un po' di terriccio per mettervi la pianta, l'innaffiò e lo porse a Bashira che, prendendolo, indugiò con la sua mano su quella di lui, in una specie di carezza. Erano molto vicini, forse troppo, e Louis sentì il bisogno di mettere un minimo di distanza fra sé e la ragazza. Bashira armeggiò con una caffettiera sul fornello a spirito e presto si diffuse nell'ambiente un buon odore di caffè arabico. Quello che i suoi genitori compravano nello spaccio della fabbrica.

«Un caffè così buono si beve solo in questa casa. Alla missione non possiamo permettercelo a parte quello che ci regalano di tanto in tanto i tuoi genitori. Altrimenti beviamo una miscela di cicoria e altre piante aromatizzate per ingannare il palato e illuderci di star bevendo del caffè vero.»

«Può venire a prenderlo quando vuole...» Nell'indugio passò dal lei al tu. «Potrei regalarti un pacchetto sigillato ma preferisco che tu venga da noi, vieni così di rado.»

Lo invitò a sedere su un piccolo divano con intelaiatura di canne, foderato di iuta e imbottito di stoppa, opera pregevole di un volenteroso artigiano indigeno. Poco dopo appoggiò sul tavolino un vassoio di legno intagliato con due tazzine di caffè e una zuccheriera. Poi si sedette accanto a lui, abbastanza vicino da fargli sentire il suo contatto e da sentire il suo. Louis indossava dei pantaloni di cotone leggero color kaki e di buona fattura europea. La sua era una famiglia belga benestante. Avvampò di nuovo e gli parve che la ragazza avesse messo un profumo dal leggero sentore di sandalo, che in quel momento si mescolava a quello del caffè: una miscela affascinante che sembrava distillata appositamente. Si ricordò di aver letto sul suo libro di botanica che il sandalo aveva virtù afrodisiache: era un messaggio o una sua fantasia?

In seminario gli avevano inculcato i principi ferrei della castità e se con padre Marco, suo coetaneo e ruvido quanto bastava, non aveva avuto ritegno ad ammettere le sue debolezze, ora era sconvolto: il desiderio di quella giovane femmina che certamente voleva sedurlo era uno spasmo quasi doloroso, accompagnato da un senso di rimorso che gli imponeva la morale del sacerdozio. Si spostò leggermente verso destra.

«È perché sei un prete?» gli domandò Bashira fissandolo intensamente. Come se gli avesse letto nel pensiero.

«Per cos'altro?» rispose Louis.

«E dove sarebbe il male?»

«Ho fatto una promessa.»

«Di non amare?»

«Di amare tutti, non una sola persona.»

«E secondo te Dio si occuperebbe di quello che potrebbe avvenire nel tuo letto o nel mio?»

Louis avvampò per la terza volta e si rese conto che se non si fosse tolto da quella situazione vi sarebbe rimasto irretito. Sentiva anche il pericolo di perdere la libertà assoluta che solo l'obbedienza alle sue promesse gli poteva garantire.

«Ti spiace darmi un passaggio alla missione?»

«Certo che no...» rispose Bashira alzandosi dal divano e aggiunse: «Hai proprio fretta, non hai nemmeno finito il tuo caffè». Louis bevve d'un sorso quel che era rimasto nella tazzina e uscì nel cortiletto antistante la casa. Bashira prese le chiavi da una scodella di ceramica, chiuse la porta e si sedette alla guida della Due Cavalli senza curarsi troppo di quanta superficie delle sue gambe la veste lasciasse scoperta scivolando a destra e a sinistra. Louis guardava altrove. Sentiva che se avesse resistito quella volta poi sarebbe bastato non trovarsi più da solo con lei.

Non parlarono per qualche chilometro, quindi fu di nuovo Bashira a rompere il silenzio: «Non ti vedrò più?».

«Certo che mi vedrai, ma non più come oggi: non è stato facile per me...»

«Che cosa non è stato facile? Bere il caffè?»

«Non scherzare, sai benissimo cosa intendo.»

«Che mi desideri e che combatti contro te stesso?»

«Qualcosa del genere.»

«Qualcosa del genere?» disse Bashira ad alta voce con un tono quasi indignato e nello stesso tempo accostò a destra e frenò bruscamente. Louis batté la fronte sul parabrezza e rimbalzò indietro contro lo schienale del sedile.

«Oh, scusami!» esclamò Bashira e si volse verso di lui. «Ti sei fatto male?»

«Non è niente, non è niente» Louis balbettò, «non ti preoccupare.»

«No, no, fammi vedere... oh, che guaio.» Gli si avvicinò ancora e quando gli fu abbastanza vicina gli stampò un bacio sulle labbra. Louis fece un debole tentativo di sottrarsi a quel contatto che aveva sognato tante volte, ma poi rispose quasi subito al bacio torrido di Bashira.

Non riconobbe la propria mano quando la vide scivolare fra le sue cosce.

Dunque Marco aveva avuto ragione a metterlo in guardia: le cose erano andate esattamente come aveva previsto. Due giorni dopo Bashira era venuta a trovarlo nella casa vuota della missione e avevano fatto l'amore per la prima volta. Non c'erano letti matrimoniali, ma Louis aveva disposto sul pavimento due materassi singoli e si erano spogliati l'una davanti all'altro.

La luce del tramonto spandeva un riflesso rosa e arancio sulle pareti e sulla pelle di Louis. Bashira sembrava una scultura di ebano. Louis percorse con lo sguardo ogni centimetro del suo corpo pensando a come l'aveva immaginato quando era ancora in buona parte coperto dalla veste ma intuibile e gli sembrava impossibile ricevere da lei un dono tanto prezioso, di poterla contemplare come un'opera d'arte, come una modella che posa davanti a un grande pittore intento a dipingere una scena di harem costantinopolitano e le drappeggia un turbante turchino attorno al capo. Ma l'arte che gli si manifestava era quella del Creatore o la sua discendenza dalle veneri ancestrali che avevano partorito i primi ominidi.

«Che prima notte di nozze» disse Louis, «che misera alcova.»

«Vorresti una sontuosa camera di albergo? Una sdraio a bordo piscina?» domandò Bashira. «Tu sei biondo con magnifici occhi verde-azzurro, io sono nera: siamo le due parti della terra, metà illuminata dal sole, metà nel buio della notte. Siamo appena nati, amore mio, e siamo l'immagine di un mondo vergine, del paradiso terrestre.»

«Lo sai?» disse Louis. «Ho sempre immaginato che Eva fosse nera e tu sei come la immaginavo.»

Si accarezzarono a lungo: calde, estenuanti carezze. Poi, d'un tratto, si abbracciarono freneticamente cercando con avidità l'uno la bocca dell'altra, si volevano divorare, mordere, come una coppia di leoni che consumano un coito violento, scandito da ringhi profondi.

Caddero supini, ansanti, coperti di sudore che la brezza della sera asciugò, e dormirono tutta la notte abbracciati, come bambini che hanno paura del buio.

7

Da quel momento in poi Marco notò che Louis era cambiato: spesso soprappensiero, distratto e non di rado anche teso e nervoso. Una volta, dopo una fugace visita ai Werpen per comprare del caffè, mentre tornava alla sua missione a Uvira notò Louis e Bashira che entravano furtivamente in un piccolo magazzino da tempo abbandonato e capì che i suoi timori erano fondati. Da lì in poi la vita di Louis e Bashira sarebbe mutata completamente. Sperò che fosse per il meglio, ma sentiva in cuor suo che sarebbe stato per il peggio.

Li rivide solo di sfuggita, qualche volta. Sapeva però che i genitori della ragazza erano profondamente dispiaciuti per la sua relazione con un missionario dei padri Bianchi, che avevano sempre accolto nella loro casa come un figlio. Una situazione molto amara anche per i due innamorati, che ora vivevano insieme nella missione e si erano trovati totalmente emarginati dalla comunità cattolica della provincia di Bukavu.

Una volta che Marco era andato in città per fare provviste per la missione in occasione del Natale, si recò a far visita al suo amico, che ormai non vedeva più nessuno.

Louis lo accolse con un forte abbraccio dandogli il benvenuto.

Marco ricambiò calorosamente. «Vi trovo bene» disse.

«Sì, in un certo senso, visto che Bashira è incinta.»

Marco ammutolì per un istante, poi rispose: «Una bellissima notizia. La nascita di un bambino è sempre un episodio luminoso. Una specie di miracolo: questo poi... Da quanto tempo? E i genitori di Bashira lo sanno?».

Louis sospirò. «È proprio questo il mio problema, Marco. Non abbiamo osato dirglielo. Potresti farlo tu per noi? È passato già qualche mese, ormai. Siamo al quarto.»

«Certamente, sei un amico, Louis.»

«La loro freddezza e il loro distacco sono per noi una pena continua: la nascita di nostro figlio dovrebbe essere un momento di gioia, ma in questa situazione... tu capisci...»

«Capisco benissimo. Lo farò oggi stesso e vedrai che li convincerò a riconciliarsi con voi. Quando rivelerò che c'è un bambino in arrivo deporranno le armi, ne sono certo. Sono brave persone e amano moltissimo la loro figlia adottiva.»

«Me un po' meno, suppongo.»

«Mettiti nei loro panni. Sei un prete e dunque una persona di cui pensavano di potersi fidare.»

«Non posso darti torto. Ma a te non è mai capitato?»

«No.»

«Non sai cosa ti sei perso.»

«Non dire stupidaggini o dai Werpen ci vai tu...»

Quello stesso pomeriggio, come aveva promesso, Marco andò a trovare i signori Werpen, che lo accolsero con notevole cordialità, date le circostanze. Lo fecero accomodare nel salotto buono e gli prepararono il loro caffè.

Marco, dopo i primi sorsi, venne subito al dunque: «Monsieur Julien, Madame Thérèse... grazie per avermi ricevuto nella vostra casa. Sono qui per darvi una notizia molto importante, Bashira aspetta un figlio».

Monsieur Werpen intrecciò le dita delle mani: «Mon Dieu!» esclamò. Madame Thérèse non disse nulla.

Padre Marco approfittò del silenzio e proseguì: «Sarà un bellissimo bambino, o una bellissima bambina, quello che Dio vorrà. Sarà la vostra consolazione, il vostro divertimento, la vostra vita».

«Padre Marco» riprese Monsieur Werpen, «lei sa che persone siamo: abbiamo raccolto Bashira dalla strada e l'abbiamo cresciuta come se fosse figlia nostra. E così accoglieremo anche questa creatura. È il modo che ci ha offesi. Padre Louis è stato accettato da noi come un membro della nostra famiglia: come ha potuto farci questo! Come ha potuto approfittare così della nostra fiducia, un sacerdote!»

«Monsieur Werpen, i sacerdoti sono di carne e ossa come qualunque essere umano. Bashira si è innamorata di lui, lui di lei. Sono certo che il mio amico ha fatto il possibile per non cedere ai sensi e ai sentimenti, memore del suo stato sacerdotale, e secondo me sbagliate a parlare di vostra figlia come di una vittima caduta nella rete di un seduttore senza scrupoli. Per quello che ho potuto capire da quando li frequento, Bashira è una ragazza indipendente e fiera. Lo ha fatto perché lo voleva e forse voi sapete meglio di me perché questo sia accaduto.

Quanto a Louis, è solo, si è sentito abbandonato dai suoi stessi superiori e dai suoi confratelli con una responsabilità enorme. È spaventato. Soffrono ambedue del vostro distacco e vorrebbero tanto ricomporre i rapporti con voi. Dategli una speranza.»

«Si metta nei nostri panni, padre» rispose monsieur Werpen, «abbiamo bisogno di tempo per superare questo shock.»

Marco annuì e, dopo averli salutati, raggiunse la sua jeep per recarsi alla missione dove abitavano Louis e Bashira a riferire l'esito incerto della sua spedizione.

Louis accolse con tristezza il suo racconto, e capì che doveva rassegnarsi a rapporti piuttosto freddi con i genitori di Bashira ancora per qualche tempo.

Marco cercò di cambiare argomento parlando della situazione politica generale che si stava creando.

Cominciava a diffondersi la notizia che entro il mese di giugno il Congo sarebbe stato affrancato dall'occupazione coloniale, che vi sarebbero state libere elezioni e che i bianchi avrebbero finito di sfruttare le ricchezze del paese. Da tempo i belgi tentavano di soffocare le dimostrazioni e le azioni politiche del Partito nazionale congolese di Patrice Lumumba, leader della sinistra radicale e degli anticolonialisti, ma poi all'inizio del 1960, improvvisamente, avevano deciso di concedere al Congo l'indipendenza. La cerimonia ufficiale era prevista per il 30 di giugno alla presenza del re Baldovino e dello stesso Patrice Lumumba, che nel frattempo, secondo gli accordi di Bruxelles tra leader congolesi e parlamento belga, sarebbe stato nominato primo ministro mentre Joseph Kasavubu sarebbe stato eletto presidente della Repubblica.

Marco gli disse anche che il superiore provinciale, padre Vezzali, gli aveva chiesto di tenersi libero per quella data per accompagnarlo a Léopoldville ad assistere al cambio delle consegne dai belgi ai congolesi. La cosa gli era sembrata strana. Lui non piaceva a Vezzali e Vezzali non piaceva a lui. Non riusciva a capire quale sarebbe stato il suo ruolo in quella situazione. Padre Vezzali gli aveva chiesto anche di cominciare a organizzare il viaggio con il Piper guidato da Renzo.

Alla fine, Marco promise a Louis di farsi vivo più spesso e Louis si congedò: «Lo so come sei, trovi sempre impegni di tutti i generi a riempire le settimane e anche i mesi. Stammi bene».

«Anche tu. Vedrai che prima o poi mantengo la promessa.»

Marco partì diretto a Mwenga e lì dovette restare fin quasi alla metà di giugno, perché il suo confratello e unico collaboratore era stato inviato in Italia per i postumi di un brutto attacco di malaria. Riuscì tuttavia a mantenere i contatti con Louis via radio almeno una volta alla settimana.

Mancavano ormai solo una quindicina di giorni alla dichiarazione dell'Indipendenza quando Marco poté far visita a Bashira e Louis e fare al suo amico la proposta che più di tutte gli sarebbe piaciuta: «Che ne pensi di una battuta alle pernici?».

«Mi sembra un'ottima idea. Allora ti aspetto domani all'alba. Preparo fucili e cartucce.»

Marco salutò Louis e Bashira e si diresse alla jeep della missione. Louis lo accompagnò fino alla macchina: «Penso che anche io avrò qualcosa da dirti durante la battuta di caccia».

Marco annuì e mise in moto. La jeep sparì in una nuvola di polvere.

All'alba del giorno successivo Marco, immaginando che Louis sarebbe stato in pensiero a lasciare sola Bashira, arrivò alla casa della missione con suor Margherita, maestra elementare della ragazza, perché le tenesse compagnia; prese a bordo Louis con uno zaino di provviste e i fucili e i due partirono per la battuta di caccia.

Imboccarono una strada sterrata diretti su un altopiano coperto da cespugli di acacie e di tamerici nane che chiamavano "la piana degli elefanti", benché di elefanti non ce ne fossero rimasti gran che. La miseria e i gruppi di attivisti politici armati che facevano capo a Patrice Lumumba li avevano decimati, sia per vendere l'avorio che per nutrirsi con la loro carne.

Giunti in un boschetto, i due cacciatori si appostarono dietro a un fascio di erbe secche e di stecchi pronti da incendiare per sospingere gli animali verso un agguato che non si era mai realizzato.

«Guarda il falco» disse Louis, «appena si tuffa prepariamoci a sparare.»

«Conosco la tua tecnica. Prima deve alzarsi in volo il capo; noi con il dito sul grilletto aspettiamo che si alzi il gruppo di testa e poi tutto lo stormo.»

Non aveva finito di parlare che il capo stormo si era alzato, e dietro di lui il gruppo di testa. Il falco l'aveva immediatamente attraversato artigliando la sua preda. Louis sparò due volte e Marco in sincronia vuotò il serbatoio del Browning 5 abbattendo cinque uccelli.

«Sette bastano per una famiglia come la mia. Il frigorifero non funziona» disse Louis. «Ma buttiamone giù qualche altro per la tua missione.» Continuarono così a cacciare ancora per quasi un'ora, finché ebbero raccolto sufficiente selvaggina per il personale della missione, abbastanza numeroso nonostante tutto.

Si sedettero su un masso mentre il sole sorgeva da dietro le montagne inondando di luce la piana degli elefanti.

«Che meraviglia» disse Louis. «Non ci si fa mai l'abitudine, ogni volta sembra la prima: l'alba del mondo...»

«Molto bello, sì. Ma tu non volevi parlarmi?» gli chiese Marco.

«Sì. E si tratta di una cosa molto importante... guarda! Un elefante...»

«Non divagare.»

«Bene. Allora cominciamo dall'inizio. La mia è una famiglia di una certa importanza, con entrature di alto, se non altissimo livello.»

«Il re?»

«Molto vicino. Ebbene, ho notizia di un piano sconcertante. Durante un breve soggiorno in Belgio, tre mesi fa, ho ascoltato brandelli di una conversazione a casa dei miei genitori. Come sai, il re concederà graziosamente l'indipendenza al Congo il 30 di giugno a Léopoldville con un discorso ufficiale. Un evento stupefacente. Non è mai successo che un re si privi spontaneamente di un proprio territorio e lo costituisca come repubblica, con un presidente e un governo. Ma in realtà di grazioso in questa concessione non c'è assolutamente nulla. Il potere economico è sempre stato più forte di quello politico e il mantenimento di una colonia enorme ha ormai dei costi altissimi.»

«Bisogna quindi sbarazzarsi del Congo...» disse Marco.

«Sì, ma non di tutto il Congo. I grandi gruppi capitalisti vogliono mantenere il controllo delle immense risorse minerarie – uranio, rame, diamanti – che sono in gran parte concentrate nella provincia del Katanga.

Dunque, poco tempo dopo la dichiarazione di indipendenza del Congo dal Belgio, il Katanga, presieduto da Moïse Tshombe, proclamerà a sua volta la propria dal Congo. La secessione sarà sostenuta dai paracadutisti belgi e da agguerrite unità di mercenari armate dai gruppi economici. In cambio, il governo fantoccio di Tshombe firmerà alle compagnie minerarie belghe e internazionali concessioni di sfruttamento per miliardi di dollari. E il gioco è fatto. Ci si sbarazza della zavorra e si mantiene il controllo delle sterminate ricchezze minerarie. Geniale, no?»

«Mio Dio» disse Marco.

«E non è finita qui. Lumumba è considerato pericoloso per le sue posizioni di comunista radicale e di nazionalista. Una miscela esplosiva. Lui però non è uno stupido, non abboccherà e nemmeno verrà a compromessi. Probabilmente scoppierà una guerra civile e noi – tu, io e tutti i missionari europei – ci troveremo fra due fuochi. Saremo lasciati soli: al massimo il nostro governo organizzerà dei colpi di mano con truppe di élite per portare in salvo i belgi laici e parte dei religiosi. Il re è cattolico fervente ed è in contatto continuo con il papa e i più potenti dicasteri del Vaticano. Giovanni XXIII è un uomo onesto e un pontefice innovatore, ma questo non impedirà che vengano sacrificati coloro che vorranno o accetteranno di restare nelle missioni. La retorica del martirio e del pastore che non abbandona il gregge farà il resto e tutti saranno soddisfatti tranne i poveri, i derelitti, gli indifesi, le vittime degli scontri fra opposte fazioni che dilanieranno il paese. Tutto questo, ti prego di credermi, ha il suo peso sulle mie scelte e sulla mia fede vacillante se non spenta.»

«Perdonami se sono stato superficiale nelle mie critiche ai tuoi comportamenti» disse Marco.

«Non ho niente da perdonarti, sei un uomo sincero, onesto, coraggioso, una persona in cui ripongo la mia fiducia e la mia sincera amicizia, se l'accetti. Per quello che mi riguarda resterò al tuo fianco fino all'ultimo.»

«E io farò altrettanto, amico mio.»

«Ascoltami: a Léopoldville, Vezzali incontrerà il nunzio apostolico e se ti porta con sé significa che qualcosa verrai a sapere. Sicuramente avranno bisogno di uomini come te con i tempi che corrono, ma non essere supino, anche se devi osservare l'obbedienza: cerca di sapere il più possibile e lascia trapelare di te e dei tuoi pensieri il meno possibile. Quelli sono dei figli di...»

«Louis!»

«Scusami... Promettimelo.»

«Te lo prometto» rispose Marco.

«Torniamo» disse Louis. «Bashira è con suor Margherita, ma mi sento più sicuro se sono al suo fianco.»

«Hai ragione» rispose Marco. Raccolsero la selvaggina, salirono sulla jeep e presero la via del ritorno.

Suor Margherita intanto aveva fatto il pieno di chiacchiere con Bashira affrontando argomenti ginecologici che non l'avevano mai riguardata, ma che la facevano sentire partecipe di una maternità che comunque la coinvolgeva. Si adoperò anche per prenotare come ostetrica suor Desirée, una benedettina missionaria diplomata all'Università di Lovanio e molto esperta: forse sarebbe riuscita anche a provvedere un dottore perché si occupasse del parto.

Si giunse così alla fine di giugno, e si avvicinava il gran giorno dell'indipendenza del Congo e forse quello del parto di Bashira.

Arrivarono suor Desirée e suor Margherita, ma non arrivò il medico: era stato chiamato a Kanyamugera, un villaggio dell'interno, quello di Rugenge, dove ultimamente i bambini morivano numerosi per motivi che nessuno riusciva a spiegare.

Le due suore, che conoscevano la storia di quella gravidanza, cacciarono dalla camera da letto Louis con una certa soddisfazione, fecero bollire dell'acqua, disposero in bell'ordine su una panca le salviette di spugna di cotone e si prepararono ad aiutare una giovane peccatrice a partorire il figlio di un prete rinnegato.

Louis era fuori sulla piccola veranda assieme a Marco a fumare una sigaretta, e in quel momento arrivò la Due Cavalli della signora Werpen.

«Lo vedi?» disse Marco. «Le mie preghiere sono state esaudite. È arrivata tua suocera.»

Si udì un grido. Cominciavano i dolori del travaglio. «Be'» disse Marco, «io vado. In una situazione come questa mi sento completamente inutile. Domattina di buon'ora partirò con il Piper di padre Vezzali per Léopoldville.»

«Già. È vero, non ci avevo pensato.»

Si udì un altro grido provenire dall'interno e la voce sommessa di Madame Thérèse che incoraggiava la figlia: «Forza, piccola, fra poco vedrai il tuo bambino».

8

Marco arrivò all'aeroporto il 25 mattina con il superiore padre Vezzali, ma ebbe anche il tempo, prima di partire, di scambiare qualche parola solo con Renzo, il pilota.

«Che si dice in giro della giornata dell'indipendenza?»

«Tutto tranquillo sembra, ma ho saputo che Lumumba pronuncerà il suo discorso davanti al re del Belgio in due lingue: francese e lingala, il che è molto strano.»

«È stato predisposto un interprete?»

«Non lo so, ma credo che sarebbe inconcepibile diversamente... Ecco che sta arrivando il capo. Parliamo d'altro.» Marco cambiò discorso e salutò Vezzali con cordialità. Aveva ben presenti le informazioni e le raccomandazioni di Louis.

Dopo uno scalo a Kindu e un altro a Ilebo, dove pernottarono, atterrarono a Léopoldville, in un piccolo aeroporto che utilizzavano anche le compagnie private e dove c'era un'auto della nunziatura ad aspettarli.

Il nunzio fu felice di rivedere Marco, apparentemente più che di rivedere Vezzali. Li accolse in un salottino dove un cameriere servì loro un tè. Monsignor Solari, molto laico nella sostanza e religioso nella forma, prese una Balkan Sobranie da un portasigarette d'argento e l'accese, poi cominciò a tracciare il quadro politico e le proiezioni degli eventi che avrebbero potuto precipitare con l'indipendenza del paese. Subito dopo cercò di delineare la situazione generale delle missioni, dei pericoli e soprattutto dell'eventualità di una guerra civile.

«C'è qualcosa che mi preoccupa» disse a un certo punto. «Lumumba pronuncerà il suo discorso in due lingue, il francese e il lingala dei Bangala.» Marco pensò di nuovo a Louis e a Renzo, e a quello che gli avevano detto. Chiese licenza di parlare alzando il dito indice: «Vostra eccellenza ha notizia o sentore del contenuto del discorso in lingala?».

Padre Vezzali lo guardò con espressione irritata ma si contenne, perché il nunzio apostolico rispose subito, senza esitazioni: «Sì, e la cosa m'inquieta. Pare che il testo in francese sia intransigente con il colonialismo belga, ma riconosca anche i meriti della sua amministrazione. Del discorso in lingala invece, non si sa nulla. È una lingua antica che ha subìto diverse evoluzioni trasformandosi in lingua franca per dieci milioni di persone. Ma perché usare un simile idioma per un discorso di respiro storico e internazionale? Se nessuno ne sa niente e poiché in questo paese i segreti durano il tempo di fumare una sigaretta, non c'è che una spiegazione: non esiste un testo scritto. Forse Lumumba ha preso solo poche note e parlerà a braccio. In ogni caso questo strano bilinguismo a sorpresa non promette nulla di buono. E siccome io sono un vecchio prete malfidato, preferisco pensare sempre al peggio: al meglio ci si abitua. Dovessero gli eventi prendere una brutta piega non resterà che adottare adeguati provvedimenti. Tu, Marco, che ne pensi?»

Vezzali ebbe di nuovo un moto di disappunto, ancora più evidente all'udire una richiesta di quel genere al suo sottoposto.

Marco si strinse nelle spalle come per dire "Non l'ho cercata io questa domanda, ma devo pur rispondere", e difatti rispose: «Eccellenza, non conosco quella lingua e non so se siano vere le chiacchiere che circolano. Ma se così fosse non ci sarebbe un minuto da perdere».

Vezzali era palesemente stizzito.

«È esattamente per questo che ti ho chiesto di venire qui con padre Vezzali» disse il nunzio. «Ripartirai domattina con Renzo. Ha già fatto il pieno e ti aspetta all'aeroporto: ti farò portare con la mia auto.»

«Ma, eccellenza» replicò Marco, «che cosa posso mai fare da solo?»

«Avverta gli altri superiori delle missioni e specialmente il superiore dei padri Bianchi Van Groove: è un uomo di grande esperienza e saggezza. Bisogna usare ogni forma di persuasione, dovunque e con chiunque sia possibile.»

Vezzali non riusciva a capire: non bastava lui a fare quelle cose?

Il nunzio si volse dalla sua parte. «Mi attenda qui, Vezzali, vado con padre Marco al furgone che porterà all'aeroporto il carico destinato alla missione di Uvira, per vedere se c'è tutto. Torniamo subito.»

Uscirono e, prima che arrivasse l'autista, monsignor Solari prese una busta dalla tasca dell'abito e gliela porse: «Consegnala di tua mano a padre Van Groove. Contiene disposizioni per padre Louis. Il suo comportamento è inaccettabile. So che siete amici e mi dispiace, ma non ho scelta. Ho preferito comunque che fossi tu a recapitare le mie disposizioni. Se padre Van Groove dovesse metterti al corrente di quanto è scritto qui, significherebbe che ti autorizza a gestire la comunicazione al tuo amico. Ecco qua» disse indicando il furgone, «ho fatto mettere due sacchi di riso, del pesce affumicato, della farina di tapioca e anche un po' di latte in polvere, mi raccomando, di' che le donne facciano bollire l'acqua prima di stemperarvi il latte».

«Senz'altro, eccellenza» rispose Marco ed estrasse a sua volta una busta: «Qui ci sono informazioni molto delicate che lo stesso padre Louis mi ha confidato poco tempo fa. Potrebbero rivelarsi essenziali per prendere precauzioni e salvare la vita di molte persone. Per favore, ne tenga conto, se può».

«Cercherò, Marco, ma è una situazione spinosa.»

«Davvero non può intercedere per il mio amico?»

«Mi dispiace, la legge canonica parla chiaro. Non c'è scelta.»

Tornarono nel salotto dove li attendeva Vezzali. «Laurent» disse il nunzio accennando al cameriere, «accompagna il nostro reverendo ospite al suo alloggio. E poiché vedo che non ha bagaglio, dagli uno dei miei pigiami, una vestaglia, uno spazzolino nuovo e del dentifricio».

Vezzali era paonazzo per il livore.

Marco lasciò il salotto e seguì Laurent al piano superiore. Fece una doccia, indossò il pigiama e la vestaglia e si dispose a recitare la Compieta sul suo breviario. Verso le nove di sera sentì bussare alla porta: era il nunzio.

«Eccellenza, non ho parole per ringraziarla di un'accoglienza tanto cordiale e di una squisita ospitalità.»

«È un piacere, ragazzo mio» rispose il nunzio. Estrasse dalla veste la busta che Marco gli aveva consegnato e continuò: «Suppongo che queste informazioni siano affidabili».

«Poco ma sicuro» replicò Marco.

«Perché?»

«Perché Louis non mente mai e perché la sua famiglia è nota alla casa reale. Ho preparato una copia di quel rapporto che consegnerò al padre Van Groove se non ha nulla in contrario.»

«Nulla in contrario... Allora la situazione è molto peggio di quello che credessi. Ne informerò al più presto la Santa Sede.»

Marco abbozzò un nuovo tentativo di stornare l'interdetto ecclesiastico dal suo amico Louis, ma il nunzio fu irremovibile: «C'è un solo peccato che la Chiesa non perdona mai a un prete: fare l'amore con una donna e convivere con lei pubblicamente. Puoi uccidere tua madre e con qualche pater e ave dopo la confessione sei perdonato ma sesso pubblico con una donna? Mai! Ti auguro la buona notte e il buon viaggio per domani. Laurent ti darà la sveglia».

Marco ricambiò il saluto. Era deluso per il fallimento del suo tentativo di evitare a Louis l'espulsione dall'ordine, ma non riusciva a pensare al nunzio con risentimento.

Già al primo chiarore dell'alba le strade erano percorse da un traffico intenso. I grandi preparativi per accogliere il re dei belgi fervevano, e Renzo aspettava Marco con il motore acceso. Decollarono al sorgere del sole e si diressero a nordest verso Bukavu, via Stanleyville e Kindu.

Marco approfittò del primo scalo per mettere al corrente i superiori delle congregazioni dell'imminente pericolo del dopo indipendenza, come gli aveva raccomandato il nunzio apostolico.

All'alba del giorno dell'indipendenza, ripresero il volo in direzione di Kindu per uno scalo tecnico, e poi per Bukavu. Parlarono a lungo, sia della dichiarazione di indipendenza che della presenza del re Baldovino, ma non di altro. Renzo era un brav'uomo, ma forse era prudente non metterlo al corrente di informazioni delicate. Già di suo faceva troppe domande.

Dopo un'ora circa di volo Marco gli chiese se poteva contattare via radio padre Van Groove e Renzo riuscì dopo qualche tentativo a stabilire la comunicazione.

«Che succede, Marco? Sei già in volo? Come mai sei tornato prima della dichiarazione di indipendenza?» domandò il superiore dei padri Bianchi.

«Perché dovevo portare un messaggio urgente e riportarne un altro non meno urgente. La trovo se atterro verso l'ora di pranzo?»

«Certo, ti aspetto. Mando qualcuno con la macchina a prenderti.»

«Grazie, padre superiore, passo e chiudo.»

Renzo atterrò in orario e in modo impeccabile. Marco lo salutò e salì sull'auto che lo portò in un quarto d'ora alla residenza di Van Groove.

«Allora che succede?»

«C'è una lettera per lei dal nunzio apostolico e una da parte mia con la copia di una relazione segreta che mi è stata comunicata pochi giorni fa da padre Louis. Legga lei per prima quella che le sembra più importante.»

«Quella del nunzio» rispose padre Groove inforcando gli occhiali. E scorse rapidamente il foglio vergato a mano dal rappresentante del pontefice nel Congo. «Leggi» disse poi aggrottando la fronte e porgendo il foglio a Marco.

De aedibus nostris die Junii XXVII

Rev.mo Superiore provinciale,

è con grande rammarico e con vivo rincrescimento che le comunico la mia decisione, quale rappresentante della Santa Sede in questa Terra del Congo, di sospendere a divinis, ridurre allo stato laicale e, di conseguenza, espellere dall'ordine dei Padri Bianchi il padre Louis Chevallier in seguito al suo scandaloso comportamento, ai rapporti carnali e al pubblico concubinato con la signorina Bashira Werpen.

Il provvedimento è ad nutum e pertanto sarà esecutivo dal momento in cui avrà letto la presente. La prego quindi di farla recapitare quanto prima da persona fidata al destinatario del detto provvedimento.

Suo fratello nel Signore,
Aurelio Solari
Nunzio Apostolico

«La persona fidata sei tu, Marco, ti prego quindi di recapitare questa lettera immediatamente. Poi torna da me a riferire.»

«Come desidera, signor superiore provinciale. Ma se permette, avrei fatto volentieri a meno di una simile incombenza.»

«Sei un suo amico. Nessuno è più adatto di te a questo incarico. A presto.»

«Allora, in mia assenza, legga anche questa mia lettera, copia di quella che ho consegnato al nunzio apostolico e tenga presente, se le è possibile, che ha ricevuto queste informazioni per merito del padre Louis.»

Van Groove non rispose.

Marco raggiunse la missione dei padri Bianchi a Kiringye e trovò Louis raggiante che preparava un piccolo appezzamento di terreno per la semina di un orticello. Non fece a tempo ad aprir bocca che Louis gli espresse il motivo della sua gioia: «È un maschio, Marco. È bellissimo: vuoi vederlo?».

Marco chinò il capo: «Perdonami Louis, ho incarico dal superiore provinciale di consegnarti questa lettera. Sono desolato».

«Da' qua» rispose brusco Louis allungando la mano, e scorse velocemente lo scritto. «Non devi dispiacerti, non è colpa tua. E d'altra parte me l'aspettavo.»

«C'è dell'altro» proseguì Marco.

«Cos'è, mi bruciano sul rogo?»

«No, ma per me è quasi peggio perché mi tocca dirtelo. Tu ora sei praticamente un mio parrocchiano oltre che un amico, ma i superiori pensano che dovresti andartene perché...»

«Perché cosa?»

«Perché dai scandalo.»

«Do scandalo? Ma che razza di bastardi ipocriti!»

«Louis, ti prego...»

«Ti prego un cazzo! Fa scandalo un bambino mezzosangue? Fa scandalo che due persone si innamorino perché una di loro è un prete? E allora quei preti e quei vescovi – sì, vescovi, e anche cardinali – che stuprano i ragazzini adolescenti approfittando della loro fame e della loro miseria, o solo della loro timidezza e ingenuità: vogliamo parlarne? Ne conosci anche tu, no? E che punizione danno a questi depravati? Li trasferiscono per nasconderli, ma condanne, espulsioni? Mai. Eppure ricordi cosa ha detto Gesù Cristo di loro? Li ha maledetti. Ha detto: "Guai a chi scandalizza uno di questi piccoli. Meglio che si fossero messi una macina al collo e si fossero gettati nell'abisso del mare". Questo ha detto! E ha anche detto "Dio li fece maschio e femmina", come me e Bashira. Mi hanno colpito come se avessi commesso la più lurida e la più infame delle azioni!»

«Louis, controllati, così rendi tutto più difficile. Io vorrei aiutarti ma...»

«Aiutarmi? E come? Non sei tu che mi dici di andarmene perché do scandalo? Tu ti sei prestato a riferirmi questa decisione ingiusta e vergognosa. Non ti preoccupare, non resterei un minuto di più nella tua missione. Troverò un lavoro, mi guadagnerò da vivere per me e per la mia famiglia. E pensare che il mio bambino volevo che lo battezzassi tu e chiamarlo Marco. E adesso vattene, per favore.»

Marco se ne andò a capo basso. Sentiva un profondo disagio e un grande dispiacere, non solo per la punizione eccessiva e sproporzionata che era stata inflitta a Louis, ma per la perdita di un amico.

Rientrò di malavoglia nella residenza del padre Van Groove e lo trovò che ascoltava la radio. Al suo entrare abbassò il volume.

«Com'è andata?» gli domandò.
«Malissimo, l'ha presa malissimo.»
«Che cosa ha detto?»
«Che se lo aspettava, ma lo manda su tutte le furie il fatto di essere espulso con infamia per aver fatto l'amore con una ragazza innamorata di lui e da lui ricambiata quando si coprono e si nascondono preti, vescovi e perfino cardinali che si sono macchiati di stupro di ragazzi appena adolescenti o addirittura di bambini. In tutta sincerità, padre, l'indignazione di Louis non è priva di ragioni: sono cose che sappiamo tutti e che non vengono mai perseguite. Nel momento in cui questi infami si lasciano impuniti e vengono trasferiti in altre sedi, si espongono altri innocenti alle loro disgustose inclinazioni. Ma è mai possibile che la Chiesa si renda complice di simili infamie?»

Il superiore provinciale aggrottò la fronte arrossendo: «Io la penso come te, Marco, e se fosse per me infliggerei ai colpevoli punizioni esemplari e li denuncerei all'autorità civile. Quando ho potuto l'ho anche fatto ma non posso combattere questa battaglia da solo. Cerca di farglielo capire, se ne avrai l'opportunità».

«Impossibile, padre superiore, ho perso per sempre un caro amico che stimavo e a cui volevo bene. Conosco Louis e so che non mi ascolterà mai.»

Non aveva finito di parlare che il superiore alzò di nuovo il volume della radio. Il primo ministro Patrice Lumumba cominciava il suo discorso dell'indipendenza dal Belgio in francese davanti a re Baldovino. Anche Marco si avvicinò alla radio per non lasciarsi sfuggire una parola.

Era un discorso duro e severo che non faceva sconti alla storia dell'oppressione coloniale ma le riconosceva anche qualche merito; poi rievocava lo sfruttamento delle enormi risorse del paese, le infinite sofferenze e umiliazioni dei nativi, l'abuso delle loro donne da parte dei bianchi tuttavia prometteva ai missionari la continuazione del loro apostolato. Un discorso amaro ma sostanzialmente sincero, che però lasciava la porta aperta a un futuro di amicizia fra Belgio e Congo su basi di parità, auspicando il superamento delle realtà tribali a favore di una grande unità nazionale all'interno di uno Stato che promuovesse lo sviluppo, la prosperità e l'uguaglianza nel rispetto della legge.

I due missionari tirarono un sospiro di sollievo. In definitiva si trattava di posizioni accettabili e i toni erano, nonostante tutto, contenuti.

La radio annunciò poi che il primo ministro avrebbe parlato anche in un'altra lingua, una lingua indigena del tutto incomprensibile per Marco. E i due non mancarono di ascoltare anche il secondo discorso.

«Lingala» spiegò sottovoce il superiore, che aveva un'esperienza di quarant'anni fra i Bangala che parlavano quella lingua.

A mano a mano che il discorso procedeva Marco vide Van Groove sbiancare in volto e infine piegarsi in due come un albero schiantato.

«È finita» disse.

9

«È così terribile?» domandò Marco.

Il padre superiore annuì senza riuscire in un primo momento ad articolare parola.

«Non mi sbaglio» disse poi. «È un discorso di una violenza inaudita. Ha parlato come se fosse in un'adunata dei suoi seguaci in mezzo alla boscaglia e non davanti al presidente della Repubblica del Congo e al re dei belgi, come se fosse sicuro di non essere capito da nessuno dei presenti. Ha detto che i belgi si sono appropriati di tutte le ricchezze del paese, comprando poi vaste proprietà, costruendo sontuose residenze e quindi è giusto togliere loro tutto quello che hanno rubato al popolo. Hanno approfittato delle vostre donne, ha detto, e quindi è giusto che voi approfittiate delle loro. Devono pagare per tutte le umiliazioni che ci hanno inflitto. Ci chiamavano "negro", "scimmione" e noi dovevamo chinare il capo senza mai reagire... La gente ha sicuramente capito che il primo ministro ha incitato il popolo a rubare, saccheggiare, distruggere, stuprare.»

Marco fissò negli occhi padre Van Groove. «Non c'è un momento da perdere» disse. «Deve mettersi subito in contatto via radio con gli altri padri provinciali del vostro ordine, sia nella circoscrizione di Stanleyville che in quella del Katanga, la cui secessione è di certo imminente. Padre Louis è stato molto chiaro a questo proposito e le conseguenze saranno disastrose. È probabile che i superiori provinciali, già allarmati, abbiano preso le precauzioni del caso.»

Padre Van Groove assentì. «Provvederò oggi stesso» rispose. «Ti terrò informato.»

«Per qualche tempo sarò lontano. Devo interessarmi alla situazione delle nostre missioni alla luce di quanto sta succedendo, poi prenderò la via delle montagne. Devo raggiungere un villaggio vicino alla grande cascata del Luvubu: Kanyamugera. Mi arrivano strane notizie e non vorrei che fosse troppo tardi. Se ha qualcosa da dirmi, può avvertire Renzo, il nostro pilota. Provvederà lui a contattarmi. Posso collegare una delle nostre radio alla mia jeep. Buona fortuna.»

«Buona fortuna, Marco» rispose padre Van Groove.

Il giro per le missioni della sua congregazione prese a Marco molto più tempo del previsto. Alla fine, caricò la jeep con provviste per il villaggio, medicinali, scatolette e gallette per sé, amuchina per disinfettare l'acqua. Da ultimo montò la radio e la sintonizzò sulla frequenza del Piper di Renzo.

«Come vanno le cose, Renzo?»

«Al solito, che vuol dire di merda, padre molto reverendo.»

«Ehi, ti sei svegliato storto?»

«E come no? Hai sentito cosa succede?»

«Io non c'ero a sentire il discorso a Léopoldville, come sai benissimo visto che siamo tornati indietro assieme, ma l'ho ascoltato dalla radio di Van Groove e ne ho avuto abbastanza. Van Groove capisce e parla correntemente il lingala ed è diventato verde quando ha capito cosa stava dicendo Lumumba ai suoi. Non è stato divertente né per lui né per me, te lo assicuro.»

«E adesso dove sei?»

«Sulla jeep e vado a Kanyamugera, dove stanno succedendo cose strane che non mi spiego. Ci siamo andati io e Louis dopo essere passati nella terra dei gorilla, poi ci sono tornato da solo a fare catechismo e a dire messa qualche volta. Mi dà una mano a servire un giovane che, pensa, la prima volta mi aveva puntato contro un fucile: Rugenge si chiama.»

«Va bene. Chiamami se hai bisogno. Non ci sono aeroporti lassù però si può sempre tentare.»

«Grazie, Renzo. Passo e chiudo.»

Marco guidò per tutta la giornata e arrivò, verso sera, alla casa dei Werpen. Fu incerto per un poco se fermarsi o no, ma pensò che ne valesse la pena, data la situazione.

Lo accolsero con un calore inaspettato visto che sapevano dell'amicizia che lo legava a Louis, e lo invitarono a cena. Era un po' come dalle sue parti, nelle valli bergamasche: se l'ospite arrivava a ora di pranzo o di cena non veniva mai lasciato andare ma trattenuto a tavola con la famiglia.

La casa dei Werpen era al solito impeccabile, come se non vi abitasse nessuno. Solo da piccoli particolari si distingueva la mano di Madame Thérèse: la zuccheriera sempre a metà, i sottobicchieri che ruotavano per soggetto e ornato con l'avvicendarsi delle stagioni su uno sfondo di paesaggi nordeuropei

«Come sta Bashira?» chiese Marco ancora prima di sedersi.

«Bene» rispose Madame Thérèse con un sorriso.

Avrebbe voluto domandare anche di Louis, ma non osava non sapendo che tipo di relazione vi fosse in quel momento fra lui e la famiglia Werpen. Monsieur Julien lo prevenne.

«Si sieda, padre Marco» disse. «Mi è arrivata della birra belga proprio ieri, ed è fresca di cantina. Bashira e Louis non ci raggiungeranno questa sera perché mia figlia ha una lieve indisposizione.»

«Louis è qui?»

«Sì, vive con Bashira e il bambino nella casa del custode della Confezione del Caffè Arabica. È un'abitazione decorosa con l'acqua corrente e l'elettricità che viene dalla fabbrica. Louis l'ho fatto assumere come contabile e percepisce uno stipendio: al resto, nei limiti del possibile, pensiamo noi.»

«Sono felici?» domandò ancora Marco.

«Molto» rispose il signor Werpen. «Il bambino è la loro e nostra gioia. Adorabile. E il loro amore è un sentimento d'incredibile intensità. Speriamo che prima o poi si sposino.»

La luce del tramonto si stava spegnendo e mentre Colette, la cameriera barega, serviva un consommé con dei crostini, il signor Werpen versò la birra nei bicchieri.

La conversazione si spostò subito sulle notizie che correvano dopo il discorso di Lumumba in lingala che ormai era di dominio pubblico, o almeno alla conoscenza delle persone in grado di rendersi conto del messaggio che trasmetteva. E fu subito chiara la vera ragione della sua sosta presso i Werpen.

«Padre Van Groove, superiore provinciale dei padri Bianchi» cominciò Marco, «mi ha comunicato il senso del discorso di Lumumba in lingua lingala e abbiamo convenuto che si tratta di un messaggio molto violento, che avrà conseguenze gravissime, devastanti. Quello che ora importa è tentare di prevederne le conseguenze e, se possibile, cercare di evitarle. Di recente ho ricevuto altre comunicazioni che sono il frutto di una serie di contatti fra tutte le missioni dei padri Bianchi e anche fra le nostre in quest'area.

Sostanzialmente vengono delineati tre scenari: qualora i militari dell'Armée Nationale Congolaise dovessero ribellarsi ai loro ufficiali belgi, massacrarli e correre la regione per mettere in pratica le esortazioni di Lumumba, tutti i padri dovrebbero lasciare le missioni e convergere verso località provviste di un aeroporto. È certo che anche le famiglie di belgi o di europei in genere faranno lo stesso e dunque verranno evacuate tramite le strutture aeroportuali.

Un secondo scenario è che il personale delle missioni abbandoni al più presto le località più rischiose e raggiunga le comunità a loro più fedeli ed eventualmente più disposte a prenderne le difese.

È infine possibile che un certo numero di padri, i più anziani e malfermi, non se la sentano di intraprendere marce faticose o di mettere a rischio quel che resta della loro vita prendendo dimora in località comunque esposte al pericolo. In questo caso ci si organizzerà per prelevarli e condurli ai luoghi di concentramento. Soltanto chi vorrà restare al proprio posto manterrà una sorta di presidio missionario per assicurare l'appoggio alla popolazione. E adesso veniamo a voi...»

«Me l'aspettavo, padre Marco» lo interruppe il signor Werpen, «ma non deve preoccuparsi di noi.»

«Si rende conto che da un momento all'altro la situazione potrebbe precipitare per il semplice motivo che il Katanga dichiarerà la propria indipendenza con l'appoggio dei belgi e degli americani.»

«Impossibile» replicò il signor Werpen.

«Se non mi crede, domandi a Louis. Lui lo sapeva già da mesi e me lo ha detto. Io poi l'ho riferito al nunzio apostolico a Léopoldville.»

«Louis pensa di poterci difendere tutti.»

«È pazzo, è fuori di testa. Gli dica di non fare sciocchezze! I militari sono migliaia, armati fino ai denti, anche con armi pesanti.»

«Ha un piano» osò ribattere il signor Werpen.

«Un piano: oh santo Dio! Se fosse qui lo prenderei a calci in culo!»

«Padre Marco!» esclamò il signor Werpen.

«Scusatemi, mi è scappato... e quale sarebbe questo piano?»

«Non ha voluto dirmelo.»

Intervenne Madame Thérèse: «Ho fatto preparare il suo letto, padre Marco, se le fa piacere accettare la nostra ospitalità».

«Volentieri» rispose Marco cercando di calmarsi. «Magari domani potrei vedere Louis e Bashira.»

«Non si arrende mai, vero?» disse il signor Werpen. «La verità è che non so dov'è e che ho fatto mettere due guardie armate tra la fabbrica e la loro abitazione per proteggere nostra figlia e il nostro nipotino. Non ha voluto trasferirsi da noi. Louis mi ha lasciato un biglietto con questa richiesta e diceva anche che...»

«Che cosa?» lo incalzò padre Marco.

«Di non farla avvicinare a casa sua se fosse arrivato da queste parti.»

Marco chinò il capo, confuso. Non poteva credere che Louis, ora che aveva ricomposto i suoi rapporti con i genitori di Bashira, gli serbasse rancore. O forse temeva che lo dissuadesse dal suo misterioso piano?

«Capisco» disse, «anche se non me lo spiego. Voi comunque dovreste darmi ascolto.»

«Non tema, padre Marco, la nostra fabbrica dà lavoro a parecchia gente con stipendi sicuri e decorosi e gli abitanti del villaggio difenderanno noi e la fabbrica a tutti i costi. E poi abbiamo la radio: se dovessero esserci avvisaglie di violenza chiameremo subito il più vicino corpo di paracadutisti dando le nostre coordinate. Vada a riposare adesso e dorma tranquillo.»

Un tocco leggero alla porta della sua camera lo destò da un sonno ancora profondo e Colette disse sotto voce: «*Père Marco, le petit déjeuner est prèt*».

«*Je vien tout de suite*» rispose Marco. Si alzò, si lavò la faccia e si vestì, poi scese in camera da pranzo, dove c'era una tazza di caffelatte con brioche appena sfornate: la meravigliosa ospitalità di Madame Thérèse Werpen.

I padroni di casa scesero in vestaglia per dargli il buongiorno e aggiunsero ulteriori indicazioni per raggiungere il villaggio di Kanyamugera, nella valle del Luvubu. Marco li ringraziò ancora, poi mise in moto e partì di buon passo sulla pista che proseguiva verso l'altopiano dell'Itombwe. Dov'era Louis?

Raggiunse l'Itombwe il giorno dopo e verso sera la radio diede segni di vita con la voce del superiore provinciale Van Groove: «Qui sede provinciale dei padri Bianchi, sono Van Groove. Mi sentite?».

«Sono padre Marco. Sì, sento forte e chiaro.»

«Il Katanga ha dichiarato la secessione dal Congo: è avvenuto esattamente quello che tu avevi previsto.»

«Che Louis aveva previsto. Mi permetta, ma la sua totale emarginazione è stata un grave errore. Lui è scomparso e non si sa dove sia.»

«Ascoltami, sembra che i secessionisti siano sostenuti da militari belgi e da mercenari sudafricani più consiglieri militari americani.»

«CIA?»

Van Groove dapprima non rispose, poi disse: «Quella o qualcosa del genere, non fa molta differenza... L'operazione è talmente sporca che non sarà possibile coprirla in nessun modo. E molti innocenti pagheranno per i malvagi... Non hai qualche possibilità di rintracciare Louis?».

«A quale scopo?»

«Non so... mi dispiace molto per lui, vorrei parlargli.»

«È troppo tardi» rispose Marco. «Non vuole vedere nemmeno me. Sto salendo al villaggio dell'alto Luvubu. Le farò sapere. Passo e chiudo.»

10

Padre Marco guidò per tutta la notte senza mai fermarsi se non per pochi momenti di riposo, rannicchiato nel cassoncino della jeep Riuscì a collegarsi un paio di volte con Renzo, che volava non per caso con il Piper dalle sue parti.

Le notizie erano sempre più allarmanti. Diversi reparti dell'esercito regolare congolese si erano ammutinati ai loro ufficiali belgi e li avevano massacrati. Lumumba era in difficoltà e aveva chiesto l'intervento dell'ONU per porre fine alla ribellione del Katanga.

«Hai notizie di Louis?» domandò al secondo contatto padre Marco.

«No, nessuna. Non è più nella congregazione, no?»

«No, non c'è più, ma voglio sapere dove si trova. Non vorrei che facesse sciocchezze. Cerca di capire se qualcuno lo ha visto da qualche parte: sono molto preoccupato.»

«Ci proverò» rispose Renzo. «Non hai idea di dove sia diretto?»

«Purtroppo no. Ma tenterò di mettermi di nuovo in contatto con la sua famiglia adottiva. Ti terrò informato.»

Marco giunse in vista di Kanyamugera al mattino e, poco prima del suo arrivo nel villaggio di Rugenge, fu contattato dal signor Werpen via radio proprio mentre pensava di chiamarlo.

«Signor Werpen, è successo qualcosa? Ha notizie di Louis?»

«Sono riuscito a ottenere informazioni da Bashira, ma non sufficienti per localizzarlo. So che ha ricevuto notizie dal Belgio, forse da suo padre, forse da un suo informatore.»

«Quali notizie?»

Werpen ebbe una breve esitazione, poi, con voce quasi atona, disse: «Lumumba sarà assassinato».

«Prima o poi doveva accadere.»

«L'incapacità di Dag Hammarskjöld e dell'ONU di indurre Moïse Tshombe a porre fine alla secessione del Katanga certamente indurrà Lumumba a cercare l'appoggio dell'Unione Sovietica.»

«E questo basterà per farlo assassinare.»

«Non sto parlando di una speculazione, padre Marco. Sto parlando di un piano vero e proprio che verrà messo in opera con grande precisione e con organizzazione perfetta.»

«Ha nient'altro da dirmi?»

«Per ora no.»

«Si metta in salvo, signor Werpen, assieme alla sua famiglia. Sono certo che Louis sta rischiando la vita per salvare la vostra. Passo e chiudo.»

Marco mise in moto la jeep e si diresse lentamente su un terreno accidentato verso il villaggio: tanti pensieri gli passavano per la mente e fra questi cercava di indovinare quale fosse quello di Louis. Di certo il più pazzo e il più pericoloso. I rapporti della sua famiglia probabilmente gli consentivano di muoversi con relativa facilità nelle vicinanze delle sedi del nuovo potere in Congo. Sentiva che lui e Louis erano le due facce della stessa medaglia, quindi doveva trovarlo a ogni costo.

L'aria si faceva più rarefatta a mano a mano che saliva, e l'atmosfera limpidissima gli consentiva di vedere a grande distanza: c'era un uomo in mezzo al sentiero, e faceva ampi gesti con le braccia aperte. Rugenge!

Quando gli fu vicino fermò l'auto, tirò il freno a mano e scese.

«Che cosa succede?» gli domandò.

«Non puoi proseguire.»

«Perché? Non è la prima volta che faccio visita a questo villaggio.»

«Questa volta no. È in corso un rito.»

«Che tipo di rito?»

«Un rito nostro che tu non puoi vedere.»

«Io ti ho pure ammesso ad ascoltare la mia messa.»

«Non è la stessa cosa.»

«Perché?»

«Perché tu sacrifichi mangiando un piccolo pane bianco, noi sacrifichiamo un uomo.»

«Un uomo? Oh, mio Dio!»

Con uno scatto improvviso Marco aggirò Rugenge e si lanciò di corsa su per la salita mentre l'altro lo rincorreva veloce. Alla fine lo raggiunse e cercò di immobilizzarlo, ma non era facile nemmeno per lui, possente e muscoloso, immobilizzare padre Marco Giraldi.

Marco riuscì a divincolarsi e riprese a correre verso un punto in cui il villaggio terminava al bordo di un baratro. Tutti gli abitanti erano accalcati in quel punto. Un tamburo rombava lento e cupo in lontananza. Sembrava scandire i battiti di un cuore che stava per fermarsi. Ma quando si fu avvicinato a sufficienza, Marco si accorse che due file di guerrieri si erano voltate indietro e gli puntavano contro le lance. Gli altri gli davano la schiena.

Rugenge lo afferrò per le spalle: «Vieni via. Vuoi morire?». Poi lo trascinò più in alto, lungo il fianco della montagna, finché trovarono una specie di terrazza naturale prospiciente la spettacolare cascata del Luvubu. Una nube di spuma velava una colonna d'acqua che precipitava con immenso fragore per più di trecento metri.

Si fermarono quando furono a strapiombo sulla cascata, ansimanti.

«Perché non mi hai avvertito in tempo? Sarei corso fin qua molto prima e sarei riuscito a fermarli.»

«Sei giunto fin qui qualche volta; pensi che basti per sradicare una cultura di migliaia e migliaia di anni?»

«Io non voglio sradicare niente. Voglio insegnare loro che ci sono anche altri sentieri da percorrere...»

Tacquero ambedue. In basso la ressa dei guerrieri si apriva e un uomo passava fra di loro tenuto per le braccia da altri due. Poi il varco si chiuse.

«Ma io conosco quell'uomo!» esclamò Marco. Lo aveva incontrato ogni volta che era salito al villaggio. Era un ragazzo demente fin dai primi anni della sua vita, ma nel villaggio era amato e rispettato. Dormiva ogni notte in un luogo diverso e si nutriva di quello che gli davano. Era insomma figlio di tutti i padri e di tutte le madri e considerato una specie di benedizione per la comunità.

«Sì, è l'uomo dallo spirito buono...» disse Rugenge con un velo di tristezza sul volto e nella voce. «Molti dei nostri bambini sono morti e continuano a morire: lo sciamano ha detto che se verrà sacrificato lui, il suo spirito buono resterà nel villaggio e lo proteggerà.»

«Tu ci credi?» domandò padre Marco, ma nello stesso istante si accorse che il sacrificio aveva inizio. I guerrieri si assiepavano attorno alla vittima e la spingevano con piccoli colpi delle lance per farla arretrare. Rugenge non rispose alla domanda di Marco e aveva la mandibola contratta osservando la scena.

I guerrieri avanzarono ancora con le lance protese e l'uomo continuò ad arretrare verso il baratro.

Precipitò.

Per un attimo fu una piccola macchia scura nella nube di spuma.

«Vi auguro che il suo spirito buono protegga il vostro villaggio. Ma se non riuscisse a fermare la morte che falcia i vostri bambini sapete dove trovarmi» disse padre Marco e cominciò a scendere il declivio, accompagnato da Rugenge.

«Dormi con noi al villaggio. C'è posto» disse.

«Non me la sento» rispose Marco. «Inoltre questo posto mi ricorda di quando venimmo a caccia sui monti Virunga io e Louis, il padre Bianco.»

«È successo qualcosa?»

«Non si trova più. Nessuno sa dove sia, ma ho buoni motivi per credere che sia in pericolo. È bianco, biondo e belga. Bersaglio.»

«Posso lanciare un segnale che diffonda il tuo messaggio: «Cercate Louis Chevallier, il padre Bianco. In tutti i villaggi, su tutti i fiumi, in tutte le case e le capanne, sui battelli e sui treni».

«Faresti questo per me?»

«Lo stesso che tu faresti per me. Siamo amici se non sbaglio.»

Si salutarono. Marco risalì sulla jeep e prese la strada del ritorno.

Attraversò il territorio dei Bashi, una tribù molto fiera e indipendente governata dalla Mwami Kazi, "colei che fa la parte del re", che dal suo centro a Burhale reggeva con polso fermo la sua gente. C'era una comunità di suore Minime dell'Addolorata, in parte africane, in parte italiane, che vivevano in una minuscola missione distante un paio di chilometri dal villaggio della Mwami Kazi. La sovrana le aveva prese a benvolere, e loro lei. Erano tutte donne e si sentivano solidali, benché la Mwami Kazi fosse la regina di un popolo di valorosi guerrieri e loro delle semplici monache.

La Mwami si riproduceva come un'ape regina. Quando lo desiderava sceglieva un maschio prestante e quando rimaneva incinta partoriva, finché non nasceva una femmina che sarebbe diventata un giorno la nuova Mwami.

Marco fu ammesso alla sua presenza.

La regina lo accolse seduta su uno scranno. Portava un anello con una cornalina al dito medio e una collana d'oro di antica fattura attorno al collo che ben risaltava sulla sua pelle di ebano e che forse era il segno della sua regalità. Indossava una tunica di cotone azzurro, ben drappeggiata sul corpo e aperta sul fianco.

«Sei tu che cerchi Louis Chevallier, il padre Bianco?»

«Sono io, grande Mwami Kazi.»

«Che cosa vuoi da lui?»

«Salvargli la vita, se posso.»

«Chi ti dice che sia in pericolo?»

«Un presentimento. E anche l'amicizia.»

Era splendida, un capolavoro della natura: un corpo statuario e occhi di leopardo sotto la fronte levigata. Nemmeno un santo avrebbe potuto resistere al suo fascino e alla sua bellezza. Quando si alzò dal suo rustico trono e si avvicinò all'ospite si mosse con grande eleganza e quando gli fu vicino emanava un leggero profumo di sandalo. Secondo una leggenda le regine dei Bashi discendevano dalle regine nere di Meroe, le cui origini si perdevano nella notte dei tempi.

«Farò tutto il possibile per aiutarti» disse. «Se ha dormito in qualunque capanna da qui a Léopoldville io lo saprò.»

«Ti ringrazio per l'aiuto» disse Marco. «Posso chiederti perché lo fai?»

«Perché anni fa ci siamo amati, in questa mia dimora» rispose. «Se avessi potuto lo avrei tenuto prigioniero, legato al mio letto finché non mi fossi stancata di lui. Ma fu lui ad andarsene, quella stessa notte di luna nuova, senza svegliarmi. Forse si ricordò di essere un prete... bastardo.»

Marco non poté trattenere un sorriso: Louis non era mai stato tagliato per una vita da religioso.

Prima di andarsene, volle accertarsi che le suore non corressero alcun pericolo se gruppi armati e violenti fossero giunti da quelle parti.

«È un po' isolato il loro convento» ammise la Mwami Kazi. «Ma ho trovato il modo di essere subito informata se ci fosse qualche pericolo: ho fatto venire una campana dal loro paese e l'ho messa sul tetto della missione. Non dovranno fare altro che tirare la fune e suonare la campana.»

Marco si congedò dalla regina lasciandole un pacchetto di biscotti all'uovo molto attraenti e rientrò a Uvira.

Passarono alcuni mesi senza che accadesse nulla di particolare e durante quel tempo apprestò tutti gli espedienti nel caso che la violenza fosse giunta alle soglie della sua missione. Poi un giorno, all'inizio di gennaio, arrivò un guerriero bashi inviato direttamente dalla Mwami Kazi. Aveva corso per giorni e giorni fermandosi soltanto per bere e mangiare e gli riferì il suo messaggio:

«Louis Chevallier è a Léopoldville all'hotel Lion d'Or, ma partirà presto per un viaggio senza ritorno. Affrettati.»

11

Marco riuscì a incontrare Renzo, il pilota del Piper, non lontano dalla pista di Uvira, gli chiarì la situazione e gli manifestò la sua intenzione di raggiungere Louis a Léopoldville, sempre che fosse ancora nell'albergo dove lo avevano segnalato. Sapeva benissimo che ogni uscita dell'aeroplano necessitava del nulla osta di Vezzali, il suo superiore, e che se gli avesse detto la verità avrebbe ottenuto un diniego.

«Devo chiedere licenza di raggiungere Léopoldville» disse a Renzo, «ma non so come fare. Cosa possiamo inventarci?»

Renzo si passò una mano sul mento e sull'ispida barbetta. «Fammici pensare...» rispose. «Il superiore non s'intende molto di meccanica; potrei dire che devo andare per il tagliando del motore e per sostituire un cuscinetto del carrello. Per quello che mi riguarda va bene, ma tu come giustifichi il tuo viaggio con me a Léopoldville?»

«Lo giustifichi ancora tu. Potresti avere bisogno di me al primo scalo a Kindu per sostituire il pezzo. Io poi chiederò a Vezzali se ha della posta per il nunzio che io potrei recapitare, e altre incombenze. Mi sembra che dovrebbe funzionare. Andrai da Vezzali verso le sedici, così avrai tempo per prepararti. Io ci andrò prima di cena.»

Si diedero appuntamento per l'alba dell'indomani alla pista di Uvira e si separarono.

Marco bussò alla porta di padre Vezzali alle diciotto in punto.

«Avanti» risuonò la voce inconfondibile del superiore.

Marco entrò. L'ufficio era illuminato dalla luce pomeridiana filtrata dalle piante del bosco che circondavano la missione: padre Vezzali aveva sul tavolo un libro di preghiere e a fianco un bicchiere d'acqua su un piattino.

«Che novità?» chiese alzando la testa dal libro.

«Penso che Renzo l'abbia informata sul viaggio che deve intraprendere per il tagliando del motore del nostro aereo e per il rifornimento di olio e filtri.»

«Sì, lo ha fatto. E mi ha detto anche che gli serve il tuo aiuto.»

«Deve fare scalo a Kindu per cambiare un pezzo del carrello e io sono in grado di aiutarlo. Conosco quel cuscinetto e posso smontarlo in una mezz'ora e in un'altra mezz'ora rimontarlo. Ho pensato anche che lei potrebbe avere della posta da recapitare al nunzio apostolico che già mi conosce.»

Padre Vezzali si aspettava quella proposta. Al tempo stesso Marco sapeva che il superiore aspirava all'episcopato e che il potere di nominare i vescovi in tutto il Congo era nelle mani del nunzio apostolico. Difficilmente si sarebbe lasciato sfuggire l'opportunità di mandargli una lettera. La busta era già chiusa e gliela porse: «Consegnala personalmente nelle sue mani».

«Stia sicuro, padre » rispose Marco, e uscì.

Tornò al suo alloggio, sbrigò la corrispondenza e lesse i giornali vecchi che non aveva ancora potuto scorrere, fino alle undici. Nelle pagine interne di una copia del "Corriere della Sera" di dieci giorni prima si affermava che Lumumba, dopo l'insuccesso dell'ONU nella crisi del Katanga, non aveva altra scelta che rivolgersi ai sovietici e questo avrebbe provocato una forte reazione del governo degli Stati Uniti.

Puntò la sveglia alle quattro.

Renzo lo aspettava sulla pista pronto a mettere in moto.

Marco salì a bordo sedendosi a fianco del posto di guida.

«Abbiamo il pieno e possiamo arrivare a Kindu senza problemi verso le undici al massimo.» Accese il motore, diede manetta, poi tirò a sé la cloche e si alzò poco dopo in volo.

Marco si rigirava fra le mani distrattamente la lettera del superiore per il nunzio apostolico.

«Chissà che cosa ci sarà scritto lì dentro?» chiese Renzo.

«Non è difficile da indovinare: Vezzali vuole diventare vescovo e mettere finalmente lo zucchetto e la fascia paonazza, ma non può fare i conti senza l'oste e l'oste è sua eccellenza il nunzio apostolico. Speriamo che ci riesca così ce lo tolgono dalle scatole.»

«Cosa gli manca?»

«Non so. Un'opera importante: la costruzione di una chiesa, di un orfanotrofio, di un seminario per allevare clero indigeno. Sono certo che quella sarebbe la carta vincente ma non credo che glielo suggerirò.»

«Forse l'idea è già in quella busta» disse Renzo, e intanto scivolava d'ala sulla destra: «Sua maestà il Congo!» gridò indicando il grande fiume mentre nubi di garzette candide si alzavano in volo velando di bianco la corrente.

«Come siamo piccoli...» disse Marco alla vista di tanta meraviglia. «Hai letto *Cuore di tenebra* di Conrad?»

«Ho letto il libro *Cuore* quando ero ragazzo. E mi è piaciuto molto, ma non so se è lo stesso.»

«Non è lo stesso per niente. È uno dei libri più belli del mondo. È la storia di un inglese, Charles Marlow, che risale il Congo per conto di una compagnia che commercia l'avorio, incaricato di trovare un misterioso personaggio, Mr Kurtz, il più grande cacciatore di avorio mai esistito, adorato dai suoi seguaci indigeni come un dio, e che si dice sia gravemente malato. Marlow lo cerca risalendo il Congo verso i recessi più oscuri della foresta e assiste agli orrori perpetrati dai colonizzatori che sfruttano in modo bestiale le risorse e gli indigeni, devastando senza pietà i santuari della natura incontaminata. Alla fine lo trova e lo riporta indietro su una nave, ma Kurtz muore e le sue ultime parole sono "L'orrore! L'orrore!".»

«A me non sembra un libro così bello» commentò Renzo.

Marco fece un gesto di compatimento: «Lascia perdere».

«Sì, queste cose non fanno al caso mio...»

Dopo un'ora e mezzo di volo verso sudovest indicò ancora: «Guarda, quella è Kindu», e puntò su un insediamento alla loro destra. Sorvolò un fabbricato isolato a nord della città: «Quello è il quartier generale dei soldati delle Nazioni Unite. I primi erano tutti scandinavi: norvegesi e svedesi, ma i soldati dell'esercito nazionale congolese li scambiavano per *paracommandos*, i paracadutisti belgi dei corpi speciali, così il segretario generale si era rassegnato a far reclutare malesi, indonesiani, indiani, che facevano meno spavento. Ma il risultato è stato uguale, non è cambiato nulla. Allaccia la cintura: si atterra».

Renzo rullò sul campo fino a raggiungere l'hangar per le riparazioni.

«C'è il cuscinetto della ruota sinistra del carrello che suona durante il rullaggio. Non vorrei che mi si bloccasse all'improvviso e trovarmi di traverso sulla pista mentre decollo o mentre atterro. Possiamo approfittare del vostro spazio?»

Il responsabile dell'officina, un tutsi-belga alto quasi uno e novanta, sorrise scoprendo i denti perfetti: «Fratello, se tutti approfittassero del nostro spazio non potremmo più lavorare. Qui c'è posto solo per i clienti».

«Capisco, ma noi siamo missionari, non abbiamo soldi per le riparazioni e ci arrangiamo come si può.»

«Va bene, va bene» rispose l'altro rassegnato, «ma fate presto: aspetto un aereo grande per fare il pieno e caricare le batterie.»

Renzo e Marco si misero all'opera usando gli attrezzi dell'officina e dopo una mezz'ora dall'inizio dei lavori videro atterrare un C119 che fece manovra piazzandosi davanti al distributore. Poi i motori si spensero e scese l'equipaggio: erano tutti italiani con le insegne dell'ONU sull'uniforme. Marco si avvicinò per salutarli.

«Salve ragazzi, mi chiamo padre Marco Giraldi e quello è Renzo, il nostro pilota. Come vanno le cose?»

Un ufficiale andò a stringergli la mano: «Sono il tenente

De Luca e siamo impegnati con il contingente ONU per le operazioni di logistica. Trasportiamo materiali secondo le richieste dello stato maggiore, ma anche medicinali, viveri e altri mezzi di sussistenza».

Era poco più che un ragazzo, elegante nella sua uniforme blu di buon taglio e perfettamente rasato.

«Hai qualche minuto per scambiare due chiacchiere?» domandò Marco.

«Poco di più, padre, dobbiamo ripartire appena fatto rifornimento e caricate le batterie. Mi dica.»

«Come puoi facilmente capire siamo tutti preoccupati per la situazione politica e militare. Temiamo molto l'indisciplina dell'esercito nazionale congolese, ma le cose potrebbero precipitare qualora scoppiasse la guerra civile.»

Il tenente De Luca sembrò per un momento in difficoltà davanti al quadro dipinto da padre Marco: la cabina del suo aereo era il suo punto di osservazione; era abituato a guidare il suo aeroplano pieno di medicinali, di viveri e di pezzi di ricambio, e non a trattare temi di alta politica.

«Padre» disse, «io faccio il mio dovere meglio che posso, non molto di più. Penso però che se il male dovesse volgere al peggio difficilmente il nostro governo potrà fare qualcosa per voi. L'unica sarebbe inviare corpi militari ben addestrati, evacuare i nostri concittadini, usare le armi se necessario. Ma una simile azione verrebbe considerata una vera e propria invasione di un paese indipendente. È più probabile che se ne occupino i belgi, che sono stati i padroni di casa fino a meno di un anno fa. Guardi qua: abbiamo armi ma abbiamo ordine di non usarle.

Mi saprebbe dire lei perché portiamo le stellette? Io no. Siamo dei camionisti con le ali, ecco cosa siamo. Chi ci ha mandati qui ha pensato a fare bella figura, ma noi ci mettiamo la pelle, che è tutt'altra cosa.»

Marco si sentì avvilito per quelle parole e irritato nello stesso tempo. Provava rabbia contro i politici che avevano mandato allo sbaraglio quei ragazzi senza una protezione efficiente; figurarsi se potevano aiutare altri.

Il tenente proseguì: «Per quello che ne posso capire, la situazione politica è una sorta di matassa inestricabile fatta di ostilità reciproche e di veti incrociati. Lumumba si è spostato a Stanleyville, dove ha i suoi uomini di fiducia e i suoi sostenitori. Kasavubu ha destituito Lumumba dalla carica di primo ministro, ma Lumumba, a sua volta, ha destituito Kasavubu come presidente della Repubblica, con la piena approvazione del parlamento, creando una situazione di crisi istituzionale. Lumumba ha inoltre intavolato trattative con l'Unione Sovietica, che ha preso a mandare armi, munizioni, attrezzature di ogni tipo. Per reazione, Kasavubu si è appoggiato agli americani, proprio come aveva scritto il "Corriere", che avrà visto anche lei».

Marco annuì.

«L'unico che può esercitare un vero potere è Mobutu, il comandante supremo delle forze armate. È sempre stato il braccio destro di Lumumba, però ora si è messo con gli americani ed è passato dall'altra parte. Ma soprattutto tende a fare il proprio interesse. Da tenente promosso generale, carriera fulminea! Be', padre» concluse De Luca, «non mi resta che augurarvi buona fortuna. Noi dobbiamo ripartire.»

«Buona fortuna a voi» rispose Marco. «Ne avrete bisogno.»

«Ma, se Dio vuole, ancora un paio di viaggi e torneremo in Italia... l'Italia.»

Marco restò a guardare l'aereo decollare e poi piegare verso sud. Chissà dov'era diretto; si era dimenticato di chiederglielo. Tornò a dare man forte a Renzo che era ormai a buon punto. Tempo una decina di minuti e furono pronti a partire. Il tutsi-belga, capita la situazione e probabilmente ex allievo di qualche scuola missionaria, fece loro un prezzo stracciato per il solo cuscinetto e augurò buon viaggio.

«Che facciamo se non troviamo Louis?» domandò Marco quando ebbero preso quota.

«Una cosa alla volta» rispose Renzo. «Alla peggio si torna indietro con l'olio e i filtri e con una lettera del nunzio.»

«Dipende» replicò secco Marco. «Io potrei anche restare.» Renzo non disse niente.

Arrivarono a metà pomeriggio e Marco andò per prima cosa a trovare il nunzio, che a quell'ora doveva essere stato avvertito del suo arrivo. Gli consegnò la lettera che lui aprì con un elegante tagliacarte di avorio con testa di leopardo.

«Il tuo superiore è un po' insistente» disse mentre concludeva la lettura di un paio di fogli scritti con grafia molto regolare.

«Ognuno è fatto a modo suo, eccellenza... se ha piacere di rispondere disponga di me o di Renzo per il recapito veloce.»

Il nunzio alzò il capo dal foglio e domandò: «Perché hai detto "o di Renzo"?».

«Perché potrei non tornare. Sto cercando il mio amico Louis Chevallier.»

«L'ex padre Louis?»

«Lui. È stato visto al Lion d'Or.»

«Questo ti fa onore. Sono pochi quelli che restano fedeli a un amico quando cade in disgrazia. Se dovessi avere grane con il tuo superiore mandami un telegramma e ci penso io. Anzi, ci penso subito. Prima di tutto posso avere qualche informazione. Ho degli amici al Lion d'Or.» Alzò la cornetta e chiamò l'albergo.

«Sono il nunzio apostolico e avrei necessità di parlare con il signor Chevallier, Louis Chevallier... Ah, cinque giorni fa? Ho capito. Grazie comunque, molto gentile.»

«È sparito, vero?» chiese Marco.

Il nunzio fece un gesto come a dire "aspetta" e compose un altro numero.

«Sono io... Sì... So che "il reverendo" ha lasciato il Lion d'Or cinque giorni fa. Tu ne sai qualcosa?» Il nunzio ascoltò in silenzio per qualche minuto e domandò ancora: «Ne sei sicuro?... Va bene. Ti ringrazio».

Riattaccò.

«Mi dicono che Chevallier si è imbarcato sul *Reine du fleuve* lo stesso giorno che ha lasciato l'albergo. Diretto a nord. Non so dove si stia recando, ma dovunque sia, navigherà piuttosto lento contro corrente...»

«Sicuramente a Stanleyville» disse Marco.

«E perché mai?» chiese il nunzio.

«Per raggiungere Lumumba.»

«Lumumbista, Chevallier?»

«No, non penso abbia abbracciato la sinistra radicale. Louis è convinto che Lumumba verrà assassinato e questo scatenerà un'ondata di violenza senza precedenti per cui nessuno sarà al sicuro.»

«Da solo non ce la può fare.»

«È evidente. Io però lo conosco e so che farà tutto quello che è in suo potere per condurre a termine l'impresa. La mia paura è che si cacci in un pasticcio o si metta in pericolo: è un padre di famiglia ora... Il fatto è che ha un carattere combattivo...»

«Perché tu no?» domandò il nunzio.

Marco cambiò discorso: «E come se non bastasse è un 3B: bianco, biondo e belga...».

«Hai ragione, e quindi che cosa vuoi fare?»

«Inseguirlo, prenderlo e riportarlo a casa.»

«E come?»

«Mi ci vorrebbe un mezzo veloce per anticiparlo. Poi da Stanleyville a Uvira è poca cosa... si fa per dire.»

«Andateci con l'aereo. Vi do io i soldi per la benzina e vi do una lettera per il superiore dove dico che siete andati in missione per conto mio.»

«Eccellenza, io non so come...»

«Non c'è bisogno, ragazzo: hai ottime ragioni per braccare Louis. Probabilmente ti contatterà Denis, il mio uomo di fiducia a Stanleyville, nella zona dell'aeroporto. Tienimi al corrente e... prudenza!»

«Ci può contare.»

Marco accettò una cena frugale assieme a Renzo, per far compagnia a sua eccellenza, ma non la sigaretta che alla fine gli offrì con il caffè per aver complicità nel peccato del fumo.

Partirono l'indomani all'alba. Appena in quota, Marco mostrò a Renzo la lettera che il nunzio gli aveva dato per tenere buono il superiore Vezzali.

«Se Louis è su quella barca, lo raggiungeremo entro un giorno o poco più e lo supereremo, così potremo essere tra la folla a Stanleyville a osservare la discesa dei passeggeri dal *Reine du fleuve*» disse Marco.

«E poi che si fa?» domandò Renzo.

«Non lo so» rispose Marco. «In questo preciso istante non ne ho la minima idea.»

Renzo lo guardò costernato.

12

Marco e Renzo, dopo due scali intermedi, atterrarono all'aeroporto di Stanleyville, sulla riva destra del Congo, non senza difficoltà. La torre di controllo non era pienamente funzionante e inoltre lo scalo doveva smaltire un notevole traffico. Alla fine poterono prendere terra adducendo una ragione di emergenza e Renzo riuscì a parcheggiare nei pressi di un hangar di lamiera ondulata, che un tempo era stata zincata ma che ora presentava un diffuso strato di ruggine.

Si diressero quindi a piedi in direzione dell'attracco dei battelli sul fiume e si informarono da un impiegato del porto quando era previsto l'arrivo del *Reine du fleuve.*

«Siete fortunati» rispose quello, «il battello è stato avvistato a un giorno di navigazione da Stanleyville. Dovrebbe quindi essere qui domani sera se non succede nulla.»

Marco ringraziò, e assieme a Renzo andò a chiedere ospitalità alla casa dei padri Bianchi. Il superiore li invitò a cena e i due ne dedussero che dovevano essere giunti messaggi da Léopoldville.

Dapprima si scambiarono convenevoli e particolari del viaggio, e poi gli stessi commenti che circolavano in tutto l'ambiente missionario, di qualunque nazionalità, ordine e congregazione, specialmente fra belgi come i padri Bianchi: preoccupazioni, timori, brutte notizie provenienti da diversi centri del Paese, paura o addirittura terrore.

La tradizionale fiducia dei padri, convinti di aver fatto

del bene alle popolazioni a loro affidate e quindi di poter contare sulla loro gratitudine, vacillava ogni giorno di più. Sguardi torvi, occhiate sghembe erano chiari messaggi, se non di odio, di ostilità e di rancore.

Fra gli *évolués*, ossia i congolesi che avevano ricevuto un'educazione e un'istruzione di un certo livello (fra loro il primo ministro Patrice Lumumba), erano in molti a nutrire rancori e non pochi consideravano i missionari come i battistrada degli eserciti e delle burocrazie coloniali.

Il giorno dopo, il superiore chiamò Marco e lo portò vicino al telefono: il nunzio apostolico Solari aveva urgenza di parlargli.

«Eccellenza, il *Reine du fleuve* arriverà probabilmente questa sera e a bordo ci dovrebbe essere Louis...»

Il nunzio lo interruppe: «Marco, stammi a sentire. La situazione sta precipitando. Lumumba era tornato qui a Léopoldville per esercitare i poteri che il parlamento in seduta plenaria gli aveva conferito, data la situazione di emergenza. I sovietici hanno preso posizione a suo favore nel Consiglio di Sicurezza dell'ONU, e le truppe delle Nazioni Unite hanno circondato casa sua per impedire che gli succeda qualcosa, ma Mobutu ha preso il controllo a sua volta, bloccando tutto con un secondo cerchio formato dai soldati dell'armata nazionale. Il primo ministro è praticamente prigioniero. In più, ho ragione di ritenere che Louis non sia affatto partito sul *Reine du Fleuve* come credevo...»

«Prego? Può ripetere?»

«Certo: ho ragione di ritenere che Louis Chevallier non sia affatto partito sul *Reine du fleuve*. Ho visto una sua foto scattata ieri da un nostro informatore qui dalle parti dell'aeroporto, e ci è parso lui all'ottanta per cento. Non c'è più niente da fare, Marco. Tornate a Uvira: Lumumba è solo un morto che cammina.»

«Con tutto il rispetto, eccellenza, io penso che ci sia ancora qualche possibilità di evitare un delitto efferato e delle reazioni di enorme violenza... Louis deve essere rimasto per un motivo, date le circostanze...»

«Ti ho dato un ordine, Marco. Obbedisci.»

«Come vuole, eccellenza.»
«Tienimi informato. Buona fortuna e che Dio vi benedica.»
«Lo farò, eccellenza. Spero che anche lei ci terrà al corrente.»
Il superiore dei padri Bianchi gli si avvicinò: «Mi pare di aver sentito che si parlava di quel poco di buono che ha infangato l'onore della nostra congregazione fornicando con una femmina barega».
«Si parlava di Louis Chevallier, signor padre superiore, un mio caro amico che temo sia in grave pericolo.»
Il superiore fece una smorfia. Marco salutò e uscì.

«Andiamo all'aeroporto?» gli domandò Renzo.
«Non ci penso neppure. Non prima di aver capito dov'è Louis. Vai tu all'aeroporto e, se dovessi vederci arrivare di corsa, metti in moto immediatamente e preparati al decollo.
Renzo sorrise sarcastico: «D'accordo, Marco: mi piace il modo con cui interpreti l'obbligo della santa obbedienza. Mi raccomando, non fare corbellerie. Qui basta un soffio e sei morto, da quello che posso capire». Si separarono e Marco si diresse al porto fluviale. Si ritirò in un edificio che conteneva dei magazzini e salì verso il primo piano per avere una visuale completa dell'area circostante. Aveva un piccolo ma efficiente binocolo acquistato in un mercatino di articoli militari e con quello teneva sotto attenta sorveglianza l'approdo. Al profilarsi della sagoma del *Reine du fleuve*, una frotta di bambini si riversò sul piazzale prospiciente l'imbarcadero portando oggettini da vendere ai passeggeri: collanine in vaghi d'ambra, rosari di semi di melia, animaletti intagliati nel legno di ebano e i più preziosi nell'avorio.
Il battello arrivò verso sera e l'equipaggio lanciò a terra le cime su cui si gettò un altro gruppo di bambini per afferrarle, legarle alle bitte e guadagnarsi qualche spicciolo.
Il *Reine du fleuve* accostò di babordo e calò una passerella. I passeggeri cominciarono a scendere. C'erano anche alcune coppie di una certa eleganza che strideva con la miseria dell'ambiente circostante. Forse contavano su un qualche passaggio aereo, data la presenza dell'aeroporto. Quello era il momento di gran lunga più opportuno per Marco, per-

ché i passeggeri sbarcavano a due a due al massimo e poteva distinguerli con precisione. Se fosse passato Louis, anche se camuffato, non gli sarebbe sfuggito.

Ci vollero circa quaranta minuti perché tutti scendessero sul molo e alla fine Marco si trovò disorientato: aveva evidentemente ragione il nunzio Solari quando diceva che Louis era stato visto ancora a Léopoldville e la prima segnalazione doveva essere errata. Scese allora nel piazzale per fare un ultimo tentativo.

Salì a bordo del battello e si avvicinò a quello che sembrava il comandante. Il sole era ormai tramontato e si accesero alcune lampadine che chiazzavano di pallida luce il piazzale asfaltato tanti anni prima e poi mai più.

«*Vous savez s'il y avait quelqu'un à bord au nom de Louis Chevallier?*»

Il comandante si girò bruscamente verso di lui e Marco si accorse immediatamente che aveva avuto una pessima idea.

«*Pourquoi voulez vous le savoir?*» domandò a sua volta il comandante con un'espressione grifagna. Marco arretrò verso la passerella, poi si voltò e scese in fretta mentre alle sue spalle risuonava ancora la stessa voce: «*Prenez-le!*».

E subito un paio di uomini armati si affacciarono alla murata gridando: «*Arrêtez vous!*».

Marco si immerse nell'intrico di vicoli dietro al porto e si nascose sotto un carro carico di sorgo. Attese che i suoi inseguitori passassero di corsa e sparissero poco dopo nel labirinto di stradine buie. Strisciò nella zona scura fino a tornare sull'asfalto. Da lì poteva vedere il Piper che aspettava sulla pista, ma mentre studiava il modo per raggiungerlo una voce risuonò alle sue spalle. Marco brandì un randello di legno.

«Lei è padre Marco, vero? Io sono Denis.»

«Ho sentito parlare di te» rispose Marco alzandosi in piedi.

«Come mai ancora da queste parti? È pericoloso.»

«Cerco Louis Chevallier, un ex padre Bianco.»

«L'ultima volta che l'ho visto è stata cinque giorni fa.»

«Puoi dirmi di più, Denis?»

«Padre Louis... mi scusi se lo chiamo ancora così... era venuto qui per mettere in guardia Lumumba.»

«Da cosa?»

Un aereo stava scendendo sulla pista e le sue luci si riflettevano sull'asfalto umido della sera.

«Voleva avvertirlo che l'invito di Kasavubu e di Mobutu a Léopoldville per lui e per i suoi amici più fedeli, Mpolo e Okito, era una trappola. Ma Lumumba era già partito. Nonostante tutto era ancora fedele al suo ideale di unità della Nazione. Da allora non ne so più niente.» Si udirono le voci degli inseguitori che stavano tornando indietro. Marco misurò con lo sguardo la distanza che lo separava dalla pista di decollo. «Grazie, Denis» disse. «Ora devo raggiungere quel piccolo aereo fermo sulla pista. Se riesci crea un diversivo.»

Denis annuì e si avvicinò a una pila di casse vuote distanti una decina di metri: «Conti fino a cinque lentamente dal momento in cui ci separiamo e poi corra verso la recinzione: c'è uno strappo nella rete metallica all'altezza del sesto paletto, non è troppo lontano dall'aereo». Gli porse una piccola torcia elettrica. «Questa può servirle per fare un segnale al suo pilota.»

«Grazie, Denis» rispose Marco. «Mi sei stato prezioso. Che Dio ti benedica.»

«Ora faccia il segnale e cominci a contare» disse Denis.

Marco lampeggiò tre volte con la torcia contando: «Uno, due, tre», poi si lanciò di corsa, «quattro, cinque...». Udì netto il rumore di una pila di casse che cadevano al suolo... un colpo di pistola... Marco continuò a lampeggiare e a correre fino al varco nella rete metallica di recinzione sfruttando i coni d'ombra fra i lampioni ma Renzo non sembrava avere visto i suoi segnali.

Alle spalle di Marco risuonarono di nuovo le grida delle due guardie armate: partì un altro colpo di pistola che passò attraverso la rete facendola tintinnare e oscillare da cima a fondo. Lo sparo doveva aver svegliato Renzo, che probabilmente sonnecchiava perché subito il motore dell'aereo si mise a ronzare e si accesero le luci delle ali e del timone di coda.

Il Piper girò a sinistra mentre Marco s'infilava nella fessura della rete e si metteva a correre velocissimo verso il piccolo aeroplano. Nel momento in cui il portello di destra si apriva, si udì il rumore secco di un terzo colpo di pistola; Marco balzò sul predellino e si appiattì contro lo schienale del sedile. Renzo diede manetta fino a fondo corsa, tirò la cloche e si staccò da terra.

«Cos'è stato? Louis l'hai trovato?» domandò.

«Non l'ho visto e non sapevo cosa fare. A quel punto ho cercato di avere notizie dal comandante e la conseguenza l'hai vista tu stesso. A momenti mi ammazzano. Quindi ha ragione monsignor Solari.»

Guardò in basso e vide le luci del *Reine du fleuve*. Sembrava una piccola costellazione che si rifletteva tremolando nelle acque del Congo.

«Io credo che ti abbiano preso per qualcun altro... Forse lo cercano anche loro... forse pensano che sia stato inviato per stabilire un contatto fra Lumumba e il suo braccio destro Gizenga, che con ogni probabilità si trova ancora qui a Stanleyville.»

«Lumumba è a Léopoldville. E anche Louis. Non ha mai messo piede su quella nave, Renzo. È stato visto qui cinque giorni fa; l'unica spiegazione è che abbia viaggiato in aereo. Era venuto fin qua per avvertire il primo ministro che il vertice che gli avevano proposto con Mobutu e Kasavubu era una trappola ma, a quanto pare, è arrivato troppo tardi.»

Renzo si volse verso di lui: le luci di plancia riverberavano sul suo volto un colore verdastro.

«Torniamo a Léopoldville» disse Marco. «Voglio andare fino in fondo a questa faccenda. *Vol de nuit...*» mormorò poi guardando in basso.

«Già. Si vola di notte. Non che mi piaccia gran che.»

«È un libro di Saint-Exupéry.»

«Tu leggi solo libri difficili.»

«Ti regalerò *Pinocchio*. Pensi di farcela?»

«A leggerlo? L'ho già letto.»

«Sto parlando di guidare questo arnese di notte.»

«Sì, penso di sì.»

Il volo proseguì senza inconvenienti fin quasi all'alba, quando Renzo atterrò su una pista in terra battuta e fece rifornimento con le due taniche che aveva riempito prima di partire. Decollò nuovamente e atterrò a Léopoldville in tarda mattinata.

«Tu resta qui con l'aereo. Hai ancora soldi per fare il pieno?» domandò Marco.

«Sì, e me ne avanzano anche» rispose Renzo.

«Allora io vado a piedi verso la nunziatura. Non ti muovere finché non torno.»

Per la strada passavano camionette cariche di soldati dell'Armée Nationale Congolaise.

Marco camminò per quasi mezz'ora lungo il marciapiede a passo svelto, rimuginando sul suo viaggio inutile a Stanleyville e sulla situazione pesante di Lumumba prigioniero, e pensò alle conseguenze enormi che avrebbe avuto la sua quasi certa eliminazione. E ora capiva anche molto bene qual era stato l'intento di Louis, quando una Peugeot 202 color avana gli si accostò con lo sportello aperto. La voce inconfondibile di monsignor Solari echeggiò dall'interno: «Sali, ragazzo, parleremo in macchina».

13

Appena Marco si fu accomodato sul sedile posteriore destro, sua eccellenza Solari cominciò a tempestarlo di domande: «Ma che diavolo avete combinato, tu e il tuo pilota? Denis ha rischiato la pelle e, a quanto pare, anche tu. Sparatoria all'aeroporto di Stanleyville, mica bruscolini, e temo che qualcuno ti abbia riconosciuto, dal momento che ti eri vestito da prete...».

«Dal momento che sono un prete, mi è parso giusto...»

«Ma un po' di prudenza, dico io, mai eh? E se eri un galeotto ti mettevi il completo a strisce?»

«Eccellenza, io...»

«E farsi vivo nemmeno, eh? Sono stato su tutta la notte per beccare quel canchero di radio che hanno i padri Bianchi!»

«Eccellenza, se continua a farmi domande e non ascolta mai le mie risposte non andiamo da nessuna parte...»

«E adesso chi lo sente il prefetto di Propaganda Fide, che già di suo è un rompiscatole che la metà basta e avanza.»

«Posso parlare?» insistette Marco.

«Sentiamo, sentiamo che hai da dire, demonio ladro!»

«Eccellenza!»

Solari sembrò calmarsi. Nel frattempo la Peugeot 202 aveva parcheggiato nel cortile della nunziatura.

Sua eccellenza schizzò fuori dall'auto e s'infilò nella tromba delle scale per salire al primo piano facendo cenno intanto a Marco di affrettarsi a salire con lui.

Il cameriere del nunzio li fece accomodare nel salottino di ricevimento e servì loro una tazza di caffelatte e dei biscotti per una frugale colazione.

Marco gli raccontò per filo e per segno come erano andate le cose. Quanto a Louis, Denis gli aveva detto che era passato di lì cinque giorni prima ed era ripartito senza lasciare traccia.

«Adesso ce l'ho la traccia. Sicura» replicò il nunzio. Marco ammutolì.

«Non devi sorprenderti» continuò Solari. Tutti qui hanno i loro servizi di informazione: russi, americani, belgi, francesi... Ti pare che non ce li ha la Santa Sede?»

Marco annuì.

«Noi non siamo interessati ad appoggiare Lumumba perché, nonostante le aperture del papa, è sempre un comunista che si è messo con i sovietici, ma le cose cambiano quando parliamo del Congo, per il semplice motivo che noi siamo qui in prima linea e, se è vero che devo rispondere direttamente al papa, è altrettanto vero che devo rispondere delle vite dei miei uomini e delle nostre comunità. Giusto?»

«Sono al cento per cento d'accordo, eccellenza.»

«Bene. Allora a noi per ora interessa che Lumumba non venga trucidato perché un simile evento provocherebbe un bagno di sangue, si scatenerebbe una serie di reazioni incontrollabili: sarebbe un tutti contro tutti. Se invece Lumumba sopravvive, l'ONU potrebbe giocarsi le proprie carte, che a rigore dovrebbero essere di pace. In questa situazione anche Louis ci fa gioco, ecco perché vi ho dato l'aereo e i soldi: mi sono spiegato?»

«Perfettamente, eccellenza.»

«Louis aspetta qualcuno al bar dell'Hotel Le Régina alle undici precise.»

«Lei?»

«Esattamente, ma io non mi posso compromettere: andrai tu.»

Marco assentì.

«Gli dirai che il comandante ONU che sorveglia la casa di

Lumumba attende solo il consenso di chi sa lui. Se ti chiede una parola d'ordine, ma solo se te la chiede, risponderai "I re fra di loro s'intendono". Hai capito bene?»

«Benissimo.» Marco pensò di aver capito anche il significato della parola d'ordine.

«Il mio cameriere ti mostrerà il guardaroba: vedi se trovi qualcosa di chiaro che ti va bene.»

Quando ebbero finito di parlare Marco aveva intuito anche altre cose, ma non volle dare a vedere che capiva troppo. Si fidava del nunzio ma aveva anche le sue idee, a cui teneva non poco. Ora che aveva visitato il guardaroba, provato un paio di abiti e indossato quello che gli andava meglio – un completo di cotone e lino bianco –, era venuto il tempo di muoversi.

Sua eccellenza Solari gli fece le ultime raccomandazioni: «Finito il colloquio, torna qui con l'autista a riferire, a cambiarti, poi ti farò condurre all'aeroporto. Renzo ti riporterà a Uvira».

«Senz'altro, eccellenza.»

Le Régina era un bell'albergo su due piani, di architettura funzionalista, affacciato sul fiume Congo, che aveva davanti una spianata con tavolini e ombrelloni da spiaggia per creare un'atmosfera balneare. Gli avventori seduti ai tavoli ordinavano bibite e spremute di frutta, ma qualcuno anche dei cocktail alcolici. Questi avevano l'aspetto inconfondibile di visitatori stranieri con incarichi speciali.

Agenti, pensò Marco, di vari paesi che in quel tipo di alberghi venivano a trovarsi in una sorta di promiscuità forzata e antipatica, riconoscendosi da un lato come colleghi militanti in campi avversi, dall'altro come inviati che non avevano chiesto né desiderato di trovarsi in un Paese così instabile e pericoloso, pur consci di avere alle spalle grandi potenze politiche, economiche e militari.

Marco scese dall'auto della nunziatura due o trecento metri prima della meta per non fare riconoscere le sia pur piccole insegne vaticane sul veicolo e giungere a piedi nascondendo lo sguardo e l'espressione dietro un paio di occhiali da sole montati in bachelite e appartenuti chissà a chi, vagamente imbarazzanti.

Cercò di tenersi al riparo di alcuni ciuffi di palme per vedere senza essere visto: dov'era Louis? Si guardò attorno cercandolo: mancavano sei minuti alle undici. Conveniva tardare finché non arrivasse.

Attese ancora un poco e, alle undici e due minuti, vide una Buick in servizio taxi che si fermò davanti alla *terrasse* del Régina.

Era lui. Abbigliamento sportivo, quello che portava di solito: pantaloni kaki ben stirati, camicia azzurro chiaro, giacca di cotone con le spalline, Clarks ai piedi. Tutti capi che un missionario non poteva permettersi.

Lasciò che si sedesse e poi gli si avvicinò da dietro: «Buon giorno, Louis».

«Sei tu, Marco? Aspettavo qualcun altro.»

Marco si sedette di fronte a lui: «La persona che aspettavi non può esporsi, ma ho il suo mandato di agire e decidere con te secondo i suoi desideri».

«Fai ridere senza barba e con quegli occhiali. L'abito invece ti sta bene.»

«Faccio quello che posso. Sono portatore di un messaggio, questo: "Il comandante ONU della sorveglianza attende solo il consenso di chi sai tu".»

Louis si rabbuiò mentre il cameriere accorreva prontamente a raccogliere le ordinazioni: «*Messieurs?*».

Louis ordinò un frullato di papaya con ghiaccio, Marco un caffè.

«A questo punto sono obbligato a chiederti la parola d'ordine» disse Louis.

«Me l'aspettavo. E comunque eccola: "I re fra di loro si intendono".»

«È giusta» rispose Louis. «D'altra parte, nemmeno io posso rischiare.»

«Figurati.»

«La mia risposta è che purtroppo, per ora, non ho alcun consenso dalla persona cui allude il messaggio che mi hai trasmesso.»

«Riferirò parola per parola fra poco, se vuoi, oppure posso aspettare nel caso tu pensi che il consenso possa essere in arrivo. Se resto ti dirò anche che ho azzeccato l'indovinello.»

«Quale indovinello?»

«Solo se resto.»

«Puoi restare. Dieci minuti.»

«Affare fatto. L'indovinello è la parola d'ordine.»

Louis lo guardò in tralice.

«Ma sì, l'unico modo di liberare il nostro uomo ed evitare un bagno di sangue è l'ONU.»

Louis annuì. «Continua...»

«Per la maggior parte, i soldati dell'ONU sono scandinavi e anche il segretario generale lo è. La Svezia è una monarchia come il Belgio. Tramite la tua famiglia puoi arrivare a Baldovino; sua Maestà può chiamare il re di Svezia quando vuole. Mi sono spiegato?»

«Brillante» rispose Louis.

14

Marco era contento che Louis gli parlasse e che il suo suggerimento fosse andato a segno, ma gli fu evidente che il suo amico voleva lavorare da solo. Marco non si spinse a chiedergli notizie della famiglia. Già ne aveva avute tramite i Werpen e non voleva forzare i tempi del loro riavvicinamento.

«Hai idea del perché il nunzio apostolico ha mandato te anziché venire personalmente?» domandò Louis.

«Renzo e io ti abbiamo cercato a Stanleyville senza alcun risultato e sono successi degli inconvenienti. Una piccola sparatoria. Lui sa di te molte cose, e non soltanto di te. Penso che per mio tramite volesse saperne di più. Se non sbaglio era convinto che tu volessi aiutare Lumumba.»

Louis storse la bocca: «E come ne sarebbe venuto al corrente? Io non ho mai rivolto la parola a quel vecchio intrigante».

«È meglio di quanto tu non creda» disse Marco. «È sincero, per esempio, e direi anche onesto. E non c'entra con la tua espulsione dall'ordine. E se anche fosse, non potresti certo lamentarti, anzi, dovresti ringraziarlo. La tua vita ora ti soddisfa molto di più. Non sei mai stato fatto per diventare un prete nemmeno prima di Bashira.» Con quelle parole Marco riuscì a strappare a Louis un mezzo sorriso.

Si lasciarono con una stretta di mano. In altri tempi sarebbe stato un forte abbraccio, in quella situazione una stretta di mano era già molto.

«Louis...»

«Sì.»

«Fai attenzione, mi raccomando... Sai, in questi momenti sono contento di non essere sposato e di non aver figli. Sarei molto preoccupato e non riuscirei a concentrarmi.»

Louis lo fissò con i suoi occhi verde-azzurro. «Aver famiglia significa anche aver coraggio» rispose.

«Hai ragione» ammise Marco, «un tipo di coraggio che io non ho.»

«E comunque in questo periodo non ho alcuna voglia di morire.»

«Buona fortuna, allora» disse Marco.

In quel momento un taxi si fermò davanti all'albergo e fece scendere una coppia di passeggeri. Louis lo prese al volo e si rimise in viaggio.

A quel punto Marco non poté fare altro, anche se avrebbe voluto essere al fianco di Louis nella sua impresa. Partì con Renzo e in tre giorni, facendo scalo a Ilebo e a Kindu, atterrò a Bukavu rientrando alla fine a Uvira, dove si presentò al superiore Vezzali per rendere conto della sua lunga assenza. La lettera del nunzio apostolico gli fu di grande e decisivo aiuto.

Al riprendere la sua solita attività missionaria temette che in un primo momento si sarebbe annoiato dopo la sua incursione nel mondo dei servizi segreti. La situazione invece era tutt'altro che tranquilla ed erano accadute parecchie cose: prima i soldati regolari dell'Armée Congolaise avevano cercato di arruolare tutti i giovani che potevano ma avevano incontrato forti resistenze nei villaggi e in particolare fra i Bashi.

In seguito erano arrivati i lumumbisti, molto più determinati e aggressivi. Erano per lo più ragazzi molto giovani, eccitati spesso dall'alcol e da droghe, che si chiamavano Simba, leoni. Da un certo punto di vista la loro strategia era di saldare il territorio del Kivu con quello di Stanleyville, dove ormai i russi erano di casa e dove forse avrebbe voluto arrivare lo stesso Lumumba.

Marco cercò di avere notizie di Louis quando passava

dai signori Werpen e dalla loro figlia Bashira, ma nemmeno loro sembravano sapere gran che. L'unica notizia positiva che riuscì a carpire fu che Louis era vivo e che stava bene.

Più esauriente fu la telefonata che scambiò con la nunziatura, quando, qualche giorno dopo, chiamò dal collegio dei gesuiti di Bukavu.

«Buona sera, Marco» rispose il nunzio riconoscendo la sua voce. «Come vanno le cose da quelle parti?»

«Stavo appunto per dirle che ci sono stati episodi di violenza e che la situazione è piuttosto tesa.»

Il nunzio abbassò la voce: «Il tuo amico ce l'ha fatta: i caschi blu hanno scortato Lumumba fuori dalla sua residenza assieme ai suoi fedelissimi Joseph Okito e Maurice Mpolo, attraversando la linea dei soldati di Mobutu. Grazie a Dio non è successo nulla».

«E sa dove sono adesso?»

«No. Ma credo che siano diretti a Buende.»

«Non la conosco, ma so dov'è. Di là potrebbe raggiungere facilmente Stanleyville e saremmo da capo. Potrebbe scoppiare una guerra civile. I russi stanno portando armi a tutto spiano.»

«A questo punto non possiamo farci niente. Io spero solo che le forze ONU mantengano il controllo su Lumumba e i suoi amici e con il controllo anche la difesa. Louis può giocare ancora un ruolo importante. È un ragazzo intelligente.»

«Già» rispose Marco.

Ci fu un silenzio fra i due mentre calava la notte e improvvisamente si sentirono secchi colpi di arma da fuoco.

«Che cos'è?» domandò allarmato il nunzio.

«Devo andare» rispose Marco, «le farò sapere.»

Uscì nel cortile, mise in moto la jeep e partì veloce in direzione degli spari. A mano a mano che si avvicinava udiva grida di dolore e di delirio. Ben presto capì che provenivano dalla sede del seminario maggiore, dove si trovavano riuniti i responsabili delle missioni del Kivu, membri di varie congregazioni, ed erano fra quelli che si erano rifiutati di partire con gli aerei assieme ai paracadutisti dei corpi speciali.

Marco spense i fari della jeep e avanzò nel buio verso il luogo da dove provenivano le grida e i gemiti d'agonia. Si fermò dietro la siepe di un orto e istintivamente la sua mano frugò nel cassone posteriore in cerca del fucile da caccia. Non lo trovò e ringraziò Dio per averglielo nascosto. Ma quello che vide gli fece desiderare di poter imbracciare un'arma da fuoco e porre fine a quelle torture atroci.

I lumumbisti infierivano con coltelli arroventati, scavavano le carni fino all'osso, cavavano gli occhi dalle orbite, mozzavano nasi e orecchie. Marco si coprì il volto con le mani per non alimentare un odio altrettanto feroce, inestinguibile.

Non c'era che una spiegazione a quegli orrori: doveva essere accaduto qualcosa a Patrice Lumumba, primo ministro ufficialmente in carica. Marco restò comunque al suo posto, finché il comandante di quei macellai non fu stanco o annoiato di sangue e di membra squarciate e diede ordine di sparare. Partirono raffiche da Kalashnikov nuovi di zecca che falciarono uno dopo l'altro i padri, inzuppando dell'ultimo sangue le loro vesti bianche.

A quel punto Marco arretrò e tornò sulla jeep percorrendo in retromarcia circa trecento metri, poi girò a destra e si diresse a tutta velocità verso la casa dei Werpen a Ndolera.

Vide che, nonostante l'ora tarda, c'erano ancora le luci accese e uomini di guardia – dei volontari – che lo riconobbero: «Buona sera, padre».

Il signor Werpen venne ad aprirgli, la signora mise sul fuoco un caffè. Ambedue erano visibilmente scossi e probabilmente erano al corrente di qualcosa che lui ancora non sapeva. «I lumumbisti hanno torturato e massacrato i vostri padri a Bukavu» disse Werpen.

«Ho visto tutto» rispose Marco, «ma non ho potuto fare nulla, e non so per quanti anni quelle scene saranno gli incubi di tutte le mie notti. Penso che sia successo qualcosa al primo ministro.»

«Purtroppo è così» confermò il signor Werpen. «Abbiamo avuto poco fa una chiamata da Louis. Non abbiamo detto niente a Bashira perché Louis ha commesso un'azione folle.»

«Me lo sono immaginato» disse Marco, «l'avevo incontrato a Léopoldville e mi ero raccomandato, ma era chiaro che non mi avrebbe ascoltato. Che cosa è successo?»

Il signor Werpen sospirò e la signora si asciugò gli occhi di nascosto: «Louis è arrivato a Buende con un gruppo di caschi blu e con tanto di uniforme», Marco scosse il capo incredulo, «ma poi il volo è proseguito verso Elisabethville, nel Katanga. Siccome l'aereo volava con i colori dell'ONU, Louis, se ho capito bene, è riuscito a ottenere dal comandante, probabilmente un contractor, di essere ammesso nel cockpit di pilotaggio. Da lì si è reso conto di quanto stava accadendo in cabina. Alla presenza di ufficiali belgi e quasi certamente di agenti della CIA in borghese, gli uomini di Tshombe, presidente fantoccio del Katanga, hanno massacrato di pugni e calci Patrice Lumumba, finché non sono atterrati. Sulla pista hanno continuato a infierire su di lui fino a ridurlo a una poltiglia sanguinolenta, al punto che un ufficiale belga gli avrebbe sparato per porre fine alle sue sofferenze.

Qui termina il racconto di Louis perché la comunicazione si è interrotta. Siamo in angosciosa attesa che si rifaccia vivo. Se queste notizie sono state diffuse in qualche modo o sono trapelate per vie traverse, si può capire quello che è successo a Bukavu. È scoppiato il furore. Le modalità del massacro – pestaggio feroce e poi esecuzione sommaria dei prigionieri – richiamano direttamente quello di Lumumba. È un messaggio preciso: vendetta, nessuna pietà».

Marco, sconvolto da quanto gli stava dicendo il signor Werpen, si sentì sommerso da un'ondata di timor panico, il cuore in gola, il sangue al cervello. Vedeva come in un'allucinazione una marea cruenta abbattersi sulla terra cui aveva dedicato le sue fatiche, le sue preghiere, i suoi sforzi. In quel momento gli tornava alla mente tutta la letteratura politica e giornalistica sulle colpe del colonialismo e sulle responsabilità della Chiesa cattolica. Ma ricordava anche l'abnegazione dei suoi confratelli che avevano rinunciato a tutto per vivere in povertà, in solitudine e in dedizione totale all'ideale cui si erano votati fino a sacrificare coscientemente la vita anche in modo atroce, a essere trucidati, innocenti, nel modo più orribile.

Pensava anche all'altra Chiesa, quella dei potenti, quella delle teste mitrate che stavano nelle retrovie.

Pregò in cuor suo e a labbra serrate il suo Dio degli eserciti, il suo Dio crocefisso, ma pregò anche i poveri dèi indigeni, gli spiriti della foresta, dei vulcani e dei fiumi, gli dèi che pregavano gli sciamani e a cui ancora sacrificavano vittime umane perché riportassero la pace nel paese martoriato, perché fermassero l'eccidio.

Udì a un certo momento il silenzio. Vide, come per la prima volta, gli sguardi smarriti dei Werpen che avevano imparato ad amare il suo amico come un altro figlio e tremavano per lui e per la sua follia temeraria. Forse anche loro pregavano per quel giovane eroe bianco, biondo e belga.

Per giorni e notti Marco non fece che combattere contro i suoi incubi e contro le immagini spaventose della strage dei padri Bianchi a Bukavu. Si erano riuniti per studiare la situazione e risolvere i problemi che si facevano sempre più intricati e invece si erano consegnati inermi nelle mani dei macellai: lo spettacolo più sconvolgente cui mai avesse assistito. Il sentimento di totale impotenza che aveva provato gli suscitava rabbia e sconforto. Pensava che sarebbe stato facile evitarlo se non ci fosse stata quella improvvida riunione. Sapeva bene che né lui, né gli altri padri avrebbero mai potuto contrastare l'enorme potenza dell'odio, ma prevenirla sì. Arrivare prima! Prima che l'orda sanguinaria trovasse le sue vittime. E agire: fulminei, inaspettati e decisi.

Marco si ricordò di aver chiesto alla Mwami Kazi di cercare Louis e della sua promessa che l'avrebbe trovato in un modo o nell'altro. Con il permesso del superiore padre Vezzali, si mise in viaggio di buon'ora con la jeep e raggiunse Burhale verso il tramonto.

La regina dei Bashi lo accolse con l'usuale cordialità e lo fece accomodare nella sua ricca capanna su un sedile di vimini intrecciati su cui erano distese pelli di leopardo.

«Come vanno le cose, mia signora?» le chiese mentre lei gli faceva preparare un tè profumato di gelsomino.

La Mwami sorrise enigmatica: «Abbastanza bene. Posso chiederti, caro padre, qual è lo scopo della tua visita?».

Marco accennò rispettosamente in segno di omaggio: «Potente signora» rispose cerimonioso, «in occasione della mia ultima visita ero alla ricerca del mio amico Louis e tu fosti così amabile da confidarmi il tuo rapporto con lui. Ti chiesi allora di aiutarmi e tu promettesti che lo avresti trovato prima o poi. Per questo, facendo assegnamento ancora una volta sulla tua parola e sulla tua potenza, mi sono presentato alla tua dimora...».

La Mwami sorrise ancora, e gli fece cenno di seguirla nel suo appartamento privato. Marco temette che la sua virtù sarebbe stata in pericolo ma non poté rifiutarsi, e tuttavia accettare un momento di attenzione della regina sarebbe stato ben poca cosa rispetto alla tragedia di cui era stato testimone. Entrò nell'ambiente privato in cui c'era il suo giaciglio e appena ebbe abituato gli occhi alla semi oscurità si rese conto che c'era qualcuno disteso sul letto. Furono dapprima i capelli a rendersi visibili, biondi com'erano.

I capelli di Louis.

La Mwami fece cenno con il dito alle labbra di non fare il minimo rumore, poi uscì nell'area di ricevimento e fece segno a Marco di sedersi.

«È arrivato ieri sera e dorme da allora, forse anche per la pozione che gli ho dato. Dormirà ancora a lungo. Lo hanno trovato i miei uomini in un villaggio a quindici miglia da qui verso sud. Ma prima di addormentarsi mi ha raccontato cose che penso ti possano interessare.»

Marco scosse il capo quasi non credendo a quello che aveva visto: «Ti ascolto, grande signora».

«Louis mi ha detto che Patrice Lumumba e i suoi due amici sono stati pestati a morte...»

«Ho molto sperato che Louis potesse scongiurare una simile evenienza. E invece è successo quello che lui avrebbe voluto evitare perché non ci fossero vendette e rappresaglie.»

«C'è dell'altro: alcuni degli uomini che lo hanno ucciso, mercenari di Tshombe sotto il controllo di due ufficiali belgi, li hanno fatti a pezzi, poi tutta quella carne macellata è stata portata molto lontano dall'aeroporto con un camion. I pezzi sono stati messi in un liquido che li dissolve...»

«Acido solforico» concluse Marco. «E ti ha detto tutto Louis?»

«Sì. Non chiedermi come lo ha saputo. Ma se era così stanco deve aver viaggiato giorni e notti e chissà come. Non gli ho chiesto altro. Credo che si rimetterà in viaggio per raggiungere la sua famiglia appena sveglio, ma è meglio che tu non ci sia più. Gli ho giurato sullo spirito dei miei antenati che non avrei detto nulla a nessuno.»

«Hai ragione» rispose Marco. «Almeno sono tranquillo e so che sta bene. Ti ringrazio infinitamente.»

«C'è dell'altro» disse ancora la Mwami.

«Me lo sono immaginato» replicò Marco. «Quando ti ho chiesto come andavano le cose mi hai risposto "abbastanza bene".»

«Una settimana fa» cominciò la signora dei Bashi «un gruppo di Simba lumumbisti armati fino ai denti è arrivato qui nel mio villaggio con l'intenzione di arruolare i miei guerrieri nelle sue file. Erano parecchi e armati di armi micidiali, erano drogati, affamati e molto violenti. Non volevo rischiare le vite della mia gente, mandare i miei magnifici guerrieri armati di lance contro i fucili mitragliatori e quindi li ho invitati nella capanna principale, dove teniamo le nostre assemblee, fingendo di voler accettare un patto di alleanza. Per festeggiare l'accordo ho fatto servire cibo in abbondanza e soprattutto birra di banane, a fiumi. A un certo punto erano tutti ubriachi e si erano addormentati. Avevo fatto acquistare della benzina dai miei uomini: l'ho fatta spargere attorno alla capanna e vi ho appiccato il fuoco. Non si è salvato nessuno. Tutti carbonizzati.»

Marco tacque allibito. Non poteva credere che quella donna tranquilla ed equilibrata avesse fatto bruciare vivi decine di giovani senza il minimo dubbio né problema. In realtà il suo modo di ragionare era elementare: i Bashi non avevano fatto nulla di male, non avevano chiesto niente a nessuno, volevano solo vivere in pace. Quei ragazzi erano violenti e pericolosi, dunque meglio sterminarli come quando le capanne sono infestate di scarafaggi: si usa il fuoco.

Marco non seppe che dire e in ogni caso quel che era fatto era fatto. Sapeva però che non lontano c'era un convento di suore e voleva assicurarsi che stessero bene e che tutto fosse tranquillo. Anche per quello era venuto. Ma la Mwami Kazi non aveva finito il suo racconto:

«Quando le vostre suore mi chiesero il permesso di costruire il loro convento nel nostro territorio accettai: mi piaceva molto che quelle buone donne istruissero i nostri bambini, insegnassero loro a leggere e scrivere e a fare di conto. Una addirittura era una levatrice e avrebbe aiutato le nostre donne a partorire. Diedi loro un terreno un po' distante dal nostro villaggio principale, ma quando vidi il convento costruito mi fu evidente quanto era isolato. Come sai, regalai loro una campana con la promessa che, se avessero avuto dei problemi, l'avrebbero suonata e io avrei mandato i guerrieri ad aiutarle.

Quando bruciai i Simba nella capanna dell'assemblea, un secondo gruppo di quei giovani turbolenti e aggressivi, saputo cos'era successo ai compagni, deviò dal villaggio. Io non ne sapevo nulla» proseguì la regina dei Bashi, «ma quando sentii suonare la campana, mandai subito duecento dei miei migliori guerrieri perché andassero a vedere che cosa stava succedendo e, se caso, porvi rimedio.

I guerrieri arrivarono giusto in tempo perché alcuni dei giovani Simba stavano già mettendo le mani addosso alle vostre suore. Erano in tutto una ventina; i miei accerchiarono il convento e uno di loro andò a parlamentare: "Avete commesso un'azione indegna su donne che fanno solo del bene e che sono protette dalla nostra Mwami Kazi" disse, "sarete quindi puniti. Potete opporre resistenza, ma voi siete una ventina, noi siamo dieci volte tanti. Diciamo che potreste uccidere o ferire venti o trenta di noi ma poi dovreste soccombere, perché non siete abbastanza per ucciderci tutti. A quel punto però la vostra punizione sarebbe atroce. Sarete torturati per giorni e notti intere, vi toglieremo la pelle di dosso, vi caveremo gli occhi... le vostre gambe e le vostre braccia saranno disossate. Se invece vi arrendete avrete la giusta punizione e niente di più".

I Simba capirono subito che non avevano scampo e che nessuno di loro voleva affrontare torture così spaventose. Avevano sentito dire di che cosa erano capaci i Bashi.»

«E quindi?» domandò Marco.

«Si arresero. La punizione venne applicata e fu una punizione mite. I miei guerrieri si sono limitati a tagliare loro le orecchie. Ma ora sanno che se ci riproveranno questa volta gli taglieranno quello che hanno fra le gambe» scoprì un candido e inquietante sorriso, «tutto.» Marco sentì un brivido corrergli lungo la schiena fino al punto indicato dalla Mwami Kazi.

«Da allora non si sono più fatti vivi: sanno che non vogliamo entrare in una guerra fra le parti che si scontrano già in questo paese. I Bashi amano vivere in pace e sono molto gelosi della loro tranquillità.»

«Questo mi sembra evidente.»

Marco non aveva finito di parlare che udì da fuori un rumore che conosceva bene: quello della sua jeep che andava in moto e accelerava.

«Louis» disse. E poi, lanciandosi fuori: «Louiiiiis!».

La Mwami Kazi uscì sulla soglia della capanna e fece in tempo a vedere la jeep di Marco che si allontanava veloce nella notte.

«Ma avevi lasciato la chiave sulla macchina?» gli domandò.

«No» rispose Marco mostrandole il portachiavi. «Ma per lui non è un problema. E adesso come faccio?»

«Abbiamo un piccolo furgone al villaggio. Ci serve nel periodo del raccolto e quando portiamo i nostri prodotti al mercato. Questa notte puoi dormire qui e domani uno dei miei uomini ti riporterà a Bukavu.» Gli sorrise con un'aria furbesca che lasciava intendere che quella avrebbe potuto essere una notte turbolenta.

«Pensavo di dormire dalle suore» replicò Marco. «Si sentiranno più tranquille sapendo che c'è un uomo nel convento.»

La Mwami si rassegnò: «Come preferisci, ma è lontano. Almeno tre chilometri».

«Non è niente per me. Sono abituato. Ti prego di mandarmi il furgone domattina prima dell'alba.»

«Lo farò» rispose la Mwami Kazi. «Ora mangia qualcosa. Poi ti darò due guerrieri perché ti scortino. Può essere pericoloso viaggiare al buio, solo e disarmato.»

Marco accettò perché non si offendesse e cenò con lei mangiando un poco di selvaggina. Poi la salutò e la ringraziò infinitamente e, mentre l'abbracciava, ancora gli sembrò impossibile che quella persona allegra, generosa, sensuale, fosse la stessa che solo pochi giorni prima aveva bruciato vivi almeno trenta giovani poco più che ventenni.

Le suore lo accolsero festanti.

15

Marco rientrò alla base, e cioè alla missione di Uvira, dopo altre visite e permanenze a Mwenga. Era riuscito a strappare alla sovrana la promessa di non arrostire più giovani ribelli sia pure invasivi, drogati e ubriachi ma di limitarsi a metterli in condizioni di non nuocere e trattarne poi con il loro comando la restituzione, in cambio di quanto le avesse fatto comodo. In compenso, era stata ritrovata la jeep di padre Marco in un villaggio non lontano.

In seguito, in una delle sue fermate a Burhale, passaggio obbligato per arrivare a Mwenga, gli capitò di domandare ancora alla Mwami Kazi se avesse notizie di Louis, ma la signora dei Bashi confessò di non saperne nulla, nonostante avesse ancora aperta la sua linea privilegiata di informazioni attraverso molte regioni del paese. E se la Mwami Kazi non ne sapeva nulla era probabilmente impossibile localizzare Louis.

A volte, ripensando allo sterminio dei ribelli nella capanna messo in atto dalla regina dei Bashi, si rendeva conto che il contatto sempre più frequente con la violenza gli stava provocando una specie di assuefazione. Ma la Mwami era perfettamente in pace con la sua coscienza perché il suo comportamento aveva origine nella sua cultura. Marco sapeva bene che il dominio coloniale non si era certo installato con azioni e relazioni pacifiche. Ogni giorno di più si consolidava in lui la convinzione che alla fine di tutto l'ultimo giudice rimaneva la sua coscienza.

La condizione in cui viveva era sempre più aspra e non vedeva altro modo di appoggiarsi a un riferimento sicuro se non quello. E anche il suo confessore approvava quel modo di pensare perché, in fin dei conti, viveva nella stessa realtà, sapeva che le cose sarebbero peggiorate e ascoltava tanti confratelli tormentati dal dubbio, non solo su quello che restava della loro fede ma anche sulle prospettive sempre più violente che avrebbero dovuto affrontare.

Lui stesso, a volte, doveva confessare qualcuno di loro e cercava di infondere in quei ragazzi sgomenti o nei veterani induriti di quelle missioni la certezza che stavano facendo la cosa giusta, che dovevano soltanto consolidare il loro coraggio, la loro forza d'animo e di corpo e confidare nell'Uomo almeno quanto confidavano in Dio.

Avrebbe tanto voluto parlare a lungo con Louis, del presente e del futuro, delle loro vite, perché avevano tanto in comune. Nessuno dei due avrebbe mai ucciso un gorilla o un leone per futili e spregevoli motivi, ma non erano altrettanto convinti che non sarebbe un giorno divenuto inevitabile spianare le armi contro esseri umani, perché il gorilla e il leone, pensava Marco, sono creature innocenti che chiamiamo belve, mentre l'uomo usa le più feroci torture sui suoi simili perfettamente conscio di quello che fa.

Non lo rivide più né seppe che cosa esattamente stesse facendo in quel momento, ma lo ricordava nell'elegante mise estiva e alla moda con cui si era presentato al Régina a Léopoldville senza sapere chi vi avrebbe incontrato.

I coniugi Werpen erano sempre abbottonati quando chiedeva loro notizie del genero e tendevano a cambiare discorso quando faceva loro educatamente delle domande che lo implicavano. Riuscì anche a chiedere a monsignor Solari di informarsi con il suo collega a Bruxelles sul conto dell'ex padre Louis, ma ebbe notizie scarne e vaghe, come dire niente. D'altra parte nell'ambiente ecclesiastico Louis era ormai conosciuto come quel padre Bianco che aveva fornicato con una femmina barega ingravidandola di un bastardo. Lui di certo se ne rendeva conto, dovunque fosse.

Nel frattempo continuava, sotto la guida di Mobutu, la

guerra per la riannessione del Katanga alla Repubblica del Congo, e si accendevano sempre di più le contese e gli scontri a fuoco per le enormi ricchezze che conteneva quella regione: oro, diamanti, uranio. Si diceva che l'uranio utilizzato dagli americani per le bombe nucleari che avevano annientato Hiroshima e Nagasaki provenisse dal Katanga.

La barbara uccisione di Lumumba, come aveva di fatto previsto Louis, aveva scatenato una guerra civile che nessuno poteva immaginare quanto a lungo si sarebbe protratta.

Due mesi dopo l'eccidio dei padri Bianchi a Bukavu, Marco fu convocato dal superiore padre Vezzali che gli riferì una richiesta di padre Van Groove. Si trattava di mandare il Piper con lui e Renzo a Kasongo a evacuare uno dei suoi, padre Thiago, spagnolo, che era rimasto da solo nella missione e temeva per la propria vita.

La città si trovava sulla direttrice che seguivano le truppe di Gizenga, ex braccio destro di Lumumba, da Stanleyville verso il Katanga. Erano uomini indisciplinati, spesso ubriachi e drogati, sempre pericolosi.

«Te la senti di andare tu da solo con la jeep?» gli chiese Vezzali. «Abbiamo cercato Renzo via radio, ma non siamo riusciti a stabilire il contatto.»

«È in una zona impervia dove le comunicazioni sono difficili» osservò Marco. «Io comunque sono pronto a partire anche adesso.»

«Benissimo» rispose Vezzali. «Passa da Van Groove per gli ultimi accordi e poi, se te la senti, vai. Meglio non porre tempo in mezzo.»

Marco lo salutò, montò sulla jeep e si mise in viaggio verso Bukavu.

Van Groove lo accolse con grande gioia e gli fece capire il motivo per cui gli chiedeva di percorrere tutta quella strada: «Parti per una missione difficile e piena di incognite, per una destinazione pericolosa dove non c'è ordine pubblico né contrasto a qualunque forma di violenza. È un caos totale. Il tuo mezzo può far gola a tutti e tu stesso puoi rappresentare una fonte di guadagno se vieni preso come ostaggio. E tutto questo per riportarmi uno dei miei uomini che potrebbe essere ucciso – o peggio, molto peggio – da un momento all'altro.

Ti darò un paio di indirizzi su una mappa della città dove potresti trovare gente che ti aiuta in caso di bisogno. Inoltre ti darò quello che ti serve per il viaggio di andata e di ritorno. È il minimo che posso fare, né potrei accettare che fosse la vostra missione a sobbarcarsi i costi di questa impresa: con i tempi che corrono tutto è necessario, anzi indispensabile».

Marco non rispose perché era evidente che i suoi superiori dovevano ben avere le loro buone ragioni. Era chiaro che non sarebbe tornato a Uvira ma si sarebbe inoltrato verso sudovest, attraversando indisturbato il territorio amico dei Bashi e della loro regina. Rifiutò l'ospitalità di padre Van Groove, a parte una cena frugale e frettolosa, e, benché fosse ormai scuro, preferì partire immediatamente. Conosceva molto bene la strada che intendeva percorrere, c'era la luna piena e aveva a bordo tutto quello di cui aveva bisogno per il lungo viaggio.

Padre Van Groove lo accompagnò pensoso alla jeep e non era difficile per Marco immaginare cosa rimuginasse: probabilmente sentiva la responsabilità di mettere a rischio la vita di due persone anziché di salvarne almeno una.

«Allora io vado» disse Marco. «Ho tutto quello che mi serve, a parte una benedizione.»

Van Groove tracciò un rapido e approssimativo segno di croce con la mano ossuta mormorando in latino: «*Iter para tutum*». Poi sospirò: «Thiago è un bravo ragazzo, coraggioso, altruista e intelligente, e mi serve vivo. Portamelo sano se riesci. Te ne sarò grato».

Marco abbozzò un mezzo sorriso: «Vedrà che ce la caviamo con l'aiuto di Dio e della nostra esperienza. Lei intanto tenga gli occhi aperti e non prenda rischi di nessun genere, torneremo prima che lei si aspetti».

Van Groove parlò un momento con un fratello magazziniere e gli chiese se avessero un materassino o due di spugna per Marco, da stendere per la notte in caso di bisogno. Marco ringraziò.

«Vorrai scherzare» rispose Van Groove e aggiunse: «Fai attenzione. Di uomini come te ne abbiamo assai pochi, per non dire nessuno». Gli batté una mano sulla schiena; Marco mise in moto e partì.

Quella era la sua prima grande prova. Ma prova di che? Di coraggio? Di sangue freddo? Di essere protagonista assoluto dell'impresa? Nessuno dei tre? Percorse una trentina di chilometri e prese la prima strada sterrata verso destra entrando nel territorio dei Bashi in direzione di Burhale, la residenza della Mwami Kazi. Scendeva la notte e mentre avanzava lungo la via deserta molti pensieri gli venivano in mente, uno prima di tutti: era quello il motivo per cui aveva alzato la mano quel giorno nell'aula delle elementari quando il missionario, dopo i suoi racconti avventurosi, aveva chiesto chi volesse venire con lui? Lo sentiva per la prima volta con certezza: era il guidare una jeep in mezzo a una piana costellata di acacie scheletrite e scorticate sotto un cielo con milioni di stelle in attesa che sorgesse la luna piena, enorme disco d'argento; udire il leone far tremare la terra con il suo ruggito sincopato, sentire che il rumore del motore veniva ingoiato dal silenzio, trasformato in un ronzio appena percettibile. Era l'avventura solitaria, il rischio che gli soffiava sul volto brividi di emozioni sconosciute fino a quel momento, risuonare di voci lontane e sommesse a volte in un coro difforme, a volte nell'armonia dell'immensità notturna.

E frasi incoerenti:

«E perché vuoi andare in missione?»

«Per convertire il più indigeni possibile e andare alla fine tutti quanti insieme in paradiso.»

«Vedi di non fare troppi disastri.»

«Buona fortuna, ragazzi, che Dio ve la mandi buona.»

«Dio?... Se lo vedi salutamelo.»

«Non usare mai un'arma da fuoco.»

«Non sarà necessario.»

«E se lo fosse?»

«Mi intorbida il sangue, cosa posso fare?»

«Hai provato a pregare?»

«Come ti chiami?»
«Piero.»
«Piero e poi?»
«Piero e poi niente.»

Non calcolava più la velocità né la distanza. La luna era un faro al centro del cielo e sul disco passava uno stormo di gru che migravano come lui di notte... dove? E dopo, per parecchio tempo nulla. Thiago, qualche volta. Forse era per tutto questo che non ricordava la scena della sua ordinazione sacerdotale. Nemmeno una fuggevole immagine, un solo, misero fotogramma. Si accorse che era arrivato e guardò l'orologio. Erano le undici e la Mwami Kazi lo aspettava sulla soglia della sua residenza. Stupenda. Come mai era bella e statuaria quando le altre regine nere che aveva visto in fotografia erano tutt'altra cosa?

«Come va, padre?» lo salutò.

«Bene, sono in missione. Pensavo di chiederti ospitalità per dormire qualche ora e poi ripartire.»

«Sei sempre il benvenuto. Purtroppo ho brutte notizie per te.»

«Quali?» tremò.

«Non hai ascoltato la radio?»

«No, non prendeva. Nemmeno quella di Renzo, il nostro pilota del Piper. Chissà dove si è cacciato.»

«Tredici piloti italiani. Sono stati massacrati tre giorni fa, a Kindu, dai regolari.»

Marco ammutolì. La Mwami Kazi capì che era rimasto profondamente colpito.

Li ricordava tutti, quei ragazzi, che brontolavano per l'ultima volta e pensavano all'Italia.

Fra poco l'Italia.

E invece li avevano uccisi tutti prima che volgessero la prua a settentrione.

Ricordava De Luca, giovane, elegante ufficiale: "Siamo solo dei camionisti con le ali" aveva detto amaro.

«Portavano medicinali, cibo, vestiti» disse la Mwami Kazi. «Poveri ragazzi. Lo sai, io voglio bene alle persone che fanno del bene, per gli altri, non per sé.»

«Lo so, grande regina.»

«E punisco i cattivi, con cattiveria più grande della loro, così non ci riprovano.»

«Questo è poco ma sicuro.»

«Se avessi potuto avrei mandato cinquecento guerrieri, i migliori, a strappare quei ragazzi alla morte e al ludibrio.»

«Lo so, Mwami Kazi.»

«Ma perché non hanno combattuto? Perché si sono lasciati uccidere?»

«Perché chi fa del bene e allevia sofferenze non può credere di meritare dolore e morte. Non avevano armi, erano qui per aiutare la pace.»

«Ma se avessero avuto le armi avrebbero combattuto?»

«Certamente: quasi tutti hanno famiglia e si sarebbero battuti da leoni per tornare dai loro figli e dalle loro spose. I politici che li hanno mandati inermi in questo inferno hanno fatto la bella figura di agire per riportare la pace, ma non hanno mosso un dito perché questo accadesse. Quei ragazzi hanno dato tutto, ma nessuno ha mai chiesto loro se erano d'accordo.»

«Capisco la tua amarezza, e per giunta, a quanto sembra, si è trattato di un errore terribile...»

Marco sentiva i brividi lungo la schiena.

La Mwami Kazi proseguì nel suo racconto: «Terminato di scaricare i pacchi dall'aereo, i tuoi amici italiani sono andati in città per mangiare qualcosa alla mensa ufficiali delle Nazioni Unite e poi ripartire. Ed è stata un'imprudenza. Avevano l'ordine di non uscire mai dall'aeroporto. Nel frattempo si era sparsa la voce che erano atterrati dei paracadutisti belgi e i militari dell'Armée Congolaise hanno accerchiato la palazzina dell'ONU chiedendo ai malesi che la presidiavano di consegnare i *paracommandos*. Il comandante malese ha spiegato loro che erano italiani come te e che erano disarmati.

È stato tutto inutile: i militari dell'Armée si sono avvicinati alle finestre che davano luce al piano interrato dove c'era il circolo ufficiali e hanno sparato senza nemmeno vedere dove. Sono morti tutti. Uno di loro, un dottore, si trovava al piano terreno dietro la palazzina e ha cercato di fuggire. Lo hanno bucato dappertutto come un crivello.

Più tardi i cadaveri sono stati portati via. Per quello che ne so io, sono stati tagliati a pezzi e buttati nel fiume; le mani e le dita vendute al mercato come portafortuna».

«Come lo sai?»

«Me lo ha detto una suora che assieme alle sue consorelle stava nella casetta proprio di fronte alla palazzina dell'ONU e ha visto tutto. Una di loro ha fatto anche delle fotografie, ma poi il giorno dopo è passato un ufficiale americano che le ha chiesto il rullino per poter documentare il massacro con le autorità delle Nazioni Unite. Le suore si sono fidate e le fotografie non le hanno viste più. Tu pensi che mentano? E perché dovrebbero?»

«Non penso che le suore mentano» rispose Marco, «ma senza quelle immagini la verità non verrà mai riconosciuta e gli americani non hanno interesse a diffonderla.»

«Mi dispiace, Marco.»

«Dispiace molto anche a me: li ho visti non più tardi di un paio di mesi fa. Se potessi darei loro una degna sepoltura.»

«Se fossi un vero uomo, vendicheresti quelli della tua razza invece che seppellirli. Lascia i morti con i morti e occupati dei vivi.»

«Non posso» ribatté Marco, «non finché indosso questa», e toccò la veste bianca da missionario.

«Che importanza ha?»

«È una promessa che ho fatto al mio Dio. Ma non è detto che un giorno non cambi idea.»

La Mwami fece portare a Marco un piatto di frutta e un bicchiere di latte di capra e gli augurò la buona notte.

«Ti sveglio io domani» gli disse. «Intanto ti faccio mettere delle provviste sulla jeep. Fai attenzione, sono segnalati dei movimenti di truppe come quelle che hanno ucciso i tuoi amici a Kindu: vogliono tentare ancora una volta di riconquistare il Katanga. Si trovano proprio nella zona di Kasongo e possono essere molto pericolosi.»

Marco la ringraziò, mangiò qualcosa e andò a dormire. Le scene atroci che la regina dei Bashi aveva evocato sul massacro degli avieri italiani a Kindu lo tormentavano e non ebbe il coraggio di chiederle se sapeva qualcosa di Louis.

Quando, l'indomani, la Mwami gli appoggiò una mano sulla spalla era già sveglio. Lei lo accompagnò alla jeep, dove i suoi uomini avevano caricato le provviste e si congedò: «Se vedi Louis, salutalo per me».

«Lo farò» rispose Marco, «ma temo che sarà difficile. Sembra scomparso, dileguato. Grazie per la tua ospitalità.» Montò sulla jeep e partì a velocità sostenuta.

Avanzò per molte ore attraverso un altopiano coperto dalla savana e con qualche rado albero ad alto fusto. Forse un giorno branchi di animali selvaggi che ora non c'erano più popolavano quei luoghi, e così pure le piante rade facevano pensare che un tempo vi fosse una foresta, ma anche quella non esisteva più.

Ci vollero ancora due giornate di viaggio per arrivare a Kasongo, trascorse senza troppi problemi, e la sosta intermedia in una missione semi abbandonata dove si erano insediati dei contrabbandieri di diamanti grezzi fu perfino divertente. Gli diedero dei consigli importanti, soprattutto di non farsi vedere con la jeep in giro, non sarebbe durata a lungo. Poteva nasconderla bene da qualche parte fuori città, andare a piedi dove era diretto e poi riprenderla per tornare indietro.

Gli sembrava una prova generale di salvataggio dove le difficoltà erano di media portata e poteva perfino contare su dei delinquenti per condurre a termine la sua missione.

Sapeva dove cercare Thiago e le istruzioni del superiore provinciale Van Groove erano sufficienti per individuare la missione-rifugio di cui era l'unico abitante. A mano a mano che si avvicinava all'obiettivo cercava di chiamare dalla radio a vari intervalli di tempo, ma senza esito, tanto che cominciò a preoccuparsi: Thiago era partito per mettersi in salvo? Era stato ucciso?

Riuscì infine ad agganciarlo: «Thiago, sono Marco Giraldi. Mi manda il tuo superiore Van Groove a portarti via di lì perché può diventare pericoloso».

«*Peligroso? Estoy quasi muerto de miedo!*» rispose Thiago e si mise a ridere in modo strano, il riso tipico di quelli a cui sono saltati i nervi. «Ma non dovevi venire a prendermi con l'avión?»

«Niente avión: Renzo ne aveva bisogno per un'altra impresa e quindi sono venuto con la jeep. Aspetto il buio e arrivo. Fatti trovare fuori con quello che ti serve per il viaggio e con il vestito di ordinanza, così ti vedo nel buio. Salta a bordo e partiamo a manetta.»

«*Muy bien!*» rispose Thiago.

Marco si mise al riparo di una baracca abbandonata e in buona parte demolita, poi prese il machete dal suo bagaglio e si mise a tagliare rami per nascondere meglio che poteva la jeep. Fece uno spuntino con un pezzo di pane di manioca e un po' di formaggio della sua riserva.

Passavano mezzi di ogni genere, ma tutti militari e per la maggior parte dell'Armée Congolaise, che in quel periodo era al comando di Mobutu. Aspettò che il traffico rallentasse fin quasi a sparire e che facesse buio, poi uscì dal suo nascondiglio e a fari spenti si mise in movimento in direzione contraria. Per fortuna il luogo di appuntamento non era nel centro di Kasongo ma in una zona periferica.

Dopo una mezz'ora di viaggio si trovò più o meno alla meta e accese le luci di posizione, che fecero apparire qualcosa di bianco: Thiago, finalmente. Marco lampeggiò una sola volta e accostò. Thiago salì rapido e gettò la sua sacca sul cassoncino.

Marco puntò a sud per aggirare al ritorno una zona ora controllata dall'Armée, e quindi pericolosa, con una lunga deviazione per poi tornare verso nordest in direzione di Nakiliza, Uvira e Bukavu e riprese il viaggio più veloce che poté. Si presentarono.

«Sono Marco, saveriano, e lavoro a Uvira, e tu? Che ci facevi solo in quel posto?»

«Sono rimasto perché sono spagnolo. Quasi tutti i padri Bianchi sono belgi e sono stati evacuati perché di sicuro sarebbero stati massacrati, come è successo a Bukavu per mano dei lumumbisti. Ma ho pensato che se arrivavano quei sanguinari, prima che avessi il tempo di aprire bocca e pronunciare almeno una frase in castigliano, mi avrebbero crivellato di colpi.»

Marco e Thiago non ebbero nemmeno il tempo di concludere la loro conversazione che dietro a una curva si trovarono di fronte un posto di blocco con una camionetta armata di mitragliatrice, due jeep dell'Armée Congolaise e una decina di uomini con il mitra spianato. Li illuminavano i fari delle loro jeep, mancava un'ora all'alba. Li fermarono immediatamente e li scortarono dove c'era il loro comandante, un giovane con i gradi di capitano che probabilmente doveva essere stato poco tempo prima un caporale.

Iniziò subito l'interrogatorio: «Chi siete?».

«Io sono un missionario italiano» rispose Marco.

«Io sono un missionario spagnolo» disse Thiago.

«Voi siete due *paracommandos* ed eravate diretti in Katanga.»

«Cominciamo male» disse Marco sottovoce a Thiago. «Fai parlare me.»

«Valoroso comandante» proseguì Marco, «lascia che ti dica che non andiamo affatto in Katanga. Siamo due missionari diretti a Uvira dal nostro vescovo per aiutarlo in questo periodo così difficile. Padre Thiago è spagnolo, io sono italiano, e dunque come potremmo essere dei soldati belgi?»

Mentre Marco parlava il comandante girava intorno alla jeep osservando accuratamente il mezzo. Puntò il dito sulla plancia: «E quella che cos'è? A me sembra una radio che sicuramente vi serve per informare i katanghesi e i loro amici belgi sui nostri movimenti».

«La radio ci serve per comunicare con la nostra missione, che dista settecento chilometri da qui. Le linee telefoniche sono fuori uso e non c'è altro modo di tenerci in contatto con i nostri confratelli e con i nostri superiori.»

«Questo lo dite voi» replicò l'ufficiale. «Per me siete dei mercenari e andate in Katanga vestiti da missionari.»

Marco cominciò a disperare. «Mostriamogli i passaporti» disse a Thiago. «È l'unica possibilità che ci resta. Dammi il tuo.» Thiago gli allungò il passaporto spagnolo e Marco estrasse il suo. Li consegnò al comandante: «Questi sono i nostri passaporti che dimostrano che quel che ho detto è la verità».

Il comandante li prese e diede loro un'occhiata distratta. «Questi sono facili da falsificare.»

I due amici si guardarono in faccia l'un l'altro.

«È la fine?» domandò Thiago.

«Temo di sì, amigo» rispose Marco. «Hai paura?»

«Tu no?»

«È umano aver paura e per fortuna non ho portato armi altrimenti le avrei usate. La difesa è legittima.»

«Lo credo bene» disse Thiago. «Ho ventotto anni. Mi sembra presto per morire. Se poi la vita eterna non c'è?»

Marco gli fece un sorriso rassicurante.

Il comandante chiamò altri due ufficiali e i tre si sedettero su altrettanti sgabelli davanti a un tavolino di vimini traballante. Somigliavano più o meno a una corte marziale e il comandante pronunciò la sentenza: «Questa corte, dopo aver interrogato gli imputati, li ritiene colpevoli e quindi li condanna a morte».

Thiago e Marco si guardarono sgomenti.

«Confessiamoci. Prima tu confessa me e poi io confesso te.»

«Dobbiamo darci anche la penitenza?» chiese Thiago.

«Non dire fesserie. Perdere la vita mi sembra già una penitenza sufficiente.»

«Se lo dici tu...» concluse Thiago, e cominciò a pronunciare le formule di introduzione alla confessione: «Da quanto tempo non ti confessi?».

Il comandante chiamò con un cenno uno dei suoi uomini e gli ordinò di andare a prendere un fucile mitragliatore in armeria.

Marco e Thiago si scambiarono un altro sguardo più rassegnato. Marco gettò un'occhiata al ragazzo che andava nell'armeria per eseguire l'ordine.

«Che peccati hai da confessare?» domandò ancora Thiago.

«Uno che ho appena commesso. Vedendo quel ragazzo inesperto, ho pensato che non sarebbe difficile gettarglisi addosso quando esce, disarmarlo e far fuori tutta la corte marziale con una sola raffica.»

«L'ho pensato anche io, se è per questo» ammise Thiago. «E dunque *ego te absolvo a peccatis tuis in nomine Patris et Filii et Spiritus Sancti...*»

«Visto che il tuo peccato è uguale al mio» disse Marco, «*ego te absolvo a peccatis tuis, in nomine Patris...*»

Aveva appena tracciato il segno di croce che arrivò il ragazzo. Senza fucile mitragliatore.

«Be'?» domandò il comandante. «Dov'è il fucile?»

«Non l'ho trovato» rispose il ragazzo.

«Non dire sciocchezze. Ce ne sono diversi.»

«Sì, ma sotto chiave. E la chiave ce l'hai tu, comandante.»

L'uomo si frugò nelle tasche senza trovare nulla. «L'ho data a te, imbecille» disse. «Vedi di tirarla fuori... Che cos'hai lì, in quella sporta?»

«Birra» rispose. «Tre bottiglie.»

«Fresca?»

«Sì signore. Era in frigo.»

«Dai qua» ordinò. Il ragazzo gli porse la borsa. Il comandante si alzò in piedi e l'aprì. Tirò fuori le tre bottiglie e ne diede una ciascuno a Thiago e Marco. Poi le stappò tutte e tre e ognuno vuotò la sua.

Marco e Thiago si guardarono sbalorditi. Thiago abbozzò un ghigno che voleva essere interrogativo.

«E ora levatevi dai piedi» disse il comandante. «Ho già perso abbastanza tempo con voi.»

«Ma che diavolo...» attaccò Thiago.

«Sbrighiamoci» disse Marco, «prima che trovino le chiavi e che il comandante cambi idea.»

Balzarono sulla jeep, agitarono la mano per salutare e partirono sgommando.

16

Marco riprese la sua vita che però non era più la stessa senza Louis, il migliore dei suoi amici, come forse non lo era più nemmeno per la Mwami Kazi, che ora non sapeva dove fosse. Ogni tanto incontrava Thiago, che lavorava a stretto contatto con il superiore Van Groove per imparare il mestiere, come si diceva allora. Il suo accento spagnolo gli piaceva: era spavaldo e vitale. Si sentiva che Thiago era fatto per l'avventura, per vivere e morire con forza e con coraggio.

Lo aveva ben visto quando erano stati fermati al posto di blocco e quando si erano confessati l'un l'altro lo stesso peccato *in articulo mortis*. Un peccato di guerrieri che mantenevano nel pericolo di morte la ferma fedeltà alle promesse di sacerdoti ma senza tremare, senza invocare pietà, senza strisciare, senza belare come agnelli sotto il coltello del beccaio. Ambedue avrebbero voluto imbracciare lo strumento che uccide per spegnere le vite dei prevaricatori e dei sanguinari, ma si erano pentiti di averlo pensato e desiderato.

Eppure gli pareva di essere molto fortunato se pensava a come sarebbe stata la sua vita se fosse rimasto nel suo paesello alpestre fra gente che faceva e diceva sempre le stesse cose con l'orizzonte perennemente delimitato dalle stesse montagne. E invece viveva in un mondo continuamente cangiante, con gente che veniva da tanti Paesi diversi: francesi, tedeschi, belgi, olandesi, spagnoli, portoghesi, congolesi, Hutu e Tutsi, sudafricani, Bashi e Barega; e la sua vita era avventura intensa, la sua fede una scommessa con l'impossibile.

Ogni tanto incontrava Renzo che lo metteva a parte dei suoi orizzonti più vasti per via dei continui viaggi con il Piper. Decise di andare con lui quando gli disse che c'erano movimenti in corso nella provincia di Maniema, vicino al confine con il Katanga. Marco la conosceva bene, ma non sapeva che l'Armée Nationale Congolaise stava preparando una offensiva in grande per porre fine alla secessione del Katanga.

«Ma il governo di Tshombe non si farà sorprendere» diceva Renzo, «stanno arruolando mercenari dappertutto: anche in Sudafrica. I sudafricani sono tremendi, non meno feroci che i congolesi dell'Armée. Odiano i neri e godono a infliggere torture ai prigionieri, a violentare in gruppo le donne, a compiere su di loro spaventose atrocità.»

Per giustificare la sua partenza con il padre Vezzali, Marco si inventò una richiesta del superiore Van Groove e l'assenso del nunzio Solari a una missione segretissima. Non gli lasciò il tempo di chiedere come mai lui non ne sapeva niente riferendogli voci secondo cui la sua ordinazione episcopale sarebbe stata imminente. Il superiore Vezzali non proferì verbo.

Decollarono l'ultimo dell'anno dall'aeroporto di Bukavu dove qualcuno aveva messo un paio di addobbi, e si diressero a sud. Tante volte Marco aveva fatto lo stesso percorso assieme a Renzo e ogni volta era stata per lui un'emozione.

«Chi c'è da quelle parti?» domandò Marco.

«Gli spiritani» rispose Renzo, «una ventina se non sbaglio, alla missione di Kongolo. Si trovano proprio sulla direttrice dell'Armée e dell'esercito katanghese. Non capisco perché non siano stati ancora evacuati.»

«Forse perché, essendo francesi, pensano di non essere bersagli.»

«Non sono francesi: sono olandesi e belgi.»

«Un bel guaio. Se penso che un comandante dell'Armée voleva fucilarci tutti e due, me e Thiago, eppure eravamo uno italiano e uno spagnolo, figurarsi se fossimo stati belgi e olandesi. Non ci hanno creduto nemmeno quando abbiamo mostrato i passaporti. È stato un miracolo che alla fine invece che piombo ci hanno servito una birra a testa.»

«Sì, direi che è stato proprio un miracolo.»

«Pensi che possiamo fare qualcosa per quei poveretti?» chiese Marco. «Se nessuno interviene, temo che la loro sorte sia segnata.»

«Io non ho ordini in proposito. E non credo che il nunzio abbia idee precise al riguardo. E tu?»

«Nessuna. A parte il fatto che fra non molto ci sarà uno scontro durissimo fra l'Armée e l'esercito katanghese e non è difficile prevederne il risultato. L'esercito di Tshombe è decisamente più forte, meglio organizzato e disciplinato e molto rinforzato da mercenari. Tu escludi che possiamo atterrare dalle parti di Kongolo, vero?»

«Nella maniera più assoluta. È in Katanga e sarebbe un suicidio; fra l'altro il Piper non è mio e non ho il diritto di fracassarlo oltre il confine.»

«Più che giusto. Ma non potremmo arrivarci con altri mezzi?»

«C'è una pista dell'ONU non lontano dal confine. Mi conoscono e non faranno storie, ma come facciamo a procurarci altri mezzi?»

«Da loro.»

Renzo restò in silenzio a riflettere e Marco intanto notò che virava verso sudest. Poco dopo si mise in contatto con la torre di controllo, una palazzina a due piani che faceva funzione. Non molto più tardi il Piper cominciò a scendere fino a toccare terra sulla piccola pista delle Nazioni Unite nei pressi del confine. Renzo si presentò assieme a Marco dal comandante: «Abbiamo bisogno di un mezzo per raggiungere Kongolo. Potete aiutarci?».

Marco capì immediatamente la situazione: l'aereo e la radio di Renzo dovevano aver fatto comodo più di una volta a quelli dell'ONU. Il comandante, un norvegese di nome Gunnar Larsson, li fece accomodare.

«L'Armée ha subito un rovescio disastroso» esordì, «a opera dell'esercito katanghese, pieno di cosiddetti consiglieri militari belgi e di mercenari, e si stanno ritirando precipitosamente. Muoversi ora in quel territorio è una pazzia. Gli uomini dell'Armée sono furenti e imperversano con ogni forma di violenza su chiunque possa sembrare loro un nemico. Perché volete andare a Kongolo?»

«Perché c'è un gruppo di padri spiritani che si trova ancora là e non ha possibilità di muoversi. Sono belgi e olandesi: saranno di sicuro massacrati.»

Larsson non proferì verbo, mentre ascoltava tracciava dei ghirigori su un foglio di carta intestata, quasi una specie di confusa geografia della catastrofe.

«Non riusciamo a salvare tutti» disse alla fine.

«Non riuscite a salvare nessuno» rispose Marco a muso duro. «Kindu ha gettato nel lutto un'intera nazione.»

Larsson continuò con i suoi ghirigori. Renzo e Marco pensarono che non ci fosse più niente da fare e si avviarono alla porta.

Larsson li fermò: «Aspettate».

I due si voltarono e tornarono verso la scrivania.

«C'è un veicolo blindato delle Nazioni Unite in partenza questa sera alla volta di Kongolo per recapitare una radio ricetrasmittente. È un carico pericoloso e voi non avete un documento delle Nazioni Unite.

«A questo si potrebbe rimediare» replicò Renzo.

Larsson sembrò non raccogliere. Domandò: «Quanti sono i padri nella missione?».

«Una ventina» rispose Marco.

«Abbiamo dieci posti in tutto compreso il conducente.»

«Io posso guidare» propose Marco. «E Renzo può rimanere qui a guardare il suo aeroplano e ad aspettare le mie chiamate alla radio.»

Larsson alzò il telefono e pronunciò poche frasi in norvegese con un interlocutore di cui non si udiva la voce. Fece un cenno a Marco indicando uno dei suoi uomini che faceva la guardia alla porta: «Segua quell'uomo, ma deve sapere che se va bene può salvarne nove, forse dieci o undici, non uno di più».

«Dodici.»

«No» rispose l'ufficiale indovinando il suo pensiero, «lei

avrà un documento con la sua foto e non potrà lasciarlo a nessun altro.»

«Va bene» rispose Marco, «meglio di niente.» E seguì il militare che lo portava in un'altra ala dell'edificio.

Gli fecero cambiare la talare bianca con una mimetica, gli scattarono una foto formato tessera e in capo a una mezz'ora aveva un passaporto nuovo con un nome nuovo e un incarico di driver presso le Nazioni Unite.

Marco salutò Renzo. «Mi raccomando, aspettami. Non decollare prima che io sia tornato.»

«E chi si muove? Non si sta nemmeno tanto male qui e la mensa è buona. Vedi di non farti ammazzare. Se proprio ne hai bisogno, ho nascosto un mitragliatore MAB con tre caricatori nella cassetta degli attrezzi dietro la ruota di scorta. E ci ho trovato anche una pistola.»

«Spero proprio di no» rispose Marco.

Renzo gli porse una carta geografica: «Qui c'è la strada che devi seguire fino alla missione degli spiritani. Non dovresti avere problemi. In missione ci sono di solito tre o quattro padri, ma hanno organizzato un convegno di tutte le loro comunità per valutare la situazione e quindi dovrebbero essere una ventina».

«Se ci arrivo, sarà terribile stabilire chi potrà salvarsi e chi no. Preferirei restare io a Kongolo e salvarne uno in più» disse Marco.

«Lo so e non ti invidio. Magari Dio ti aiuterà a prendere la decisione giusta» rispose Renzo.

Fra i pensieri di Marco, senza che lo volesse, affiorò una delle frasi incongruenti che gli erano venute in mente la notte in cui attraversava la savana dei Bashi: "Dio? Salutamelo se lo vedi". E continuò a risuonare come un'eco insistente nel suo cervello per tutto il tempo in cui guidò il blindato sulla strada fra l'aeroporto e Kongolo. Brividi freddi come un brutto presagio gli fecero immaginare tetri scenari: corpi esanimi, bianche tuniche chiazzate di rosso, volti di vecchi venerandi sfigurati dalle percosse. Cercava di esorcizzarli mormorando in continuazione: «*Miserere mei, Domine, miserere mei*».

Guidò per ore senza mai fermarsi se non per orinare e per versare benzina dalle taniche nel serbatoio, ma percorse appena una cinquantina di chilometri per via del molto traffico nella strada che portava al confine, e così il suo mezzo sembrò passare inosservato. Attraversò due posti di blocco, uno dell'Armée Congolaise disfatta e uno di mercenari sudafricani al servizio del Katanga di Tshombe.

Poi il traffico parve diradarsi fin quasi a scomparire e, mentre cercava di accelerare, i soldati dell'Armée sbucarono improvvisamente dai cespugli che fiancheggiavano la strada asfaltata in un momento in cui scendeva l'oscurità. Imbracciavano dei Kalashnikov con gli inconfondibili caricatori curvi, indossavano uniformi stracciate e il bianco dei loro occhi si stagliava sui volti più neri della notte.

«*Descendez!*» gridò quello che sembrava guidarli.

Marco scese mentre lo stesso uomo intimava: «*Les mains en l'air!*».

"È finita" pensò. E obbedì tenendo in alto le mani e mostrando il suo passaporto ONU.

Qualcuno si mise a ridere: «*Ça vient à propos!*». Gli serviva il mezzo, evidentemente.

Il loro capo gridò un altro ordine e tutti alzarono i fucili puntandoli su Marco, che mormorò ancora fra sé: «*Miserere mei, Domine*». Chiuse gli occhi e trasse un lungo respiro aspettando la morte. E invece arrivò l'inferno: raffiche di mitra squarciarono la notte e tutti gli uomini del gruppo caddero al suolo falciati nello stesso istante.

Marco riaprì gli occhi ma non vide nessuno; sentiva solo l'odore acre della cordite e quello acido del sangue. E percepiva una presenza: «Chi sei?» domandò.

Qualcuno gli si avvicinò da dietro e sibilò in francese nel suo orecchio, come se non volesse far riconoscere la propria voce: «Monta e riparti».

Marco eseguì, mise in moto e ripresero il viaggio verso Kongolo.

«Chi sei?» domandò ancora dopo qualche tempo.

«Quello che ti ha salvato la vita» rispose la stessa voce sottotono.

«Perché?» insisté Marco.
«Ogni tanto sento di dover compiere una buona azione.»
«Perché?» ripeté Marco.
«Tanto per cambiare.»
«Non mi va di scherzare. Non so chi sei e sono certo di non averti mai incontrato.»
«Non c'è niente di certo a questo mondo a parte la morte. E adesso taci. Non ho più voglia di parlare.»
Marco guardò nello specchietto retrovisore approfittando delle luci dei fari delle auto che viaggiavano in senso contrario, ma intravide soltanto un volto coperto da un passamontagna.
Troppo facile. L'uomo era un osso duro.
Un altro posto di blocco lo costrinse a fermarsi.
«Non ti muovere, non parlare, tieni solo le luci di posizione e il motore acceso; non scendere dal mezzo e non ripartire finché non entro io» disse ancora la voce.
Marco non fiatò. Accostò alla sua destra e restò immobile. Il suo compagno di viaggio scese e scambiò poche parole con quello che sembrava un ufficiale. Il gruppo che bloccava la strada si aprì. Sentì che il suo compagno di viaggio stava risalendo a bordo e udì il rumore metallico del suo fucile che metteva il colpo in canna.

Procedettero a velocità sostenuta verso Kongolo, il missionario e il suo fantasma e, mentre era intento alla guida, Marco cercò di meditare sulla successione dei posti di blocco: perché il primo era stato quello dell'Armée? Risposta: perché fuggivano più velocemente di quanto non li inseguissero i katanghesi. Ma non era detto: forse erano la retroguardia rimasta indietro. Perché il secondo posto di blocco era fatto di mercenari? Risposta: forse perché volevano impedire che il grosso dei fuggiaschi raggiungesse il confine oppure devastasse il territorio o si abbandonasse a massacri. O forse perché concludevano le ultime fasi dello scontro.
Tutto sommato la sua impresa avrebbe potuto essere inutile o superflua. Meglio così, ma prima voleva accertarsi di come andassero le cose.

Si sentiva strano, gli turbinavano in mente mille immagini e parole, frasi spezzate, urla, gemiti, perfino proverbi in tutte le lingue, incluso il suo dialetto nativo. Ma gli mancava qualcosa... qualcosa che non riusciva a richiamare alla memoria. Lo faceva impazzire.

Di nuovo traffico intenso, di nuovo l'Armée: camion, blindati, carri armati, jeep con la mitragliatrice, uomini disfatti dalla fatica, dalla stanchezza e dalla fame. Cadaveri, a mucchi dove avevano opposto resistenza; disseminati su vaste superfici dove avevano cercato scampo nella fuga ed erano stati falciati dai fucili d'assalto con mirino infrarosso.

Marco cominciava a pensare che non sarebbe successo nulla: erano troppo intenti a fuggire i soldati dell'Armée per fermarsi e perdere tempo.

Non mancava più molto alla meta e Marco disse: «Devo svoltare a sinistra. La casa degli spiritani è da quella parte».

Il fantasma parlò, sempre sottovoce: «Da quella parte è pericoloso: ci passano moltissimi contingenti dell'Armée, i più feroci, i più furibondi. Vedi quella luce? Fermati là».

Marco obbedì e si arrestò vicino a un lampione, l'unico rimasto funzionante; tutti gli altri erano stati fucilati. Il fantasma scese imbracciando il mitra: un MAB38. Nello stesso istante si udirono grida strazianti provenire dall'interno di un edificio crivellato di colpi.

«Sono i padri!» esclamò Marco. «Vado a vedere.»

Il fantasma gli allungò il MAB e un paio di caricatori: «Questo ti può servire. Tanto qui dentro ne ho visti altri tre».

Marco guardò l'arma e fu sul punto di afferrarla, ma poi scosse il capo e si diresse inerme verso l'edificio. Le grida erano sempre più vicine e penetranti. Mentre si avvicinava, ancora più curvo e avvolto nell'ombra, si rendeva conto che aveva davanti un vero e proprio mattatoio.

C'era una luce fioca, ora, che si intravedeva tra la vegetazione e le finestrelle dell'edificio appena socchiuse. Scorse un'ombra, si trovò a tu per tu con un soldato dell'Armée che spalancò gli occhi stupefatto. Marco lo centrò con un violentissimo pugno in faccia, poi lo tramortì con un randello che giaceva al suolo ai piedi di un albero. Colpì ancora e si rese conto che un randello di legno può essere micidiale come un fucile. Basta poco per uccidere un uomo. Cercò di non pensarci.

Si accostò ancora e poté vedere all'interno. Pochi fra i missionari spiritani si reggevano in piedi, grondavano sangue da tutte le parti, barcollavano come animali feriti, smarriti. Ad alcuni pendevano lungo il corpo arti spezzati, altri giacevano al suolo agonizzanti ancora soffrendo pugni e botte con il calcio dei fucili. I più erano completamente sfigurati, ma i soldati continuavano a infierire, strappavano ai vecchi sacerdoti la barba, e la pelle lacerata sanguinava; sembravano impazziti di strage, e si accanivano su quei poveri corpi con tutto il livore della sconfitta e dell'umiliazione subita.

Restò il tempo necessario per vederli cadere esanimi uno dopo l'altro. Entrarono dalla porta posteriore altri soldati, trascinando una splendida ragazza nera, nuda, e gli salì alla mente la frase fra le altre sconnesse che aveva pensato mentre attraversava la savana dei Bashi: "Mi intorbida il sangue, che posso fare? Hai provato a pregare?".

Pregò, pregò per lei e per sé e per il soldato tramortito che emetteva nel buio deboli lamenti, poi, pieno di orrore e di angoscia, prese ad arretrare.

Il fantasma riapparve uscendo dalle tenebre con il mitra a tracolla e indicò il blindato: «Torna da dove sei venuto, usa i fari schermati, non fare manovre brusche, spegni la radio e nascondila nel cassone. Ho trovato questa pistola carica nel box degli attrezzi, dietro la ruota di scorta. Tienila a portata di mano e con il colpo in canna. Se ti fermano e vedi che sono ubriachi e drogati e hanno voglia di sangue sparati un colpo in testa, dammi retta. Non c'è limite alle sofferenze che possono infliggerti prima di ammazzarti».

Pronunciò quell'ultima frase in italiano e senza accento, né francese né inglese.

«Chi sei?» gli domandò Marco.

«Non lo so nemmeno io chi sono» disse ancora in italiano e con un tono normale di voce. «Vattene, finché sei in tempo.»

Marco mise in moto, arretrò fino a un punto in cui poteva manovrare e invertire la direzione di marcia. I fari, pur schermati, illuminarono per un attimo il fantasma con il volto coperto dal passamontagna e con il MAB che gli pendeva dal collo prima che scomparisse nel bosco.

Riempì il serbatoio, prese la via che portava verso Kasongo e per tutta la notte pensò allo spettro che gli aveva salvato la vita. Pensava alla sua voce, inutilmente cercava nella sua memoria. Per tutta la notte pensò che gli mancava ancora una frase di quelle affiorate alla sua mente attraversando la savana dei Bashi e solo all'alba gli emerse dal cuore: "Piero e poi? Piero e poi niente".

17

Marco riconsegnò al comandante Larsson il mezzo miracolosamente indenne e si scusò per non aver recapitato la radio ricetrasmittente a destinazione viste le atroci circostanze in cui si era venuto a trovare. Rientrò a Uvira con Renzo sul Piper e si presentò al superiore Vezzali per fare il suo rapporto. La notizia del massacro di Kongolo aveva fatto il giro di tutto il paese e aveva diffuso orrore e paura. Ormai poteva accadere qualsiasi cosa. Il perdurare della guerra civile, il diffondersi della violenza creavano un senso di totale insicurezza e la percezione di un orizzonte oscuro che gravava su tutto e su tutti.

Per alcuni mesi la situazione a Bukavu fu abbastanza tranquilla: i residenti stranieri, inclusi i coniugi Werpen, si sentivano al sicuro. La manifattura di caffè che il signor Werpen dirigeva era una presenza preziosissima per gli abitanti; distribuiva stipendi decorosi a molti capifamiglia che si sentivano fedeli a quella istituzione e pronti a difenderla in ogni modo possibile.

Con il passare del tempo, a mano a mano che si diffondevano le notizie delle atrocità sempre più feroci perpetrate dai soldati dell'Armée Congolaise, ma anche dai ribelli lumumbisti che avevano a Stanleyville il loro centro operativo, cominciarono a formarsi dei piccoli gruppi di volontari strutturati come unità di resistenti o addirittura come gruppi di combattimento, che via via trovavano il modo e i mezzi per acquistare armi e munizioni e si addestravano sotto la guida di ex militari.

Marco riuscì più volte a incontrare Bashira, quasi sempre in casa dei Werpen, ma non riuscì mai a incontrare Louis né ad avere da lei alcuna informazione.

«Perché non vuoi dirmi neanche una parola? Sai quanto sono legato a Louis e quanto lui a me, credo. È fondamentale che io sappia dove si trova per poterlo proteggere. Non ti fidi di me?»

«Mi fido completamente, ma devo obbedire a Louis.»

A quelle parole Marco non trovava risposta, né aveva migliori risultati con i genitori adottivi della ragazza. Eppure era certo che di tanto in tanto Louis doveva pur vedere la sua famiglia: il bambino ogni giorno più bello e intraprendente, la moglie stupenda. Ma dove stava? si chiedeva continuamente. Con chi stava? Nemmeno la Mwami Kazi, che aveva occhi e orecchie dappertutto, aveva notizie di lui. Per qualche momento, mentre guidava nella notte verso Kongolo incrociando i camion dell'Armée in fuga verso il confine, aveva pensato che il fantasma che aveva falciato con precisione micidiale i soldati che l'avevano accerchiato fosse proprio lui, Louis, ma come avrebbe potuto essere? Una coincidenza impossibile e poi il suo italiano era troppo perfetto quando aveva pronunciato quelle frasi, non un'ombra d'accento francese.

Pensò molte volte alla frase che gli era risuonata nella mente e ricordò quel giorno lontano, quando non era ancora sacerdote e aveva assistito alla parata delle brigate nere per le vie di Bergamo: quel ragazzino con l'uniforme della Decima MAS, con gli occhi grigi in cui si addensavano immagini di orrore. Sicuramente doveva essere morto come tanti altri durante la guerra civile e quella frase doveva essere emersa da quella consapevolezza.

Trascorsero i mesi senza che nulla accadesse. Pensò perfino di passare di notte nei pressi dell'abitazione dei Werpen o di quella di Bashira nel tentativo di intercettare Louis, ma si rese conto che non era una soluzione praticabile.

Si risolse allora a mettersi in contatto con i gruppi di volontari che già si stavano adoperando per vigilare sulla casa dei Werpen e sull'azienda del caffè a Ndolera. Seppe così che Bashira a volte si trasferiva di nuovo nell'abitazione in cui era solita vivere con Louis e chiese loro di sorvegliare la casa anche di notte per vedere se Louis si facesse vivo, ma non ottenne il risultato sperato.

Una sera, mentre rientrava nella missione di Uvira, vide nella semioscurità qualcuno che sembrava lo aspettasse e si avvicinò.

«Sta cercando qualcuno?» domandò quando gli fu di fronte.

«*C'est vous que j'attend*» rispose l'uomo, e si presentò. Era un ufficiale belga in borghese.

«Eccomi, dunque» disse Marco.

«So che sta cercando il suo amico, l'ex padre Louis Chevallier.»

«E allora?»

«Meglio che non lo faccia. Attira l'attenzione.»

«Non mi sembra che la cosa la riguardi.»

«Certo che mi riguarda, visto che so dove si trova.»

«E a me non può dirlo.»

«No, non posso. E lasci perdere Bashira. C'è già chi ci pensa.»

«Lei?»

«Sì. Io e i miei uomini. Lei faccia il prete che al resto pensiamo noi.»

Marco avrebbe voluto prenderlo a schiaffi, ma si ricordò che in effetti era un prete e si trattenne. Si limitò ad aggiungere: «Louis è un amico importante per me e anche la sua famiglia è come se fosse la mia. Può almeno recapitargli un messaggio da parte mia?».

L'ufficiale trasse un profondo respiro come se dovesse prendere una decisione molto difficile. Poi si risolse a una risposta: «D'accordo, anche se non dovrei».

Marco estrasse un taccuino dalla tasca interna della giacca e vergò con un lapis un messaggio in francese con una breve espressione in latino, lingua che lui e Louis condividevano per averla studiata ambedue in seminario e per aver celebrato la messa in latino fino a due anni prima.

"Salve Louis, spero che tu stia bene. La tua famiglia ti aspetta ed è al sicuro. Io stesso me ne occupo, e non pochi amici volontari. *Si alii sunt qui vigilant et tuentur, fac ut sciam*. Marco."

«Che cos'è questa frase?» domandò l'ufficiale.

«Una preghiera» rispose Marco senza batter ciglio. «Sono un prete, no? E anche Louis lo è, anche se non può più agire come tale.»

«Infatti» disse l'ufficiale. Portò la mano tesa alla fronte come in una specie di saluto militare e sparì nel buio.

Passarono altri mesi e Marco non ricevette alcuna risposta al suo messaggio, ma i coniugi Werpen gli confermarono che l'ufficiale belga apparteneva a un reparto dei corpi speciali e che aveva esonerato i volontari dal loro incarico. Svolgeva con molta cura il proprio compito di sorveglianza, il che li tranquillizzò almeno in parte.

Ci furono comunque importanti novità: ad aprile padre Vezzali fu consacrato vescovo dal nunzio apostolico in persona che costituì, appositamente per lui, Uvira come diocesi, attribuendole pezzi delle diocesi confinanti.

Marco fu comandato a concelebrare la messa pontificale assieme a un altro padre e gli toccò l'impegnativo compito di mettere e togliere la mitra al nuovo vescovo secondo il cerimoniale della messa solenne.

Gli sembrò un pavone con tutti i paramenti episcopali, che di sicuro gli erano giunti in regalo da qualche suo benefattore in Italia. Ma pensò anche che vedendo appagato il suo sogno sarebbe stato più sereno e quindi più dedito al suo ministero. Terminata la cerimonia, il nunzio apostolico gli fece cenno di seguirlo nella austera cameretta che la missione gli aveva riservato e dove avrebbe pernottato.

Marco entrò per secondo e salutò: «Eccellenza, è sempre un piacere incontrarla».

«Lo stesso vale per me. Come stai?»

«Sono tempi durissimi, eccellenza. Difficile star bene quando imperversano la violenza e la morte.»

«Hai ragione, ragazzo. Ma vedi il tuo vescovo com'è felice con lo zucchetto paonazzo in testa?»

«Non mi faccia parlare, eccellenza.»

«Non essere troppo severo. Vedremo come si comporta. È sul suo comportamento di pastore di anime che dovremo giudicarlo, non per le piccole debolezze e vanità di un uomo che certo non è perfetto ma nemmeno da disprezzare... Hai più avuto notizie di Louis?»

«No, purtroppo. Ho provato dappertutto ma niente. Se gli spiritani a Kongolo fossero sopravvissuti forse avrei saputo qualcosa, ma non se n'è salvato neppure uno. E lei?»

«Non dobbiamo dimenticare che Louis era presente sull'aereo dell'ONU mentre Patrice Lumumba e i suoi due amici venivano massacrati barbaramente. Ha sentito il rumore delle ossa spezzate, forse ha visto il sangue inondare il pavimento dell'aereo, forse ha visto macellare e fare a pezzi quei corpi martoriati sull'asfalto dell'aeroporto. Io penso che al suo ritorno sia andato con i seguaci di Gizenga a Stanleyville. E se è lì, penso, prima o poi, di venire a sapere qualcosa. Ho qualcuno da quelle parti...»

«Denis?»

«Lui e altri. E confido di saperne di più. Non subito ma fra qualche tempo.»

«Tempo...» rispose Marco, «sempre tempo. Mi chiedo quando il tempo non avrà più senso.»

«Il tempo ti servirà finalmente per un'opera di religione. Il nuovo vescovo desidera che la missione di Mwenga appena costituita abbia la sua chiesa. Questo è l'incarico che ti verrà comunicato nei prossimi giorni. Per il resto, porta pazienza. E se avremo notizie, ti metterò al corrente.»

Si salutarono e Marco si dedicò all'impresa più importante della sua vita, che sarebbe durata quasi un anno, la costruzione della chiesa di Mwenga, nel territorio dei Barega. Era una comunità ben impostata e strutturata, con la presenza di un piccolo gruppo di suore, e tutti gli abitanti avevano dato la loro disponibilità per lavorare all'opera.

Un gruppo aveva individuato un giacimento di basalto blu, duro e scurissimo, ma con venature di calcare che permettevano di spaccare i blocchi con relativa facilità. Marco non aveva nessuna pratica di quell'attività, ma ricordava i minatori delle sue parti che cavavano ottima pietra grigia e ci facevano muri di contenimento, profilature per le finestre e le porte. A vederli, quei muri, non si capiva come fosse stato possibile costruirli con blocchi così grandi e pesanti. Poi aveva capito: gli operai usavano il *tirfort*, un semplice meccanismo in grado di spostare tonnellate. Ma dove trovarlo? Il costo doveva essere contenuto, ma quanto tempo ci sarebbe voluto per raccogliere il denaro, acquistare l'oggetto, spedirlo e riceverlo senza che andasse perduto nel lunghissimo tragitto?

Per fortuna la poderosa macchina da cantiere arrivò nella persona di un padre Bianco inviato dal superiore Van Groove.

Era irlandese e si chiamava Sebastian Linden, un gigante di un metro e novanta, con una forza smisurata, che da ragazzo aveva fatto parte di una squadra di rugby. Spostava pietre da mezzo quintale, apparentemente senza sforzo, e mangiava come un bue. Sempre di buon umore, era diventato per gli operai una specie di mascotte, e spesso, per divertimento, veniva invitato a dare prove di forza che passando di bocca in bocca divenivano leggendarie.

Marco pensò di organizzare il lavoro: le donne avrebbero intrecciato corde di fibra di palma, resistentissime, gli uomini avrebbero costruito slitte su rulli trainate da buoi. Altri avrebbero costruito rampe a terrapieno sempre più alte a mano a mano che i muri si fossero alzati. Si sarebbero dovute acquistare solo le nervature in acciaio.

Si informò e fece scrivere alla casa madre della congregazione per ottenere l'acquisto e la spedizione: allegò anche il progetto convalidato da un giovane ingegnere a Bukavu. Decise quindi di raccogliere tutti i materiali necessari per la costruzione, armò di mazze e di piccozze gli uomini contrassegnandole una per una affinché non andassero perdute e formò le squadre che dovevano tagliare i blocchi, caricarli sulle slitte e trascinarli fino al cantiere.

Chi aveva pale scavava le fondamenta; altre donne con i cesti in testa percorrevano dieci chilometri per raccogliere e portare a ogni viaggio cinque chilogrammi di sabbia. Il nunzio apostolico procurò il cemento e Marco costruì un carretto su gomme da trascinare con la jeep per trasportare i sacchi.

Quando arrivarono le nervature di acciaio Marco e i suoi uomini costruirono i ponteggi in legno e posizionarono le carrucole per issare i carichi. Il perimetro di base era di trentadue metri per quattordici: in tutto novantadue metri, una sola navata.

Nel frattempo sembrava che la situazione generale fosse abbastanza tranquilla, tranne che per i movimenti di ribelli nelle aree settentrionali e centrali del paese. I ribelli erano molto più motivati dei regolari dell'Armée Congolaise e lentamente continuavano ad avanzare nelle province settentrionali e orientali.

Si stava diffondendo e strutturando un nuovo movimento, il Mulelismo da Maji Mulele, un leader lumumbista che li aveva profondamente politicizzati senza risparmiare alcun mezzo, compreso quello della magia animista e sciamanica, che li rendeva certi di sopravvivere alle pallottole dei nemici solo con l'uso di amuleti. Erano per la maggior parte degli sbandati che nel raggrupparsi in un movimento in espansione trovavano un punto di riferimento.

Poi, una mattina presto mentre faceva colazione con un po' di frutta e frittelle di tapioca, Marco udì un messaggio radio da Renzo: «*Cave belgam militem qui vigilat cui nomen est Quintinus. De illo nihil scio*». Renzo era molto debole in latino e sembrava aver imparato a memoria quella frase come una filastrocca. Marco rifletté e non gli fu difficile capire che si trattava della risposta in grande ritardo al suo messaggio a Louis, lanciato come un biglietto nella bottiglia e affidato alle onde del mare.

Si ricordò di quell'ufficiale belga che lo aveva dissuaso dal sorvegliare la casa di Louis e Bashira e, con la radio, contattò il nunzio per riferirglielo: «Mi ha detto: "Lei faccia il prete che al resto pensiamo noi". Stavo per rispondergli per le rime ma poi quello ha aggiunto che sapeva dov'era Louis».

«Ha detto così?» chiese il nunzio.

«Testuali parole.»

«E non ti è sembrato strano?»

«Sì, ma di questi tempi non mi meraviglio più di niente.

In ogni caso si è rifiutato di dirmi altro. Gli ho chiesto se potevo dargli un messaggio per Louis e ha accettato.»

«Strano anche questo. Che messaggio?»

Marco gli ripeté a memoria il testo, inclusa la frase in latino: «*Si alii sunt qui vigilant et tuentur, fac ut sciam,* se ci sono altri che si occupano della vigilanza e della protezione, fammelo sapere».

Il nunzio ebbe un trasalimento, come se gli fosse venuto in mente qualcosa a cui non aveva dato finora importanza: «*Cave Belgam militem qui vigilat cui nomen est Quintinus.* Che cos'è questa frase?» domandò a Marco.

«Una emissione radio che Renzo ha captato più volte negli ultimi otto giorni. È la risposta al mio messaggio in latino: "Se ne occupa un militare belga di nome Quentin". Bisognerebbe sapere se l'ufficiale che mi ha parlato si chiama Quentin. Con la mia frase in latino ho chiesto a Louis se c'erano altri, oltre ai volontari, che facevano la guardia alla sua casa e a quella di Bashira. Secondo me ci sarebbe da dubitare di quell'ufficiale e la frase di Louis è certamente una esortazione a indagare su di lui. Mi risulta che abbia licenziato i volontari così come ha diffidato me dallo stare di guardia. Come se volesse avere campo libero...»

«Per che cosa?» domandò il nunzio.

«Niente di buono, direi. Se fosse in atto un'azione criminale e se quell'ufficiale belga fosse il Quentin del messaggio di Louis sarebbe evidente che non bisogna fidarsi minimamente di lui. Né Louis né Bashira sarebbero al sicuro se volessero finalmente incontrarsi.»

«Quanto dista la fabbrica del caffè dalla tua missione?» si informò monsignor Solari.

«Una cinquantina di miglia» rispose Marco.

«E ci sono itinerari alternativi?»

«Praticamente no se si tratta di mezzi meccanici.»

«Questo semplifica le cose. Farò la mia ricerca e ti saprò dire... Ah, complimenti per la tua chiesa. Mi dicono che stai innalzando una cattedrale.»

«Con l'aiuto di monsignor vescovo.»

«Lo credo bene» rispose il nunzio. «Ne ha tutto l'interesse.»

Da quel giorno Marco si incontrò più volte con Renzo per capire se aveva individuato la trasmittente che gli aveva inviato il messaggio e per entrare in contatto con Louis, ma non vi riuscì. Riuscì però a captare altri brandelli di conversazioni al punto che, dopo una serie di tentativi, fu in grado di intercettare almeno in parte le comunicazioni dell'Armée.

L'ufficiale belga si manifestò inoltre con le sue generalità ai coniugi Werpen, e risultò essere il maggiore Quentin Montserrat dei corpi speciali, già consigliere militare dell'esercito katanghese e ora dell'Armée Nationale Congolaise. Nel frattempo, aveva fatto sapere che l'Armée avrebbe presto fornito un contingente per proteggere la fabbrica di caffè, i dirigenti e gli operai.

I cambi di campo erano molto comuni in quel periodo, pensò Marco, l'importante era che il maggiore Montserrat fosse di parola e in poco tempo ne ebbe la prova: un reparto dell'Armée di una trentina di uomini e ben equipaggiato arrivò a Ndolera, nella zona della fabbrica di caffè, e ne assunse la custodia. Per di più erano autonomi per la sussistenza e quindi non gravavano sulla popolazione locale. Marco dovette ricredersi dei suoi dubbi sull'affidabilità dell'ufficiale belga, almeno per il momento.

Vista la situazione sotto controllo, poté dedicarsi ancora di più alla costruzione della chiesa, facendo buoni progressi.

Solo un pensiero ogni tanto si affacciava alla sua mente. Louis aveva detto di non sapere nulla su Quentin Monserrat, cosa che gli sembrava strana dati i numerosi e importanti contatti che aveva, dentro e fuori del Congo.

Il cuore gli diceva che Louis si sarebbe fatto vivo presto e Marco era anche convinto che si vedesse regolarmente con Bashira, ma non voleva immischiarsi in una questione così intima e personale. Sperava solo che Louis fosse molto prudente nei suoi appuntamenti con la moglie.

Marco si era coricato stanco per il duro lavoro della giornata e quando, nel cuore della notte, sentì il gracchiare della radio pensò per un poco di stare sognando, ma il segnale insisteva e balzò dal letto mettendosi all'apparecchio. Era Renzo.

«Renzo, che succede? Non dirmi che sei in volo a quest'ora.»

«No, sono atterrato dopo il tramonto a Bukavu. Ho sorvolato la zona della fabbrica di caffè e... vorrei sbagliarmi ma non c'era nessuno di guardia.»

«Non è possibile.»

«Hanno levato il campo: non ci sono tende e nemmeno mezzi tipo jeep o camionette. Niente. Sono molto preoccupato. Avrei cercato di tornare indietro e tentare un atterraggio ma il terreno è impraticabile.»

«Ci vado io con la jeep» disse Marco. «Voglio capire cosa sta succedendo. Ci sentiamo dopo. Chiudo.»

«No, aspetta. Questa mattina ho intercettato delle comunicazioni, non so esattamente di chi, ma dicevano che un gruppo di Simba stava attraversando l'alto Itombwe diretto a nordest.»

«E nessuno si aspetta che vengano da quella parte. Io vado.»

«Buona fortuna, Marco, stai attento, è una brutta notte.»

Marco chiuse la comunicazione, afferrò il suo fucile da caccia, montò sulla jeep e partì alla massima velocità. C'era luna quasi piena e spense i fari della vettura.

Mentre guidava sulla carrabile deserta, cercava in ogni modo di comprendere che cosa stesse accadendo e tentava di ricostruire la sequenza degli eventi. Ma la sua immaginazione correva sempre inevitabilmente a una situazione di grande pericolo e di possibile tragedia.

Perché il maggiore Quentin Montserrat aveva prima garantito la sicurezza attorno alla fabbrica dei Werpen e poi, improvvisamente, aveva abbandonato con i suoi uomini il presidio? Forse aveva ricevuto un ordine e aveva avvertito i Werpen che doveva andarsene perché provvedessero a una sostituzione con dei volontari, ma se questo fosse accaduto Renzo avrebbe visto il cambio della guardia. E perché c'era un gruppo di Simba in rapido avvicinamento alla fabbrica di Ndolera dall'alto Itombwe?

Marco cercò di individuare un percorso logico. Era molto probabile che Louis, dopo il massacro di Lumumba e dei suoi compagni, si fosse avvicinato prima a Gizenga e poi al movimento mulelista e questo avrebbe spiegato il suo lungo silenzio e la sua latitanza.

Forse Louis meditava un riavvicinamento a posizioni politiche meno estreme per poter vivere come un tempo con la sua famiglia. Ma la cosa dovette venire all'orecchio dei mulelisti, che decisero di tendergli un agguato una volta capito dove si incontrava con la moglie.

Bastava corrompere il maggiore Quentin Montserrat per convincerlo a sgombrare prima dell'arrivo dei Simba.

Ma quando?

Marco accelerò più che poteva per arrivare in tempo a impedire quella che ormai percepiva come una tragedia imminente. Giunto a Ndolera, a meno di un chilometro dalla fabbrica si fermò perché aveva notato sul terreno tracce di pneumatici e mozziconi di sigarette e nascose la sua jeep in un boschetto di acacie. Passata meno di un'ora, sentì il rumore di un'altra jeep e prese il binocolo dal tascapane puntandolo verso l'auto che stava arrivando.

«Louis!»

Marco vide dopo un po' le luci rosse degli stop, segno che Louis stava frenando per fermarsi. Cercò di andargli dietro a piedi per non farsi scorgere. Si rese conto che Louis stava andando verso il magazzino. Come aveva potuto non pensarci prima? Gli venne in mente quando li aveva visti per la prima volta, Louis e Bashira, uscire dal piccolo magazzino in disuso dove erano conservate le confezioni difettose. Era il loro rifugio d'amore, invisibile e lontano da sguardi indiscreti; lì si davano appuntamento verso il tramonto.

Marco non volle avvicinarsi, pensando che quel luogo fosse ancora il rifugio segreto dei due sposi e amanti. Guardò di nuovo le tracce degli pneumatici e i mozziconi sparsi sul terreno. Erano Simba! Loro erano le tracce degli pneumatici, loro i mozziconi di sigarette russe. Louis ormai era davanti al piccolo magazzino.

Marco gridò: «Louis, no!».

Ma Louis era già entrato. La sua voce esplose in un grido lacerante di orrore e di dolore infinito che echeggiò per tutta la valle. Poco dopo lo vide uscire urlando come un'anima dannata e sparire nel bosco.

Marco sentì un groppo serrargli la gola e lacrime scendergli dagli occhi. Non volle andare a vedere ciò che aveva straziato il cuore di Louis. Meglio raggiungere la casa dei Werpen e affrontare il compito forse più duro: riferire a un padre e a una madre che la loro figlia era morta in modo atroce.

Madame Thérèse scoppiò in lacrime e il signor Werpen si coprì il volto con le mani, il petto scosso dai singhiozzi. Chi poteva averli traditi?

Bashira fu trovata nuda e stuprata a morte. Giaceva in una pozza di sangue con gli occhi sbarrati e pieni di terrore.

18

Louis scomparve così come era riapparso e nessuno riuscì a sapere dove si fosse nascosto. I coniugi Werpen, annientati dal dolore, si chiusero per giorni e giorni in un ostinato silenzio, mentre la situazione peggiorava e minacciava di precipitare da un momento all'altro. Poiché nessuna delle fazioni in lotta conseguiva il definitivo sopravvento sulle altre, appariva ormai inevitabile che i disordini degenerassero in scontri armati sempre più feroci. A stento e quasi a viva forza, Marco e altri amici riuscirono alla fine a convincerli a mettersi in salvo assieme al loro nipotino e a tornare in Belgio.

Lasciarono in lacrime quella terra che avevano tanto amato e dove avevano conosciuto la gioia di essere genitori e poi l'infinita amarezza di perdere la figlia raccolta dalla strada, quasi mandata da Dio. «*Deus dedit Deus abstulit*» continuava a ripetere la signora Thérèse trascinandosi per casa da un ambiente all'altro, quasi inebetita.

Nella sua comunità di Mwenga, preso da compiti ogni giorno più gravosi, Marco si caricò di fatiche sempre più dure come per dimenticare i dolori devastanti che aveva dovuto sopportare.

Si dedicava soprattutto ai lavori per la costruzione della sua chiesa, circondato dall'affetto e dalla stima che gli tributavano gli abitanti del suo villaggio. Per lui non c'erano scelte di campo da fare. La scelta l'aveva fatta quel giorno lontano, quando aveva alzato la mano nell'aula delle elementari dichiarandosi pronto a partire per l'Africa. La missione era la sua casa ed era disposto a difenderla, se necessario, con qualunque mezzo.

Quentin Montserrat era scomparso. Di lui non si seppe più nulla.

Una mattina di fine aprile, Marco fu chiamato via radio dal superiore Van Groove per aggiustare la sua auto che aveva dei problemi: «Credo che sia una questione di carburatore» disse, «ma sai che di motori non ne capisco molto».

Marco partì al più presto con la cassetta degli attrezzi e appena arrivato si mise subito all'opera. Padre Van Groove sbrigò in fretta la corrispondenza e scese in officina per scambiare qualche parola con lui. Ne valeva sempre la pena, per non dire degli ultimi tragici eventi che avevano coinvolto la famiglia dei Werpen, a cui Marco era molto legato, e Louis Chevallier, che sapeva suo amico. Cercò un argomento di conversazione meno pesante:

«Come va la tua cattedrale?»

Marco sorrise: «È solo una chiesa fatta con una certa cura... al mio paese ci insegnavano a fare di tutto. Direi bene, comunque. Ora abbiamo completato le opere murarie e stiamo lavorando al tetto».

«Hai notizie da Uvira?»

«Sì, è arrivato da quelle parti Gaston Soumialot: un personaggio complesso fra i capi ribelli...»

«Ne ho sentito parlare» rispose Van Groove.

«Già: ambiguo, sostanzialmente inaffidabile.»

«Ma dotato di notevoli relazioni politiche. Da quel che si dice» interloquì Van Groove.

«Più fumo che arrosto» replicò Marco. «Gli piace apparire e cura notevolmente il suo aspetto, stando a quello che si vede dalle fotografie. Di sé vuole dare l'immagine dell'uomo difficile da raggiungere, dell'imprendibile braccato dai regolari di Mobutu, ma di fatto è solo un piccolo trafficante di parole. Mi preoccupa di più Mulele: più duro, pericoloso e scaltro. Si è insediato nella provincia del Kwilu, nell'Ovest. Ha fanatizzato i suoi seguaci da quello che mi dicono i capi dei Bashi, facendo loro credere che con determinati riti magici le raffiche di pallottole si sarebbero mutate in pioggia, la Maji Mulele, Acqua di Mulele.»

Padre Van Groove accennò un sorriso agro: «Diciamo che è anche avvantaggiato dalla totale inettitudine dei regolari. Anche se armati ed equipaggiati con potenti armi da fuoco, appena vedono i Simba mulelisti e odono le loro urla terrificanti, si danno alla fuga. Per i pochi Simba che muoiono si attribuisce la colpa all'inadeguatezza dei riti che avrebbero dovuto renderli invulnerabili».

Marco intanto aveva finito il suo lavoro e aveva messo in moto. Il motore cantava senza incertezze.

«Sai una cosa?» disse il superiore. «Una volta monsignor Clairemont mi confidò di aver pensato più volte di farti vescovo...»

«E lei?» domandò Marco sorridendo.

«Eccellenza, per carità: di vescovi ne trova a dozzine ma di meccanici come Marco c'è solo lui!»

Marco sorrise ancora e si pulì le mani unte con uno straccio. «Ecco qua» disse, «la sua macchina funziona perfettamente. C'è dell'altro?»

«Sì» rispose il padre Van Groove, «ai primi di maggio arriverà a Mwenga padre Saltini, un sant'uomo che giunge dall'Italia per tenere gli esercizi spirituali con tutti i missionari della zona e tu dovrai fare gli onori di casa. La sede degli esercizi spirituali, invece, sarà il vescovado di Uvira, dove monsignor Vezzali ha camere a sufficienza per ospitare tutti.»

«Esercizi spirituali?» chiese Marco incredulo. «A me non sembra una buona idea. Concentrare tutti i nostri missionari in vescovado sarà una tentazione irresistibile per Soumialot e i suoi Simba. Avrà tutti i pesci nella sua rete senza fare fatica.»

«Che cosa intendi dire?» domandò Van Groove.

«Intendo dire che se il male volge al peggio Soumialot avrà un bel po' di ostaggi per ricattare il governo centrale e anche il comando dell'Armée» rispose Marco.

«Spero che una volta tanto tu ti sbagli» replicò padre Van Groove. «Sarebbe un disastro.»

«Allora, se non c'è altro da fare sarà bene che torni a casa per mettere tutto in ordine prima che arrivi il nostro ospite. Nel frattempo, se riesce, provi a convincere monsignor Vezzali a recedere da questa pazzia. Io comunque non ci verrò agli esercizi.»

«Non posso darti torto» rispose Van Groove. «Fai un buon viaggio.»

Saltini era venuto a Mwenga sia perché voleva incontrare padre Marco, di cui aveva sentito parlare, sia perché voleva vedere la sua chiesa blu, che era ormai a buon punto. Si complimentò vivamente per quello che vedeva e per l'impegno straordinario della popolazione nell'impresa comune. Ma, ovviamente, il suo scopo principale erano gli esercizi spirituali che a volte Renzo, chiamando alla radio Marco dal suo aeroplano, definiva "esercizi spiritosi"; non si sapeva se per un lapsus o per una discutibile battuta umoristica.

«Marco, devi venire anche tu assieme agli altri missionari della regione dei Barega. È un'occasione molto importante» diceva Saltini.

Ma erano arrivate da poco notizie dalla Mwami Kazi che segnalava movimenti allarmanti e pericoli imminenti, il che non poteva significare altro che sangue. Dal linguaggio e dal tono, quelle notizie suonavano all'orecchio di Marco come uscite dalla bocca di Louis, che dunque doveva trovarsi o doveva essere transitato di recente dal territorio dei Bashi.

«Padre Saltini» disse, «io lo eviterei. Ho notizia che contingenti di ribelli sono in marcia da sud, e tribù filo muleliste o addirittura lumumbiste vogliono occupare Uvira che, come sa, è il centro della nostra diocesi. Facciamoli un'altra volta questi esercizi spirituali, che saranno anche utili ma non di certo urgenti.»

Padre Saltini continuava a insistere. Marco non si scostò di un dito dalle sue convinzioni: «Faccia come crede, padre

Saltini, io resto del mio parere: la riporto a Uvira, ma poi torno indietro».

Saltini sospirò rassegnato.

Quella stessa notte la radio gracchiò qualcosa e Marco, che si era addormentato da poco, si alzò e andò a rispondere: «Sei tu, Renzo?».

«E chi vuoi che sia a quest'ora di notte?»

«Infatti. Novità?»

«Grosse.»

«Cioè?»

«Abbiamo visite da lontano: cubani!»

«Accidenti! Come lo sai?»

«Sono atterrati a Usumbura, tutto quello che succede negli aeroporti è pane mio.»

«Bravo, Renzo. Continua a tenere occhi e orecchie bene aperti. Io sono incastrato con questo predicatore arrivato dall'Italia che vuole farci fare a tutti i costi gli esercizi spirituali a Uvira.»

«È una pazzia.»

«Lo so. Ma non ci posso fare niente. Lo porto io, poi torno indietro.»

«Bene, ma poi devi venire a prendere anche me e due europei della Cotton Co. per portarci a Usumbura. Lì ho parcheggiato il mio Piper. Non ho nessuna intenzione di farmi tagliare la gola.»

«D'accordo, ma gli altri?»

«Sono nelle mani di Dio. Passo e chiudo.»

Avendo sentito da Renzo che c'era movimento sulle montagne, l'indomani Marco lasciò in consegna padre Saltini alle suore e partì con la jeep diretto a Burhale dalla Mwami Kazi, che aveva informatori in tutta la zona.

I Bashi erano rimasti fieramente indipendenti e non avrebbero mai lasciato passare nessuno. Non volevano mettersi né dalla parte dei ribelli Simba, né da quella dei governativi. Già una volta la regina nera aveva dimostrato come avrebbe trattato chiunque avesse osato violare il suo territorio e disobbedire alla sua volontà bruciando vivi decine di ribelli e tagliando le orecchie a un altro gruppo di Simba che volevano abusare di alcune suore.

Quando la Mwami si rese conto che Marco intendeva avvicinarsi al punto in cui un battaglione dell'Armée Congolaise avrebbe tentato di circondare un gruppo di ribelli in avanscoperta, gli mise alle costole tre dozzine dei suoi guerrieri armati di lancia.

«Non devi rischiare i tuoi uomini» le disse Marco. «Posso cavarmela da solo.»

«Comando io in questo territorio» rispose la Mwami. «E poiché quelli si scontreranno molto vicino al nostro confine manderò i guerrieri.»

Marciarono così per due giorni in mezzo alla savana e Marco si rese conto che i guerrieri Bashi gli obbedivano ogni volta che dava loro un'indicazione. Verso la sera del secondo giorno si trovarono su una collina prospiciente una valle che somigliava a un *wadi*.

Gli uomini dell'Armée avanzavano verso oriente molto guardinghi e non si capiva bene quale fosse la loro strategia, ma dall'altra parte della valle Marco cominciava a vedere del movimento. Si potevano distinguere uomini armati di bastoni, di lance e talvolta di coltellacci che via via si accalcavano e diventavano un gruppo, non meno numeroso dell'unità dell'Armée che procedeva con i fucili spianati.

I Bashi avanzarono piegati sulle ginocchia per non farsi vedere, ma un gesto di Marco li fermò e li fece acquattare nella folta erba secca. I Bashi gli obbedirono all'istante.

Poi, a un tratto, si udì un urlo, che si fece sempre più forte, ritmato come se fosse scandito dai tamburi: «Maji Mulele! Maji Mulele!». I Simba si lanciarono a valanga giù per la valle contro la colonna dell'Armée che presentava loro il fianco. Chi li comandava doveva avere un minimo di conoscenze tattiche e strategiche.

Il grido dovette gettare i soldati dell'Armée nel panico perché i più, abbandonate le armi, scapparono velocissimi e buona parte degli ufficiali fece lo stesso. Qualcuno sparò nel mucchio e qualcuno cadde. I Simba non erano così invulnerabili dopo tutto, ma il grosso del contingente dei regolari batteva troppo veloce in ritirata per potersene rendere conto.

Finito lo scontro, o per meglio dire la scaramuccia, Marco attese che le grida svanissero lontano e cominciò a scendere verso il fondo della vallata. I guerrieri Bashi lo seguivano a una certa distanza guardandosi continuamente dintorno e coprendosi l'un l'altro le spalle. A Marco, che li guardava a sua volta, sembrava di vedere la scena di una battuta di caccia del Neolitico e pensava a come quei popoli erano vissuti in perfetto equilibrio con la natura per migliaia di anni.

Quando giunsero in fondo al declivio Marco cominciò a contare i corpi dei caduti: una dozzina di Simba in tutto. Nessuno dei regolari aveva subìto danni tanto era stata lesta la loro fuga e se avessero tenuto la posizione e aperto un fuoco di sbarramento li avrebbero falciati tutti.

I guerrieri Bashi rivoltavano un cadavere dopo l'altro e Marco osservava gli amuleti che avrebbero dovuto trasformare la pioggia di piombo rovente in Maji Mulele, nell'acqua di Mulele. La fede cieca nel loro capo li aveva rassicurati al punto da affrontare i colpi di M16 a petto nudo. In cosa erano diversi dagli antichi martiri cristiani che affrontavano inermi le lance dei pretoriani? E il loro amuleto non era altrettanto inefficace della croce che portavano al collo quei martiri?

I Bashi si avvicinarono per trafiggere con le lance i corpi dei caduti. Per loro sia i Simba che i soldati dell'Armée erano uguali: invasori violenti, saccheggiatori e stupratori; infierire sui cadaveri sembrava loro un buon comportamento, un modo per scoraggiare qualunque violenza. Marco li fermò con un gesto della mano e poi, insieme, fecero ritorno a Burhale, la piccola capitale del regno della Mwami Kazi. Lì ringraziò di nuovo la regina per avergli consentito di esplorare il sentiero dei Simba e assistere per la prima volta a uno scontro fra ribelli e regolari. I vincitori, a quel punto, si sarebbero diretti a Uvira, la Mwami Kazi ne era certa.

«Come lo sai?» le domandò Marco.

«Qualcuno si fa vivo con me ultimamente.»

«Qualcuno che io conosco?»

La Mwami annuì con un'espressione complice.

Marco risalì sulla sua jeep e fece ritorno a Mwenga per ricondurre padre Saltini a Uvira. Poi cercò di raggiungere il vescovo Vezzali e di ottenere un colloquio.

Fino a quel momento era stato in continuo contatto con la diocesi di Uvira e sapeva che sia lui che le suore e i padri la pensavano allo stesso modo: si sentivano al sicuro come se si trovassero in una zona tranquilla.

Di fatto la situazione avrebbe potuto precipitare da un momento all'altro e se questo fosse accaduto la loro vita non sarebbe valsa un soldo bucato.

Vezzali lo ricevette nel suo vescovado, dove tutto sembrava normale e immutato da quando l'aveva incontrato l'ultima volta, a parte i due militari dell'Armée armati di pistola alla porta. Il mobilio era sobrio, ma da quelle parti si poteva considerare quasi lussuoso e l'impeccabile talare di missione, bianco filettato di paonazzo, dichiarava immediatamente la sospirata dignità episcopale.

Marco cercò di far presente al suo vescovo la situazione di pericolo in cui versava assieme ai padri e alle suore che avevano scelto di restare, ma Vezzali lo trattò con sufficienza: «Che cos'è che dovremmo fare?».

«Con tutto il rispetto, monsignor vescovo, io penso che sia sbagliato restare qui e ancora di più organizzare gli esercizi spirituali a cui padre Saltini tiene tanto e credo che la vita di tutti voi sia appesa a un filo. Ho assistito poco tempo fa, sul confine del territorio Bashi, a uno scontro fra Simba e regolari dell'Armée. Hanno vinto i Simba grazie alla totale inefficienza e inettitudine dei regolari, e se le cose continueranno in questo modo non passerà molto tempo che saranno qui. Non stia ad aspettare, congedi almeno tutti i missionari convocati per gli esercizi spirituali.»

«Non ne vedo il motivo» ribatté Vezzali.

«Ma io sì» replicò Marco. «Non ricorda quello che accadde ai padri spiritani in Katanga? Io c'ero e...»

«Con quale permesso?» lo interruppe Vezzali con timbro disciplinare.

«Con il permesso del parroco di Mwenga, cioè io stesso.»

«Sei un impertinente.»

«Sarà, ma se fossi potuto arrivare qualche ora prima avrei salvato le vite di una decina di persone ed evitato loro torture atroci. Mi dia retta, eccellenza, faccia come le ho suggerito.»

«Stai scherzando: e anche se volessi non andremmo lontano. Ci prenderebbero subito e ci riporterebbero indietro, si tratti dei militari o dei ribelli.»

«Niente affatto.»

«Ah no? E come? Hai imparato anche a fare miracoli?»

Marco non raccolse il sarcasmo e tacque per qualche istante: «Il modo c'è. Ci sono combattenti che valgono da soli come cinquanta dell'Armée o un centinaio di Simba».

Vezzali fece una smorfia di orrore: «Stai scherzando, spero. Non voglio nemmeno pensarci».

«Dico sul serio» ribatté Marco. «E se insiste nel suo diniego, sappia che si assume la responsabilità non solo della morte sua – ognuno fa quello che vuole della propria vita – ma anche di quella di tutti gli altri membri della missione e dei convocati per gli esercizi spirituali.»

«Lo so» rispose Vezzali, «e ne sono molto preoccupato. Non ho bisogno che me lo ricordi.»

«Come non detto» concluse asciutto Marco. «Ma l'avverto che i Simba che ho visto vincere a trenta miglia da qua saranno presto in questa città. E dunque, che io sappia non c'è niente che li possa fermare.» Poi salutò e uscì nel sole accecante del mezzogiorno. Si recò con il camioncino all'appuntamento con Renzo che lo aspettava con i due dipendenti europei della Cotton Co. Avevano il cuore in gola e contavano i secondi nell'attesa.

«Salite» disse Marco senza scendere a salutarli. Renzo si sedette sul sedile anteriore e fece accomodare i due europei sul cassone dove aveva disteso un materassino di schiuma. Partì con l'acceleratore a tavoletta, senza nemmeno aspettare che si fossero seduti.

Costeggiò l'ansa settentrionale del lago Tanganika e arrivò alla sponda del fiume Ruzizi che scendeva dal lago Kivu con varie cateratte da un'altitudine di 1400 metri fino a 800. Lì c'era il ponte che segnava il confine con il Burundi. Lo attraversò e si diresse verso Usumbura.

«Ce l'abbiamo quasi fatta» disse Renzo. «Adesso la strada è buona: in mezz'ora arriveremo.»

Marco si rilassò ma tenne comunque una buona andatura e giunse a Usumbura dove c'era parcheggiato il Piper.

«Grazie, Marco» disse Renzo quando fermarono il camioncino all'ingresso dell'aeroporto. Renzo mostrò i documenti suoi, quelli di Marco e quelli dei due europei, belgi ambedue, e a piedi raggiunsero l'aereo.

«Mi hai salvato la vita» continuò. «I Simba mi conoscono e prima di sera avrei lasciato questa valle di lacrime. Come sai, i piloti li ammazzano tutti perché si sentono impotenti contro qualunque macchina volante che può trasportare in tempi brevi contingenti di militari e di mercenari alle loro spalle. Salite.»

I due belgi salirono e finalmente si sentirono davvero in salvo. Renzo mise in moto, rullò sulla pista e decollò rapidamente. Coprì i centoquaranta chilometri che separavano Usumbura da Shangugu, l'aeroporto burundese di Bukavu, in poco meno di un'ora.

Durante la traversata Renzo si era messo in contatto via radio con il collegio dei gesuiti a Bukavu informandoli del loro arrivo. Appena furono atterrati trovarono all'uscita un pick-up Chevrolet del collegio che attraversò la diga idroelettrica che sbarrava il Ruzizi alla punta meridionale del lago Kivu e si trovarono in territorio Bashi raggiungendo Bukavu in meno di mezz'ora.

Il superiore dei gesuiti li accolse con cordialità ed evidente sollievo. Tutti e quattro passarono la notte nel collegio e Marco ebbe la possibilità di leggere la sua posta che aveva lì il suo recapito. Il superiore del collegio era autorizzato ad aprirla ed eventualmente a comunicargli il contenuto via radio, se lo riteneva necessario. Benché fosse stanco morto restò sveglio fin quasi a mezzanotte scorrendo una lettera dopo l'altra, poi crollò vinto dal sonno sul divano sul quale si era seduto.

La mattina seguente, all'alba, fu svegliato dal superiore in persona: «Venga padre Marco, c'è un messaggio radio urgente che abbiamo appena trascritto».

Marco si rivestì mentre il superiore gli riassumeva la chiamata giunta un quarto d'ora prima: «La chiamata è da Cibitoke in Burundi da parte di tre padri: Traina, Bonetti e Saltini, il predicatore degli esercizi. Sono fuggiti da Uvira un paio di ore fa, hanno attraversato il fiume e raggiunto Cibitoke. Sono scioccati, stravolti, soprattutto il predicatore degli esercizi spirituali...».

Marco scosse il capo con un ghigno amaro: «Il predicatore degli esercizi...» ripeté fra i denti. «Deve aver cambiato idea...»

Il superiore proseguì: «I Simba sono arrivati ieri, dopo il tramonto, e si sono installati nel municipio che, come sa, è proprio davanti al vescovado ed è cominciata la mattanza: il sindaco, i consiglieri, i maestri di scuola, i funzionari, i commercianti locali...».

Intanto Marco aveva finito di vestirsi. Il superiore del collegio lo fece passare dalla cucina, dove lo attendevano la prima colazione, provviste al sacco e qualche bottiglia di birra dentro un contenitore termico per il viaggio. Si sedette di fronte a lui e a un caffè fumante e gli mise sotto la trascrizione della chiamata radio che Marco scorse rapidamente.

«Fuori c'è il pick-up con il pieno» disse. «Cerchi di raggiungere Cibitoke al più presto. Alla missione dei padri Bianchi, li trova lì.»

«Non ci sono vittime fra i partecipanti agli esercizi spirituali, o fra il clero della città, o le suore?» domandò Marco.

«Incredibilmente no. E non so come spiegarmelo. Hanno sequestrato i dirigenti delle fabbriche di cotone e di zucchero con il pretesto di proteggerli da bande di fanatici pericolosi. Può darsi che, strada facendo, saltino fuori altri particolari. Non si lasci sfuggire nulla. Ci sarà un incontro al suo ritorno con il vescovo di Bukavu e con il nunzio apostolico. Parta appena possibile, ogni minuto è prezioso anche se Cibitoke è al sicuro.»

Marco bevve gli ultimi sorsi di caffè e uscì assieme al superiore in cortile, dove lo attendeva il pick-up.

«Acqua e olio?» domandò.

«Tutto controllato» rispose il superiore. «Può partire all'istante.»

Marco gli strinse la mano, si sedette alla guida e si avviò in direzione della diga. La attraversò nel senso contrario e, passato in territorio rwandese, virò a sud raggiungendo Cibitoke. Trovò i suoi confratelli nella missione dei padri Bianchi che lo accerchiarono abbracciandolo e stringendogli le mani.

«È il cielo che ti manda» diceva padre Saltini.

«Nella fattispecie è il superiore del collegio dei gesuiti a Bukavu che vi manda la sua benedizione. Se avete già preparato i vostri bagagli possiamo ripartire subito, altrimenti vi aspetto» rispose Marco.

Mentre Traina, Bonetti e il predicatore degli esercizi spirituali raccoglievano le loro poche cose, Marco ringraziò il superiore della missione per l'ospitalità e l'accoglienza e si accostò al pick-up per fare accomodare i tre padri. Bonetti e Traina erano calmi, mentre Saltini aveva ancora negli occhi le immagini del massacro, delle torture, negli orecchi le urla di dolore e i rantoli di agonia.

«Come mai vi hanno risparmiati?» chiese Marco.

Rispose Traina: «Per quanto ci riguarda, siamo partiti con un camioncino; ho detto ai capi Simba che eravamo diretti a nord verso Kamanyola, dove erano fuggiti i regolari dell'Armée aprendosi la via con le mitragliatrici e i fucili d'assalto e che durante il viaggio avremmo curato i numerosi Simba feriti che si dissanguavano ai lati della strada. Ci hanno dato dei lasciapassare e così, giunti a Kiliba, abbiamo deviato verso est raggiungendo il fiume Ruzizi. Lì abbiamo abbandonato il camioncino e, con le piroghe dei pescatori del luogo, abbiamo potuto attraversare il fiume e arrivare fin qui».

Marco si sedette al volante e partì in direzione nord verso Shangugu e Bukavu.

Il padre Saltini non aveva più parlato da quando era arrivato Marco con il suo pick-up. Se ne stava rannicchiato sul sedile anteriore assieme a padre Traina mentre Bonetti si era sistemato sul cassone posteriore. Guardava i campi coltivati a tè e caffè che si estendevano verso oriente. Sembrava in trance.

«Il vescovo e gli altri padri sono tranquilli? Nessuno li molesta? E le suore?» domandò Marco.

«Per ora tutto è tranquillo» rispose Traina. «Ma temo che sia una calma apparente.»

«Apparente?» sbottò finalmente il predicatore. «Può succedere il disastro da un momento all'altro: quelli stanno solo pensando a come ammazzarli tutti. Noi siamo vivi per miracolo! Per tutta la notte ho sentito urla di strazio. Non ho chiuso occhio. La mattanza è cominciata nel pomeriggio subito dopo l'arrivo dei Simba nella piazza fra il municipio e il vescovado.» Gli tremava il mento, gli occhi erano sbarrati e umidi di lacrime.

«A molti tagliavano la gola» ricominciò, «il sangue ricadeva dentro ai polmoni e veniva rigurgitato con le ultime contrazioni dell'agonia. Il pavimento è diventato presto tutto rosso. Quei poveracci imploravano; ai bordi della piazza le donne e i bambini gridavano che si lasciassero liberi i loro padri e i loro mariti che non avevano fatto nulla. Altri venivano trafitti al petto con le lance, passati da parte a parte...»

«Basta, padre!» gridò Traina fuori di sé. «Ne abbiamo visto abbastanza di sangue e di orrore. A che serve richiamare quel massacro?»

«Voglio che capiscano tutti!» urlava Saltini. «Dobbiamo fare qualcosa!»

Marco si volse verso di lui: «Stiamo facendo qualcosa. Sono venuto a prendervi e vi porto a Bukavu. Poi ci sarà presto un incontro con le autorità religiose e militari per trovare una soluzione a questa situazione. Qualcosa faremo di sicuro».

Padre Saltini sembrò calmarsi per un poco, ma poi riprese: «La piazza era diventata un mattatoio, c'erano solo due lampioni accesi: i prigionieri erano sagome nere come anime dannate. Rantoli e singhiozzi, grida disumane, urla di chi era mutilato o atrocemente torturato! Dobbiamo fare qualcosa!» ripeté fra i singhiozzi. Si rannicchiò contro lo schienale tremando.

Quando Dio volle arrivarono a Bukavu. Marco fece scendere Bonetti e Traina, mentre il predicatore sembrava si fosse assopito. Marco decise allora di passare prima da monsignor Van Steene, vescovo della città, per metterlo al corrente di quanto era accaduto durante la notte. Quando lo incontrò, si rese conto che era già sufficientemente informato. Gli chiese anche di fare pressioni per evacuare il vescovado di Uvira.

«Purtroppo non posso che insistere con Vezzali perché metta al sicuro se stesso, le suore e i missionari.»

«Allora speriamo nel vertice di domani per trovare una soluzione.»

Si salutarono e Marco fece la sosta successiva alla residenza del superiore del suo ordine a Bukavu per chiedergli di organizzare un volo per l'Italia.

Padre Saltini scese dal pick-up e si congedò a sua volta da Marco: «Lo sai, io sono autore di molti libri di pensiero spirituale...».

«Lo so» rispose Marco, «e vorrei tanto avere il tempo per leggerli.»

Saltini era cambiato, sembrava più calmo e freddo, non era più scosso dal tremito: «Ah sì?» disse, «allora lasci che le dica che dopo quello che ho visto questa notte, se li avessi qui ora li brucerei tutti».

«Cerchi di riposare, padre Saltini» rispose Marco. «Qui è in buone mani.»

19

Marco andò a dormire tardi e stentò a prendere sonno. Lo sconvolgimento di padre Saltini e l'espressione disperata con cui si era congedato da lui la sera precedente lo avevano profondamente turbato. Al vecchio sacerdote era bastata la vista del massacro di Uvira per ritenere inutile il suo lavoro di ricerca su Dio di una vita intera. Lui invece si assuefaceva ogni giorno di più alla ferocia degli esseri umani e alle loro atrocità? Pensava quasi a mente fredda a ciò che lo attendeva nel prossimo futuro, a scontri sempre più duri e crudeli, a immagini e suoni di strazio, a lutti e stragi senza fine, a giovani vite stroncate, a innocenti falciati dall'odio e dalla sete di vendetta.

Ma l'indomani lo aspettava un compito grave e doveva presentarsi lucido e possibilmente riposato. Quando finalmente si addormentò precipitò in un sonno profondo e impenetrabile, senza sogni. Solo per un momento ebbe l'impressione di essersi svegliato, di aver aperto gli occhi e di essersi trovato davanti un uomo giovane di aspetto e aitante, vestito di una uniforme militare mimetica con cinturone e pistola. Gli parve, nella luce incerta dell'alba, che fosse Louis. Ma non fece a tempo a pronunciare il suo nome che già era svanito. In seguito pensò che si fosse trattato di un sogno o di un'allucinazione.

Il superiore del collegio dei gesuiti gli aveva preannunciato un incontro cruciale con persone di alto livello e di grandi responsabilità: oltre a lui stesso, il padre predicatore degli esercizi spirituali Saltini, i due vescovi delle province del Kivu e del Maniema, il padre Van Groove, superiore dei padri Bianchi, e il superiore del collegio dei padri gesuiti. Monsignor Clairmont, vescovo della diocesi di Kasongo, che era ben al corrente di come Marco avesse salvato da mortale pericolo padre Thiago, rimasto solo custode della missione dei padri Bianchi. Monsignor Van Steene, vescovo di Bukavu, non aveva mai dimenticato l'uccisione di due suoi missionari tre anni prima.

Lo scopo della riunione era di esaminare la situazione del vescovo, dei missionari e delle suore di Uvira, di fatto prigionieri e ostaggi dei Simba.

Parlò per primo padre Saltini, decano del gruppo, che tra l'altro non aveva chiuso occhio tutta la notte, ed esordì in francese con uno stile molto formale: «Reverendissimi padri ed eccellentissimi vescovi; mai mi sarei aspettato, quando ebbi l'idea di predicare gli esercizi spirituali in questo distretto, che avrei assistito a uno spettacolo così crudo, atroce e orrendamente cruento. Vi confesso, e il qui presente padre Marco Giraldi mi è testimone, che ho pensato di aver sprecato il mio tempo nello scrivere libri di spiritualità che non mi hanno aiutato per nulla ad affrontare le immagini a cui ho dovuto, mio malgrado, assistere, le grida strazianti che ho dovuto ascoltare, i gemiti e le invocazioni di innocenti macellati come bestie, uomini mutilati e decapitati».

Aveva le lacrime agli occhi mentre pronunciava quelle parole. I due vescovi sembrarono dapprima imbarazzati da quella prosopopea e Saltini, che era un uomo fine di intelletto, se ne accorse immediatamente e cambiò stile.

«Sono rimasti laggiù un vescovo di cui sono stato in passato maestro, una dozzina di padri e una decina di suore sia belghe che italiane e vi scongiuro di farvi carico di queste persone. Bisogna salvarle a ogni costo da maltrattamenti e torture e infine da una morte orrenda. Il problema, a mio avviso, è che se ci fosse un tentativo di azione militare per liberarli verrebbero subito uccisi dai loro carcerieri e questo deve essere evitato a tutti i costi.»

Prese allora la parola monsignor Van Steene, un belga di etnia fiamminga, uomo di grande esperienza ed equilibrio, noto per gli importanti contatti che aveva sia a Bruxelles che a Roma dove già aveva preso parte a due sedute del Concilio Ecumenico indetto da Giovanni XXIII: «La presa di Uvira da parte dei ribelli ha creato una situazione drammatica. Uvira è di fatto il porto di Bukavu, che è il capoluogo del Kivu e sua unica via di rifornimento. Poiché Uvira è caduta, la caduta di Bukavu è solo questione di tempo. Ho saputo dal nunzio apostolico monsignor Solari che il generale Mobutu, capo di stato maggiore dell'Armée Nationale Congolaise, ha ordinato al colonnello Mulamba, che ha il controllo di tutte le guarnigioni di stanza nel Kivu, di riprendersi Uvira a tutti i costi, se necessario anche facendo uso dell'aviazione per bombardare la città».

«Ma questa sarebbe la fine!» esclamò padre Saltini.

«È così» confermò Marco. «Il semplice sorvolo della città provocherebbe l'immediata uccisione di tutti gli ostaggi.»

«E dunque?» domandò monsignor Clairmont.

«Sua eccellenza Solari» rispose Van Steene «suggerisce che padre Marco Giraldi chieda udienza al colonnello Mulamba per concordare un'azione preventiva e segretissima e liberare gli ostaggi prima di una offensiva dei regolari per la riconquista di Uvira.»

Marco accolse con sorpresa la notizia che Solari lo avesse inserito in modo così perentorio e improvviso in una situazione tanto delicata che lui, in qualità di nunzio apostolico, avrebbe potuto gestire con maggior cognizione di causa e autorevolezza.

Saltini notò l'espressione di Marco e fece per intervenire, ma nello stesso istante un cameriere bussò alla porta e si avvicinò a monsignor Van Steene sussurrandogli qualcosa all'orecchio. Van Steene lo congedò con un cenno della mano ma la sua espressione diceva che aveva appena ricevuto una notizia importante: «Sua eccellenza Solari è atterrato in Burundi, a Usumbura, e ci fa sapere che padre Marco è convocato d'urgenza alla sua presenza. Il motivo è quello che tutti immaginiamo».

A quel punto la riunione si concluse rapidamente perché non c'era alcuna iniziativa che quel piccolo consiglio potesse prendere che il nunzio non avesse già preso. Van Steene disse soltanto: «Padre Marco ha già condotto a termine brillantemente la missione di riportare a Bukavu padre Thiago, rimasto solo a Kasongo dopo l'evacuazione dei padri Bianchi, pur avendo fronteggiato assieme al suo confratello il plotone d'esecuzione per più di un'ora.»

Marco sorrise pensando a quell'impresa e in particolare all'assoluzione reciproca che lui e Thiago si erano amministrati *in articulo mortis* per lo stesso peccato. In fin dei conti viaggiare in compagnia di quello spagnolo temerario era stato un piacere.

Il giorno successivo Marco si presentò al comandante di tutti i presidi del Kivu, colonnello Mulamba, e si accorse subito che era una persona intelligente ed equilibrata con cui si poteva ragionare. Si era alzato andando verso di lui con la mano tesa e gliela aveva stretta con energia. Alto sul metro e ottanta, volto squadrato, spalle larghe, indossava un'elegante uniforme stirata di fresco.

«Cosa posso fare per lei, padre?» domandò sorridente. «Non sono credente, ma sono di quelli che pensano che i missionari abbiano fatto solo del bene a questo paese.»

«Lo penso modestamente anche io» rispose sorridendo Marco.

«Qual è quindi il motivo della sua visita?»

«Mi risulta da fonte affidabile che lei ha l'ordine dal capo di stato maggiore di riconquistare Uvira al più presto e con ogni mezzo, incluso il bombardamento aereo.»

«La sua fonte le ha dato informazioni quasi esatte... L'ex padre Louis?»

«Non lo vedo da molto tempo. Il lutto crudele che ha dovuto sopportare lo ha quasi distrutto...»

«Continui...»

«Devo far uscire da Uvira il vescovo, i missionari, le suore e forse anche i catechisti, se ci riesco, prima che si scateni l'inferno. Per questo ho bisogno di tempo.»

«Perché non lo ha fatto prima?»

«Perché non mi è stato possibile.»

«Risposta diplomatica. I missionari mi piacciono perché se la cavano in tutte le situazioni.»

«Lei è molto gentile e questo mi incoraggia non poco.»

«Non mi sta chiedendo una cosa da nulla, lei mi chiede di disobbedire a un ordine del capo di stato maggiore.»

«Le chiedo solo un po' di tempo, colonnello.»

«Quanto?» Mulamba prese un sorso di tè e una sigaretta dal pacchetto di Gitanes, e mentre sbuffava una nube di fumo aggiunse: «Non mi dica "quanto basta" perché le direi di no».

«Tre, quattro giorni» rispose Marco.

«Tre o quattro?»

«Quattro... a partire da domani.»

«Da ora» lo corresse Mulamba guardando l'orologio. «Posso offrirle una sigaretta? Il tempo le viene scontato.»

«Non fumo» disse Marco. «Grazie, comunque. Ah, dimenticavo, non dovrebbe esserci nessun volo di ricognizione se è possibile: sarebbe come bombardarli e si rifarebbero sui nostri. Sa cosa intendo dire.»

Mulamba annuì: «Nient'altro?».

Marco esitò per un poco poi rispose: «Posso avere un'arma? Una pistola, per esempio. Gliela restituirò».

Mulamba gli porse la sua: «Una Colt 45. Può andare?».

Marco la prese: «Senz'altro».

«Bene, allora. Faccia attenzione: è carica.»

Si strinsero la mano, poi Marco uscì in strada, nascose la pistola sotto il sedile della sua camionetta, mise in moto e si diresse verso il ponte sulla diga del Ruzizi.

Passò il posto di frontiera del Rwanda, girò a destra e si diresse a tutta velocità verso Usumbura, in Burundi, dove lo aspettava il nunzio apostolico. Non arrivava a mani vuote e questo era già un bel vantaggio.

«Come va, ragazzo?» domandò il nunzio.

«Non male, eccellenza, date le circostanze. Mulamba non premerà il grilletto finché non avrò tirato fuori i nostri da Uvira.»

«Hai un piano?»

«Sì e no. Ma ora che sarò arrivato ce l'avrò e li tirerò fuori, stia certo.»

«Io ho qualcosa» disse porgendogli una lettera. «Questa è di mio pugno ed è per Soumialot, vale a dire per il governatore di Uvira. Gli chiedo un lasciapassare per tutti e tu li farai uscire, a parte tre missionari che dovranno rimanere per non abbandonare la popolazione. Ti aspetterò qui finché non arriverete. Renzo è a disposizione con il Piper. Quanto tempo hai?»

«Quattro giorni, ma l'orologio sta ticchettando già da tre ore.»

«Allora parti subito. E che Dio ti benedica.» Tracciò un segno di croce e gli batté una mano sulla spalla.

Marco ripartì, raggiunse il ponte sul Ruzizi e passò dall'altra parte, in Congo. Gli venne in mente la frase di Cesare sul Rubicone e sorrise fra sé. Appoggiata sul sedile del passeggero aveva la lettera per Soumialot sigillata con l'emblema della Santa Sede per conferire al destinatario una dignità superiore.

A metà del ponte mostrò i suoi documenti ai due Simba che presidiavano il confine e quelli lo fecero passare. Si recò direttamente al municipio senza fermarsi al vescovado che pure era di fronte. Le macchie di sangue dell'ultimo massacro ancora chiazzavano i muri degli edifici e la pavimentazione della piazza.

Giunto davanti alla porta principale chiese alle guardie di incontrare Soumialot perché aveva un messaggio da parte del rappresentante del papa. Il che era la pura verità, anche se manipolata a effetto. Marco fu condotto quasi subito alla presenza di Soumialot, che aprì la lettera con l'arma pontificia e la scorse attentamente: era forse il primo documento ufficiale che riceveva nelle sue funzioni di leader delle forze ribelli e di governatore di Uvira.

Finito che ebbe di leggere si rivolse a Marco: «*Père Marco, je vous garantis le pass pour conduir votre évêque et votres frères dans le Burundi. Attendez seulement dix minutes et tout va être prêt*».

La lettera del nunzio apostolico aveva ottenuto il suo scopo: il governatore garantiva un lasciapassare per Vezzali e gli altri confratelli verso il Burundi. Questione di dieci minuti.

Marco annuì e attese in piedi davanti alla scrivania a cui Soumialot si era seduto per scrivere il documento.

«Voilà» gli disse porgendogli il foglio con la sua firma. Marco ringraziò e lo ripose nella tasca interna della giacca, poi, scortato da due Simba, fu accompagnato al vescovado.

L'incontro con il vescovo non fu facile. Vezzali lo accolse con parole al limite dello sprezzante: «Che cosa sei venuto a fare qui? Chi ti ha chiesto di intervenire? Come puoi vedere non c'è bisogno di azioni eclatanti. La situazione è tranquilla e il tuo intervento non può che compromettere i delicati equilibri che con fatica sono riuscito a stabilire con le autorità che governano la città».

«Delicati equilibri? Ma di che cosa sta parlando?» sbottò Marco. «Le mura della piazza qua fuori sono ancora imbrattate di sangue come quelle di un mattatoio. E la vostra vita è appesa a un filo. Ho l'incarico da parte del nunzio apostolico, dei due vescovi del Kivu e del Maniema, del superiore del collegio dei gesuiti e di padre Saltini di portarvi fuori di qua a tutti i costi. Ho un lasciapassare di Soumialot per tutti i presenti in questo vescovado e sono riuscito a strappare, in via del tutto riservata, al colonnello Mulamba una moratoria alle operazioni militari di riconquista di Uvira, evento che farebbe precipitare la situazione e scatenerebbe su di voi la rappresaglia dei ribelli.»

«Io non ho avuto alcuna informazione da questi signori» rispose piccato il vescovo, «né sono stato avvertito del tuo arrivo. Quello che tu mi proponi è più rischioso che restarsene tranquilli dove siamo. E dunque non prenderò alcuna decisione in questo senso.»

«Lei si assume la responsabilità delle vite di tutte le persone che si trovano in questo vescovado» replicò Marco.

«So quello che faccio e non ho alcuna intenzione di fidarmi delle tue millanterie.»

«Benissimo!» replicò Marco. «Allora convocherò io, immediatamente, una riunione dei presenti a cui potrà prendere parte anche lei, se vuole. E porterò via quelli che vorranno seguirmi.»

«Ricorrerò a misure disciplinari nei tuoi confronti» strillò Vezzali, «se oserai farlo.»

«Faccia quello che vuole» rispose Marco a muso duro, poi si diresse verso il refettorio, dove a quell'ora erano tutti riuniti per pranzo, e cominciò a parlare: «Abbiamo notizie che è imminente una grande offensiva dell'esercito congolese per riconquistare Uvira e questo provocherà certamente una rappresaglia da parte degli attuali occupanti, che finora vi hanno risparmiati. Sono stato incaricato dal nunzio apostolico, dai vescovi del Kivu e del Maniema e da padre Saltini di portarvi in salvo e ho qui un lasciapassare del governatore Soumialot che ci consente di varcare il confine con il Burundi e di raggiungere quindi l'aeroporto di Usumbura per farvi proseguire per il Belgio e l'Italia. Chi vuole venire deve partire con me immediatamente».

Cinque suore e tre padri si alzarono e si misero a fianco di Marco, che li fece salire sulla camionetta con cui era arrivato a Uvira. Il vescovo Vezzali comparve in quel momento, appena in tempo per vederli andare via.

In poco più di mezz'ora Marco raggiunse il ponte sul Ruzizi e si fermò per mostrare alle guardie il lasciapassare di Soumialot. Uno dei due lo scorse con lo sguardo, ma scosse la testa e disse che dovevano tornare indietro perché non era regolare.

Marco vide negli occhi dei suoi compagni di viaggio confusione e sgomento e si sentì inadeguato al compito che gli era stato affidato. Aveva fatto tutto quello che era necessario: prima il consiglio dei vescovi e dei superiori, poi aveva convinto Mulamba, quindi aveva ottenuto il lasciapassare da Soumialot e neutralizzato Vezzali. Dov'era che aveva sbagliato? E che poteva fare adesso?

L'unica soluzione era raggiungere Ramazani, il capo militare dei ribelli a nord, seguendo il Ruzizi sulla sponda occidentale.

«Dobbiamo risalire il fiume dalla parte congolese e arrivare a Kamanyola, dove c'è il grosso delle truppe ribelli» cercò di spiegare ai suoi passeggeri, «finché non troviamo il comandante militare Ramazani e gli chiediamo di rilasciarci un altro permesso e quindi ritornare al ponte sul Ruzizi per raggiungere Usumbura in Burundi.»

Le suore e i padri accettarono il nuovo piano anche perché sembrava non esserci alternativa, e Marco imboccò la strada per il nord.

Il viaggio fu abbastanza tranquillo, nessuno li fermò e il gruppetto arrivò a destinazione verso le tre del pomeriggio.

Il comandante militare ricevette "*le père Marco*" mostrandosi disponibile ad aiutarlo e diede un'occhiata anche al lasciapassare di Soumialot.

«Se vi do un altro lasciapassare» disse, «può succedere di nuovo la stessa cosa: gli uomini di guardia non osano accettare un documento che non sanno come interpretare. La soluzione migliore è che io mandi con voi uno dei miei uomini in uniforme: nessuno oserà contraddirlo.»

Marco non ne era tanto sicuro: le discordie interne al movimento ribelle facevano sì che i sostenitori di una parte sabotassero quel che aveva fatto la parte rivale, ma non aveva scelta. Fece accomodare l'uomo in uniforme, stipò le cinque suore e i tre padri sulle panche del cassoncino posteriore e risalì assieme all'uomo di Ramazani riprendendo la via del sud.

Ma al punto di passaggio verso Usumbura si presentò un altro ostacolo: due guerrieri Simba armati di lancia e più avanti un massiccio posto di blocco. Il militare inviato da Ramazani cercò invano di parlamentare con il responsabile, ma dovette tornare indietro con un nulla di fatto.

Le suore sul sedile posteriore cominciarono a piangere. Marco era sicuro che in quel momento avrebbero preferito non essersi mai mosse dalla missione di Uvira. Meglio con Vezzali? Fece un rapido referendum tra i suoi passeggeri e la maggioranza dichiarò di voler tornare indietro. Non aveva altra scelta che mettere in libertà il militare in uniforme, tornare a Uvira e subire i sarcasmi e le reprimende del vescovo Vezzali.

«Allora, signor factotum? Già di ritorno? Te lo avevo detto che non aveva senso tutto quell'agitarsi: qui non ci sono né pericoli né problemi e la situazione è tranquilla. Non abbiamo nessun bisogno di te.»

Marco ingoiò il rospo ma tenne consiglio ugualmente una seconda volta e tutti e tre i padri e due delle suore si dissero disposti a ritentare.

I due Simba erano ancora di guardia e fermarono la camionetta accusando Marco di essere una spia e non un padre missionario. Marco tentò di convincerli mostrando anche gli altri padri e le suore, ma quelli furono irremovibili: gridavano sempre più forte e Marco temeva che volessero richiamare l'attenzione di altri compagni o dei loro comandanti. Gli parve anzi di vedere del movimento a poca distanza verso il centro del ponte. Non aveva nessuna voglia di tornare di nuovo alla missione di Uvira, a fare ammenda con il vescovo Vezzali e fallire ancora nel tentativo di portare in salvo almeno quelli che aveva con sé nella camionetta. Era disposto a tutto e la mano gli scivolò quasi senza volere sotto il sedile, dove percepì il freddo contatto con la canna della Colt 45. In quel momento, come per una rivelazione, Marco riconobbe il guerriero che aveva parlato: era un suo ex allievo delle scuole tecniche. Lasciò allora la pistola dove si trovava e scese dalla camionetta.

«Sei un bastardo!» gridò. «Lo sai benissimo chi sono: e adesso fammi passare!»

«Non posso» rispose il guerriero. «Ho ordine di non far passare nessuno.»

Le suore e due dei padri lo supplicavano di tornare indietro: «Marco» disse uno dei due, un ligure di nome Parodi, «le abbiamo tentate tutte. Lo vedi anche tu che non c'è niente da fare».

Ma ormai Marco non ne poteva più. Si avvicinò al guerriero e gli sferrò un pugno formidabile quanto inatteso in pieno viso e subito dopo al suo compagno, che aveva accennato un moto di reazione. Caddero a terra uno dopo l'altro.

Improvvisamente si sparse la voce che i soldati del Burundi avevano caricato i posti di blocco dei ribelli seminando il panico.

Marco rimontò sulla camionetta, mise in moto e lentamente cominciò ad attraversare il ponte sul Ruzizi contro la corrente dei Simba del nutrito posto di blocco con armi automatiche che aveva bloccato il passaggio fino a quel momento. Attorno alla camionetta, a destra e a sinistra, sfilava una calca di ribelli in fuga senza che si capisse da cosa fuggissero.

Ci volle quasi mezz'ora per arrivare dall'altra parte, ma a quel punto un ultimo drappello circondò la camionetta e con le armi spianate intimò agli occupanti di scendere.

«Fate come dice» ordinò Marco, «vogliono solo il nostro mezzo.»

Mentre i ribelli cominciavano a contendersi il veicolo appena conquistato, Marco e i suoi raggiunsero il posto di frontiera con il Burundi a piedi.

Marco tirò un sospiro di sollievo.

«Siamo salvi» disse.

20

L'idea di padre Saltini era piaciuta molto a monsignor Vezzali. Raccogliere tutti i missionari nel vescovado di Uvira doveva avergli dato grande soddisfazione, come a un generale che passa in rassegna il proprio esercito. Ma così facendo, contro il parere di Marco, aveva radunato tutte le pecore nella tana del lupo come se fosse stato ispirato da un dio beffardo. Tutti tranne uno: un tale Secondo Vivarelli.

Secondo di nome e di fatto, dopo Marco che era rimasto immobile a Mwenga. Lui, il missionario di Kiringye a nord di Uvira, aveva supplicato il vescovo di lasciarlo nella sua missione dove tutti avevano bisogno di lui: i feriti delle continue sparatorie – regolari dell'Armée e ribelli Simba – che curava senza distinzione, ma se i singoli gli erano grati di averli ricuciti e rabberciati alla meglio, i vari gruppi e le varie fazioni lo disprezzavano perché curava anche gli avversari.

Marco lo aveva conosciuto già durante gli studi di Teologia a Parma, ma poi si erano persi di vista. Di fatto non erano mai stati separati da spazi immensi: solo da cento, duecento chilometri al massimo, ma i loro movimenti, le loro sedi di missione, i loro incarichi avevano fatto sì che non si incontrassero quasi mai.

Dopo aver passato il ponte sul Ruzizi a nord di Usumbura, Marco riuscì a trovare un altro mezzo messo a disposizione dal nunzio Solari. Quando glielo consegnò, un Chevrolet quasi nuovo e ben attrezzato, gli disse: «Sei stato fenomenale. Non so come tu abbia fatto a portare in salvo le persone che si sono affidate a te contro gli ordini e il parere del vescovo».

«Avrei voluto portarli tutti in salvo. Ho fallito.»

«Sciocchezze, Marco. Nessun altro sarebbe mai riuscito in quell'impresa... Ma è vero che hai steso a cazzotti due Simba armati di lancia?»

«Mi hanno fatto uscire dai gangheri. Cosa dovevo fare? Spararargli in testa? Avevo già quasi impugnato la Colt. Carica. Ero pronto a tutto.»

Solari lo guardò come se lo vedesse la prima volta: indossava la talare bianca ma in modo strano, diverso, quasi... fuori ordinanza. Aveva due spacchi sui lati fino alle ginocchia, mostrava sotto l'orlo una buona spanna di pantalone ed era stretta in vita da un cinturone. Gli ricordava qualcosa, ma che cosa?

«Ora ascoltami» disse. «Quando Vezzali ha ordinato a tutti di concentrarsi a Uvira in vescovado, due soli hanno disobbedito: tu e Vivarelli. Di te non mi sono mai preoccupato perché nemmeno il diavolo in persona ti mette paura, anzi è lui che ha paura di te. Ora però Vivarelli ha fatto una scelta temeraria. Restare tutto solo a nord di Uvira, a Kiringye. È ancora vivo per miracolo: ha detto che il pastore non abbandona il proprio gregge nel momento del pericolo e che senza di lui non rimarrebbe nessuna forma di assistenza a Kiringye. Che ne dici?»

«So com'è fatto Vivarelli: quando eravamo in seminario era il più devoto e fervente di tutti. Adesso è un eroico testardo. Non si rende conto che la sua morte sarebbe un sublime sacrificio ma non è detto che servirebbe a qualcosa.»

«Te la senti?» domandò il nunzio.

«Me la sento, sì.»

«Domani?»

«Domani. Jeep con il pieno, acqua e provviste.»

«Contaci» rispose il nunzio. «Mulamba mi ha anche promesso una blindo e un camion con dei militari.»

«Questa volta facciamo le cose in grande.»

«La zona è circondata dai ribelli.»

«Ma sia ben chiaro che comando io, eccellenza. Glielo dica.»

«Già fatto» rispose il nunzio. «Sveglia alle quattro.»

La spedizione partì senza inciampi poco prima dell'alba e si diresse verso Kiringye. Non ci furono scontri con i ribelli che pure erano presenti nell'area, e comunque i soldati dell'Armée non avevano nessuna voglia di occuparsi di padre Vivarelli, considerato come un sostenitore dei ribelli. Marco non si preoccupò più di tanto e alla prima sosta si consultò con il comandante della pattuglia militare che stava sul camion.

«Impiegheremo il minor tempo possibile. Non devono neanche accorgersi della nostra presenza. State al riparo della vegetazione con le armi alla mano, i suoi uomini davanti distesi nel bush, la blindo dietro a coprirvi le spalle e lasciate entrare solo me con la jeep nel villaggio. Sarà questione di pochi minuti.»

«E se non vuole?» domandò l'ufficiale.

«Gli farò cambiare idea. Se non basta le farò un segnale con la mano, così» mosse la mano alzata da destra a sinistra «e mi manderà subito due uomini per caricarlo sul camion. Ma non credo che sarà necessario.»

Marco si rese conto che stava comandando una unità militare e che gli altri gli obbedivano. Accelerarono la marcia al massimo e la macchina di Marco cominciò a distanziarli essendo più leggera e veloce. Gli altri due mezzi seguivano la nube di polvere alzata dal suo pick-up.

Sentì gracchiare la radio: «Marco, mi ricevi?».

«Ti ricevo, Renzo, ma non ti vedo: sei da queste parti?»

«No, ma non sono lontano. Vuoi che mi avvicini?»

«Per l'amor del cielo, no! Se ti vedono lo ammazzano subito.»

«Ricevuto. Mi tengo alla larga.»

«La vedi Kiringye?»

«Sì, siete a tiro ormai: non più di un quarto d'ora.»

«Bene. E adesso levati di torno con quel calabrone, ma chiama subito Secondo. Digli di farsi trovare pronto con le valigie davanti alla missione.»

«Eseguo» rispose Renzo. «Passo e chiudo.»

Marco rallentò un poco per non allontanarsi troppo dagli altri mezzi. Ma quando Kiringye, dopo una decina di minuti, gli apparve alla vista accelerò di nuovo e si infilò per la via principale. Secondo stava uscendo dalla chiesa in quel momento. E Marco lo chiamò: «Secondo! Hai preparato i bagagli?».

«Marco!» gridò padre Vivarelli. «È Dio che ti manda.»

«E i bagagli?» chiese ancora Marco, che aveva una fretta indiavolata. Aveva lasciato il motore acceso e guardava il suo orologio, quello che gli avevano regalato per la cresima.

«Faccio in un attimo» rispose il suo amico. Entrò nella sede della missione e in breve tempo riapparve con una valigia, un sacco e uno zaino pieni stipati. Marco nel frattempo approfittò per dare un'occhiata in chiesa. Ma uscì subito, avendo udito urla e rumori dall'esterno che non promettevano niente di buono.

«Monta» gridò Marco sentendo il rumore di qualcuno che arrivava. Ribelli, dalle voci e dalle parole.

Caricò i bagagli sul cassone, fece sedere Secondo al posto a fianco della guida e partì a tutta velocità: il recupero di Secondo Vivarelli era durato sette minuti.

Una volta rientrati a Bukavu, Marco ringraziò i militari dell'Armée per la copertura che gli avevano fornito, poi andò a rapporto da Solari.

Il nunzio lo abbracciò: «Ottimo lavoro, Marco, ma ci aspetta ben altro. Adesso riposati un po', poi ci vediamo per cena».

Marco si concesse un'oretta di riposo nella foresteria dei gesuiti, poi raggiunse di nuovo Vivarelli. Parlarono a lungo perché non lo avevano mai fatto e perché il padre Secondo Vivarelli si era messo in testa che Marco lo aveva mandato Dio in persona a salvarlo, come se gli avesse detto: "Non ti preoccupare, Secondo, ti mando Marco, che lui non ha paura nemmeno del diavolo". Aveva visto che l'intera città e la missione erano circondate dai ribelli ed era convinto che fosse giunta per lui l'ultima ora.

«Avevo salito i gradini dell'altare» disse, «e avevo congiunto le mani e appoggiato la testa al tabernacolo. Non volevo scappare, volevo restare ad aiutare la povera gente ferita, affamata...»

«Lo so, Secondo, sanno tutti che sei un brav'uomo e hai coraggio da vendere.»

«Sì ma io temevo che se mi avessero torturato non avrei resistito. Ho visto cose che nemmeno puoi immaginare...»

«Le ho viste anche io, Secondo, le ho viste e sono atroci.»

«Per questo chiedevo aiuto. E quando ti ho visto, quando ho sentito la tua voce che parlava in italiano ho detto: "Dio esiste e mi ha ascoltato".»

«Per così poco?»

«Non è poco e ti sono grato. Grato a te e a Dio che ti ha mandato a salvarmi.»

«A proposito di Dio» disse Marco estraendo una scatola di metallo dal suo zaino e porgendola a Secondo: «Qui ci sono ostie consacrate».

Secondo prese in consegna la scatoletta: «Nella confusione della partenza mi ero dimenticato di vuotare il tabernacolo. Grazie anche per questo».

In seguito, padre Vivarelli scrisse una lettera che fece il giro di tutte le missioni, raccontando il salvataggio come un miracolo. Ma, come aveva detto il nunzio Solari, c'era ben altro da fare. La situazione diventava sempre più difficile e pericolosa. Il vescovo Vezzali, i padri e le suore riuniti in vescovado erano ancora ostaggi dei Simba e la tanto sbandierata offensiva dei regolari dell'Armée non si era verificata.

In giugno, quando c'era stata la prima riunione con i due vescovi del Kivu e del Maniema, il superiore dei gesuiti, quello dei padri Bianchi Van Groove, padre Saltini e lo stesso Marco, alla fine era comparso anche il colonnello belga Turenne, consigliere militare di Mulamba, e aveva messo in guardia da una possibile offensiva dei ribelli su Bukavu. Era arrivato anche il viceconsole americano.

Marco, di ritorno dopo il salvataggio del piccolo gruppo che lo aveva seguito da Uvira, aveva portato notizie importanti: aveva visto parecchi consiglieri militari cinesi e anche qualche cubano, magazzini pieni di armi leggere e pesanti, veicoli blindati e dotati di mitragliatrici e in più aveva raccolto qua e là brandelli di conversazioni da cui si poteva pensare che questa offensiva fosse imminente. Altro che riconquista di Uvira! Mulamba doveva difendersi e aveva bisogno di tutte le possibili risorse.

L'offensiva dei ribelli arrivò, non solo da Uvira come pensava qualcuno, ma anche da ovest e nordovest, soprattutto da Stanleyville, e le unità di testa riuscirono a raggiungere il centro di Bukavu occupando anche la stazione radio. Un'agguerrita colonna di ribelli con blindati e armi pesanti lasciò Uvira diretta a nord lungo il Ruzizi per arrivare a Bukavu e ricongiungersi con quelli del nord con una manovra a tenaglia, ma a un certo punto, all'altezza di Kamanyola, cercarono di attraversare il Ruzizi sul ponte e risalirlo poi dalla strada a oriente del fiume, molto più veloce e asfaltata ma tutta in territorio del Rwanda.

Le truppe rwandesi si schierarono a difesa del ponte, equipaggiate con armi pesanti, guidate da ufficiali belgi e appoggiate anche dalle truppe di Mulamba. I Simba, di fatto circondati nei pressi di Kamanyola, subirono una durissima disfatta con molti morti e feriti. I corpi dei ribelli caduti nel Ruzizi, nonostante il gran numero di coccodrilli, finivano spiaggiati sulla riva del fiume dalla parte della città e venivano quindi risospinti dagli abitanti verso il centro della corrente perché li portasse via.

I superstiti retrocessero in territorio congolese e ripresero a risalire la sponda occidentale del Ruzizi fino al fiume Luvubu, ma non poterono attraversarlo perché i Bashi avevano distrutto il ponte dove il fiume marcava il confine meridionale del loro territorio e della loro regina, la Mwami Kazi.

Marco venne anche a sapere che qualcuno aveva chiesto alla Mwami il permesso di far saltare il ponte sul Luvubu.

"Louis" pensò Marco. Ma la Mwami Kazi non glielo confermò mai.

In quel periodo Marco entrò in contatto con personaggi che non avrebbe mai sognato di incontrare: la prima volta fu quando si trovò a esplorare un'area che avrebbe potuto essere presto percorsa da colonne di Simba dirette verso Bukavu. Lo faceva per Mulamba, per restituire il favore che gli aveva permesso di entrare prima a Uvira e poi a Kiringye per salvare amici in pericolo.

Si addentrò nel territorio nordoccidentale con la jeep carica di provviste e di medicinali, quando s'incontrò con un paio di occidentali che vagavano a piedi.

«*Do you speak English?*» gli domandò uno dei due.

«Non molto» rispose a stento Marco. «Che succede?»

Capì in breve che si erano avventurati in quella zona senza conoscerla, ma sapevano che i Simba avanzavano veloci e si rendevano conto di non avere scampo: uno aveva l'aria di essere un agente CIA o qualcosa del genere mentre l'altro sembrava un giornalista e aveva un accento britannico. Avevano abbandonato la loro jeep a qualche chilometro di distanza in seguito a un guasto.

«Se potessi vi darei un passaggio, ma non posso» disse Marco. «Di sicuro però i Simba vi saranno addosso fra un'ora al massimo.»

I due si guardarono costernati.

«Ascoltate: nascondetevi nel bosco; lassù su quella collina potrete trovare ottimi rifugi. Non vi muovete e io vi manderò dei guerrieri Bashi che vi porteranno in salvo. *Understand?*»

Avevano capito. Lo ringraziarono a lungo e si presentarono: l'americano si chiamava Thomas Johnson, l'inglese Frederick Forsyth. Si misero a correre nel sottobosco e presto scomparvero alla vista.

Marco sapeva anche dell'attività dei cubani, di cui tutti sembravano avere una paura tremenda. In realtà non c'era da spaventarsi più di tanto e un giorno, sfruttando il suo colorito scuro, i folti capelli e la barba nera, vestito con camicia e pantaloni grigio-verde, si era facilmente infiltrato in una riunione dei teorici della guerriglia.

Quei giovanotti abituati all'atmosfera della loro isola pittoresca e al carattere solare dei suoi abitanti, allevati nel culto della Rivoluzione e del suo leader Fidel, dovevano sentirsi completamente spaesati in Congo e fra i congolesi nel clima cupo di una violenza sanguinaria e senza senso.

Erano divisi in gruppi, forse secondo i reparti combattenti, e conversavano fra di loro più che dibattere di politica. Marco notò che non c'era nemmeno un africano, ma capì quando prese la parola uno di loro che non poté non riconoscere: la barba, i grandi occhi neri un po' malinconici, il basco con la stella cubana sulla fronte che ne aveva fatto un'icona, l'icona del "Che".

Non ci fu alcuna vibrazione epica fra gli ascoltatori, né vi furono atteggiamenti marziali davanti al condottiero celebrato nelle canzoni popolari. L'umore generale era caratterizzato da grande scoramento, il morale a terra. El Comandante cominciò la sua allocuzione in tono dimesso, tanto che a Marco sfuggivano non poche parole, data anche la sua scarsa conoscenza dello spagnolo. Se avevano sperato in una sollevazione generale al loro arrivo e in un empito di entusiasmo rivoluzionario, si erano dovuti ricredere ben presto.

Nemmeno il Che era riuscito a suscitare il minimo interesse nelle popolazioni locali, né per la rivoluzione proletaria né per la mondializzazione della rivoluzione.

Eccolo lì, pensava Marco, con la stella sul basco e un avana fra i denti, l'idolo dei giovani di tutto l'Occidente, sogno erotico di infinite donne politicizzate. Almeno aveva avuto la ventura di vederlo in carne e ossa. Uno dei presenti disse che gli americani addestravano piloti anticastristi fra gli esuli cubani in Florida. L'uso di quei rinnegati, diceva, li dispensava dal rischiare i loro uomini sul campo. Non ci fu indignazione fra gli ascoltatori, né grida, ma poco più di un rassegnato silenzio. Alla fine il Che pronunciò una conclusione che non si poteva fraintendere, dicendo che in Africa c'era troppa gente con le armi in mano ma nessun combattente, e che ai Simba interessava solo fumare e fottere.

Marco fu un po' contagiato da quell'atmosfera depressa, e quando il Che gli passò a meno di dieci metri avrebbe voluto scambiare con lui qualche parola se fosse stato possibile. Ma alla fine se ne andò per tornare alla sua base di Mwenga a raccogliere informazioni dai suoi contatti a Uvira e per sapere qual era la situazione dei missionari e delle suore che abitavano nel vescovado fin dal tempo degli esercizi spirituali. I comunicati ufficiali diramati dall'entourage di Soumialot diffondevano l'immagine di una situazione di tranquillità e di rispetto delle regole, ma non era affatto vero. Episodi di aggressione ai missionari con pugni e calci e di pesanti molestie alle suore erano sempre più frequenti e in diretta proporzione con le sconfitte dei Simba sul campo.

Che cosa sarebbe successo quando si fosse profilata la forte probabilità di una sconfitta definitiva?

«Ma cosa aspettano i tuoi a muoversi?» diceva Renzo quando si incontravano all'aeroporto di Shangugu.

«Non si muovono per nulla» rispondeva Marco. «I superiori fanno aumentare il numero dei rosari da recitare ogni giorno e nient'altro.»

«Ti posso garantire che la tensione cresce a dismisura e viene diffusa ad arte la diceria secondo cui sarebbero i missionari a passare informazioni ai regolari dell'Armée e ai mercenari belgi e sudafricani, che sono sempre più numerosi.»

«Per quel che mi riguarda non hanno tutti i torti, ma le mie motivazioni sono esclusivamente di natura umanitaria.»

Renzo proseguì: «Gli americani mettono a disposizione milioni e milioni di dollari per pagare i costosissimi ingaggi di quegli assatanati. Per ora le due posizioni sono abbastanza equilibrate, ma se la bilancia dovesse pendere dalla parte dei regolari, se dovesse partire una controffensiva massiccia dell'Armée, la vita di quei poveretti non varrebbe più un soldo. E quel che è peggio non ci sarebbero morti rapide, ma feroci torture e interminabili agonie».

«Ho visto massacrare i padri spiritani in Katanga» replicò Marco. «Non dimenticherò quelle scene campassi mille anni. Quella notte invocai Dio con tutte le mie forze ma non accadde nulla. Dio mi voltò la schiena.»

Una sera Renzo gli diede appuntamento in un piccolo caffè di Shangugu. Era di umore nero.

«Hanno pestato Vezzali.»

«Il vescovo? Ma che è successo?»

«Niente, sono furiosi perché perdono anche in scontri di secondaria importanza. Il peso dei volontari al fianco dei regolari si fa sempre più rilevante e così pure la presenza dei mercenari. Per di più Mulamba si sta facendo le ossa come comandante e colpisce con sempre maggiore precisione. È questo che li fa imbestialire e l'unico bersaglio che si può attaccare senza rischio sono i padri e le suore che stanno in vescovado.»

«Capisco e le cose non potranno che peggiorare» disse Marco. «Ora devo lasciarti. Purtroppo mi tocca andare da Mulamba a giustificare la perdita della camionetta e anche della sua Colt 45. Spero che non vada in bestia. Tu intanto tienimi informato di tutto quello che vieni a sapere.»

«Stanne certo» rispose Renzo. Si salutarono con un semplice cenno del capo perché correva voce che i luoghi fra Uvira e Bukavu brulicassero di spie, ogni giorno di più.

Passarono pochi giorni e da una sua fonte interna Marco venne a sapere che monsignor Vezzali aveva chiesto e ottenuto il permesso di recarsi a Bukavu per una visita oculistica e per farsi sostituire gli occhiali.

Il permesso era stato accordato da Soumialot in persona, ma con l'intesa che se non fosse tornato nel vescovado tutti gli altri sarebbero stati uccisi.

La fonte era un ex impiegato del comune che ora fungeva da cameriere di Soumialot, il quale sembrava molto soddisfatto di farsi servire da un nero come aveva sempre visto fare dai bianchi.

L'incontro di Marco con il colonnello Mulamba non fu facile, ma nemmeno troppo duro come aveva temuto.

«Se avessi dei mezzi economici» si giustificò Marco, «le ricomprerei la camionetta e la pistola, ma non ho un centesimo e inoltre noi facciamo il voto di povertà e non possediamo nulla.»

«Lasci stare» disse Mulamba. «Speriamo che non mancherà l'occasione per rifarci delle nostre perdite.»

Passarono così ancora un paio di giorni e Marco dovette partire con la jeep per andare a Cibitoke a fare delle compere, ma strada facendo la radio di bordo fece sentire la voce di Renzo.

«Dove sei?» domandò il pilota.

«Pensavo di fare un salto a Cibitoke. Siamo a secco quasi di tutto.»

«Fai subito marcia indietro. Vezzali sta cercando di svignarsela.»

«Che cosa?» chiese Marco stupefatto.

«Vuole imbarcarsi a Shangugu su un volo per andare a Buxelles e poi a Roma.»

«Maledizione! Questa non può farla, non può!»

«Corri più veloce che puoi allora. Cercherò di tenerti informato. Vai!»

Marco invertì la marcia e riprese la corsa a tutta velocità. Giunto al ponte di Kamanyola girò a destra per entrare in territorio rwandese, dove la strada che costeggiava il Ruzizi era molto migliore. Le guardie e un ufficiale belga lo riconobbero e gli fecero cenno di passare senza nemmeno guardare i documenti. In un'ora e mezza Marco si trovò all'ingresso dell'aeroporto di Shangugu, saltò a terra e si nascose dietro l'angolo di un hangar.

Da un altoparlante l'inconfondibile voce del vescovo di Uvira, monsignor Vezzali, pronunciava un testo registrato, evidentemente composto da un dirigente ribelle, forse Soumialot. Diceva che se i regolari o chi per essi avessero bombardato o anche solo sorvolato la città, tutti gli ostaggi – e per la prima volta veniva dichiarata apertamente la loro condizione – sarebbero stati sterminati.

Marco scorse con lo sguardo la pista finché intravide una figura che ben conosceva salire con una valigetta la scala che portava all'interno della cabina, dove attendevano due hostess per accompagnare i passeggeri al loro posto: monsignor Vezzali!

Si precipitò verso l'aereo e salì di corsa i gradini afferrandolo per un braccio un attimo prima che entrasse. Lo trascinò giù per la scala incurante delle sue grida e delle sue proteste: «Lasciami, lasciami ti ho detto! Devo andare a Roma al Concilio Vaticano: è il mio dovere».

«Il tuo dovere è di restare a fianco del tuo gregge in pericolo, pastore codardo!» ringhiò Marco e lo spinse dentro la jeep. Ma Vezzali si aggrappò al montante che reggeva il telo quando pioveva, per non entrare. Marco alzò il pugno serrato all'altezza del suo volto.

«Non farlo» mormorò Vezzali tremando.

«Allora siediti e stai fermo» gli intimò Marco.

Ripartì verso Uvira con l'intenzione di riconsegnarlo a Soumialot.

Vezzali piangeva: «Tu sarai responsabile della mia morte» disse poi.

«Può darsi» rispose Marco. «E se questo accadesse non verserei di certo una sola lacrima. Ora ti riporterò da Soumialot, ma ricordati: tu sarai l'ultimo a uscire da quel posto.»

«Mio Dio» disse il vescovo. «Ma che razza di prete sei?»

Marco si volse di nuovo verso di lui fissandolo negli occhi: «Un prete da combattimento» rispose.

21

La dura sconfitta dei Simba al ponte di Kamanyola non li aveva piegati e da quel momento diedero inizio a una serie di attacchi di minore portata, che tuttavia non furono per loro senza perdite e versamento di sangue. Queste altre sconfitte esacerbarono gli animi e la pressione sugli ostaggi divenne sempre più dura, le percosse e gli insulti più frequenti. Le suore italiane, che abitavano con le consorelle belghe nel collegio sulla collina, non furono aggredite, ma le suore belghe subirono pesanti molestie e non c'era nessuno che le difendesse o le proteggesse.

Gli interventi dei padri si limitavano a proteste verbali che venivano subito tacitate con spinte, schiaffi, pugni e calci. L'unica a reagire fu la superiora delle suore belghe, una donna di grande carattere e straordinario coraggio, che fu per questo malmenata, denudata e violentata.

Il personale di servizio puntualmente informava un certo padre Bergomi, di stanza a Usumbura, di quanto era accaduto; questi informava Renzo e Renzo informava Marco; il tutto nel volgere di pochi minuti.

Queste notizie provocavano in Marco una collera nera e impotente che finiva per implodere nel suo animo con effetti devastanti. Più volte aveva confessato a Renzo che gli sembrava in quei momenti di avere un gatto vivo nello stomaco. «Mi è sempre stato insegnato fin da piccolo» diceva «che chi assiste a un sopruso, a una violenza su innocenti e non reagisce per proteggere la vittima è complice della violenza.»

«Attento, Marco» rispose una volta Renzo. «Stai dicendo che Dio è complice del male nel mondo.»

«Non pretendo di descrivere né le sue azioni né le sue inerzie» rispose Marco. «Fa parte del mistero. Ma non ho mai capito cosa sia il libero arbitrio. Mi sai dire che libertà di decidere hanno quegli ostaggi atterriti che aspettano la morte e la tortura ogni giorno e ogni notte?»

Tuttavia accadevano anche cose che sembravano lasciare qualche spiraglio di speranza. A volte, per ottenere rivelazioni, i Simba portavano via un paio di persone dicendo che le avrebbero fucilate. Dopo un certo lasso di tempo, facevano udire raffiche di mitra, ma poi i presunti fucilati ritornavano incolumi. Era tuttavia una roulette russa, che prima o poi avrebbe sparato il colpo fatale.

Verso la fine di settembre a monsignor Vezzali venne nuovamente chiesto dai capi dei ribelli di registrare un altro comunicato a Bukavu. Gli permisero quindi di recarsi a Usumbura, dove lo aspettava il Piper di Renzo che l'avrebbe condotto a Shangugu, l'aeroporto di Bukavu in territorio rwandese. Ma una volta giunto a Usumbura si informò sui voli in partenza e, con l'aiuto del viceconsole italiano, poté imbarcarsi su un aereo che avrebbe raggiunto Kigali e di là l'Italia.

Renzo chiamò immediatamente Marco, che restò senza parole per lo stupore e l'indignazione e che a sua volta chiamò padre Cavani, l'economo della diocesi, per riferirgli quello che aveva appena saputo.

Cavani rispose con la voce spezzata: «Se è vero quello che mi dici siamo tutti morti».

I saveriani avevano perso il loro vescovo, anzi, erano condannati a morte proprio a causa della sua partenza. Il superiore provinciale era già andato via da molti mesi e dunque la maggior parte dei missionari residenti nel Congo nordorientale era completamente abbandonata a se stessa. A Uvira solo le ragazze del collegio erano fino ad allora rimaste indisturbate perché quasi tutte di etnia Barega, una delle tribù in assoluto più bellicose, i cui guerrieri avrebbero vendicato con estrema ferocia chiunque avesse anche solo torto un capello a una delle ragazze.

La fuga indecorosa se non infame del vescovo Vezzali non ebbe alcuna eco in Italia né all'interno della congregazione, che però inviò il vicesuperiore generale. Si chiamava padre Criscuolo ed era un uomo micragnoso, pignolo e ottuso, ma era il fondatore di un ordine di monache e tanto bastava a sostenerne il prestigio e l'autorevolezza.

A Bukavu invece chiunque avesse un ruolo di responsabilità militare, religiosa, politica era pieno di ansia per il bagno di sangue che la truffa di Vezzali avrebbe potuto causare da un momento all'altro.

Si tenne al più presto nel collegio dei gesuiti un vertice dei massimi esponenti di tutti i settori della società con lo scopo di cercare una soluzione praticabile per la crisi imminente causata dalla fuga di Vezzali. Erano presenti, come al solito, i due vescovi del Kivu e del Maniema, il colonnello Mulamba dell'Armée Congolaise, il colonnello belga e suo consigliere militare Turenne, il superiore dei padri Bianchi Van Groove, il superiore del collegio dei gesuiti, in più due consiglieri militari americani e il viceconsole americano. Mancava solo il nunzio apostolico Solari, ma si poteva essere certi che avesse occhi e orecchie aperti all'interno del summit.

Tutti i partecipanti si resero subito conto che il problema non era solo la sorte degli ostaggi dei Simba a Uvira, ma anche quella degli altri religiosi, ausiliari e suore dislocati nelle missioni a sud di Uvira, soprattutto Baraka, Fizi e Nakiliza.

Mulamba era continuamente sollecitato dal comandante dell'Armée Mobutu a riconquistare Uvira e con essa il porto che garantiva i rifornimenti a Bukavu. Pertanto, con la spedizione militare a lungo rimandata a causa dei massicci attacchi dei Simba mulelisti, avrebbe preso due piccioni con una fava: riconquistare Uvira e soddisfare Mobutu e gli americani; senza contare la liberazione degli ostaggi a cui teneva moltissimo la gran parte dei Paesi europei.

Poteva fare affidamento su alcuni reparti dell'Armée discretamente disciplinati e ben equipaggiati, e inoltre su una cinquantina di mercenari sudafricani al comando del colonnello "Mad" Mike O'Hare. Fra loro c'erano anche due italiani temprati da innumerevoli operazioni militari fin dall'adolescenza.

Mulamba volle mandare a chiamare immediatamente anche Marco, che già aveva dato ottima prova di sé sia nella prima che nella seconda spedizione a cui aveva partecipato.

«Buon giorno e benvenuto, padre Giraldi» lo salutò il colonnello. «So che lei è già al corrente della difficile situazione dei suoi confratelli e consorelle nel vescovado di Uvira, rimasto, per così dire, senza il suo inquilino e voi senza guida.»

«Lo sono, colonnello, e la ringrazio di avermi invitato a questo importante consesso.»

«Lei è un uomo chiave di questa impresa» proseguì Mulamba, «perché si è già distinto nelle due spedizioni di Kasongo e di Kiringye con impeccabile strategia. Tutti i presenti sono d'accordo che bisogna agire prima che succeda un massacro. Lei?»

«Anche io, ovviamente» rispose Marco.

«Dunque che cosa propone?»

«Io direi di arruolare un gruppo di volontari. Ce ne sono parecchi che si sono battuti molto bene contro i Simba qui a Bukavu; sono della regione e quindi conoscono il territorio e le strade, hanno armi di ottima qualità e sanno come usarle. Li conosco bene e li guiderò personalmente se nessuno ha qualcosa in contrario. E saremo il secondo gruppo dopo i mercenari che saranno in testa alla colonna. Quindi verranno i suoi uomini, colonnello, con le due blindo, poi le camionette di fanteria motorizzata dell'Armée. Da ultime quelle che porteranno via gli ostaggi a cose fatte. Ho calcolato: una quarantina circa.»

Mulamba sorrise: «Vedo che in pochi secondi e con un'occhiata a quel tabellone ha già capito tutto. Solo io non avevo capito che lei e i suoi sareste stati i secondi in testa alla colonna».

«Spero che non abbia qualcosa in contrario» disse Marco.

«Certo che no. Anzi, apprezzo il suo coraggio e la sua decisione.»

«Ho bisogno però del suo appoggio, colonnello, e mi riferisco al mio ruolo nell'impresa, non alle sue forze che già ci mette a disposizione.»

«Dica.»

«Nel momento in cui faremo irruzione nel vescovado dovrò essere io a decidere il chi, il come e il quando. Tutto dovrà concludersi in non più di dieci minuti.»

«Accordato» rispose Mulamba. «Di quanto tempo ha bisogno per arruolare i suoi?»

«Due o tre giorni» disse Marco. «La notte del quarto giorno, verso le tre, dovremmo essere in marcia per arrivare sull'obiettivo prima dell'alba. Immagino che avrà già avvertito i presenti che se trapela una sola parola di quanto è stato detto in questa riunione per gli ostaggi può essere la fine.»

Tutti annuirono gravemente come ad ammettere l'importanza vitale del silenzio.

Terminato il vertice, Marco salutò Mulamba: «A presto sul campo, colonnello».

«*A bientôt, capitain*» rispose Mulamba.

Marco non pose altro tempo in mezzo e si recò subito all'imbarcadero sul lago Kivu: da lì, durante i recenti combattimenti, gli uomini più in vista e facoltosi partivano con i loro motoscafi per raggiungere le famiglie sull'isoletta che stava davanti al promontorio di Bukavu. Erano tutti armati e avevano combattuto aspramente contro i Simba, che avevano occupato la radio nel centro della città e già tenevano Uvira.

Entrò in un bar poco distante, che fungeva anche da circolo nautico, e ne vide alcuni bere costosissima birra tedesca e accompagnarla con altrettanto costose alici sott'olio in preziose scatolette di alluminio smaltato. C'erano quadri della Cotton Co. e altri della fabbrica del caffè. Li accostò uno per uno e diede loro appuntamento a un tavolo più distante, meno visibile dall'esterno.

«Ho bisogno di uomini» esordì.

«Quanti, per quando e per quanto?» chiese quello che

sembrava il leader. Era il viceamministratore della Cotton Co., si chiamava Richard Reeves, aveva un fisico da lottatore ed era un ottimo tiratore.

«Non posso dirvi molto» rispose Marco, «ma si tratta di liberare ostaggi che rischiano di perdere la vita a ogni minuto che passa. Si parte entro la settimana e quindi chi viene si deve tenere a disposizione perché non posso dirvi esattamente quando, per ovvi motivi. Non ho i mezzi per pagarvi, ma sarò il primo davanti a tutti e il primo a rischiare tutto. Una ventina mi basterebbero, se di più meglio ancora.»

«Sappiamo chi sei e che cosa hai fatto. Puoi contare su di noi. Una ventina hai detto? Li avrai entro le prossime ventiquattr'ore.»

«Ottimo, ragazzi. Porteremo a casa quei poveretti. Ci sono anche donne... suore.»

«Ho capito» disse Richard. «Non devi dirmi una parola di più.»

«Allora vado a vedere se ne trovo altri. Non c'è molto tempo.»

Marco scese all'imbarcadero e mentre si accostava al gommone dei padri Bianchi, gli si avvicinò il giovane ufficiale dell'Armée che lo aveva prelevato e portato al vertice. Gli consegnò un biglietto: «*De la part du colonel*» disse. «*A détruire après l'avoir lu.*»

Marco annuì e se lo mise in tasca. Poi salì sul gommone, tirò la fune del fuoribordo e mise in moto. Il gommone si allontanò dal pontile e si diresse verso la piccola isola dove avevano trovato rifugio le famiglie di molti europei. Gli uomini si erano trincerati nel collo della penisola, creando una specie di barricata con i materiali più disparati, e avevano opposto resistenza per diversi giorni senza cedere di un palmo. Marco li conosceva e sperava di trovarli sull'isola.

Giunto a un piccolo approdo, legò il gommone a un ormeggio e si inoltrò verso la zona delle villette. Il sole cominciava a tramontare sul lago tracciando una lunga striscia rossa che trasformava l'acqua in sangue.

Marco estrasse dalla tasca il biglietto con il messaggio di Mulamba. Conteneva alcune indicazioni per raggiungere persone che probabilmente avrebbero aderito alla sua richiesta di volontari, e alla fine indicava la posizione di una casermetta nascosta fra la densa vegetazione. Un pezzo di nastro adesivo fissava al foglio una chiave che forse apriva la porta della piccola costruzione.

Tre uomini, di cui due impiegati della Cotton Co. e un dirigente della Sucraf, lo zuccherificio della piana del Ruzizi, aderirono all'invito di Marco, la cui reputazione si era ormai ampiamente diffusa nel territorio. Si raccomandò che passassero parola perché gli mancavano ancora cinque o sei volontari per raggiungere il numero che si era proposto. Quindi si diresse verso la casermetta che cominciava a intravedersi fra i tronchi e le chiome degli alberi. La chiave aprì la porta senza problemi, ma poi c'erano tre chiavistelli che Marco riuscì ad aprire solo seguendo alla lettera le istruzioni di Mulamba. Dentro c'erano armi di vario genere, marca e fabbricazione, quasi tutte leggere. Avevano l'aria di essere state tolte a nemici sconfitti. Ne riempì un trolley e vi aggiunse uniformi che a occhio sembravano della sua taglia. Raggiunse il gommone e si diresse al porticciolo di Bukavu. Mentre ormeggiava il battello udì una voce uscire da un angolo scuro:

«Ho saputo che cerchi uomini.»

Non poteva credere alle sue orecchie: «Louis!».

«Voglio venire con te.»

«Vuoi venire con me?»

«Sì.»

«Ma sai dove vado, vero?»

«Lo so.»

«E tua moglie?»

«Lo sai che è morta.»

«Il bambino?»

«È a Bruxelles, con i nonni.»

Marco allora capì perché Louis voleva combattere e uccidere. Non c'era bisogno di altre domande. Afferrò un Kalashnikov e glielo lanciò: «Sei sempre stato un ottimo tiratore».

Louis l'afferrò al volo. Marco gli gettò una mimetica e un cinturone.

«Quando si parte?»
«Presto.»
Louis scarabocchiò un numero di telefono su un biglietto e glielo allungò: «Mi trovi qui ogni mattina fino alle otto».
«Grazie, Louis.»
«A presto.»
Sparì come era apparso.
Marco cercò di seguirlo con lo sguardo ma ormai era scesa la notte: rientrò al suo quartier generale al collegio dei gesuiti. Si sdraiò sul letto a fissare le travi del soffitto e a rimuginare sulla improvvisa riapparizione di Louis. Per lungo tempo aveva simpatizzato per i mulelisti di Gizenga e ora si arruolava in un corpo volontario contro di loro. Non c'era che una spiegazione: la fine crudele di Bashira.

22

Il giorno successivo Marco lo chiamò: «Buon giorno, Louis. Voglio arruolare anche Rugenge. Era formidabile, ricordi?».

«Mi ricordo bene.»

«Vuoi venire con me?»

Louis restò muto per un tempo che a Marco sembrò un'eternità, poi rispose: «Vuoi arruolare un nero con dei mercenari bianchi? Saranno in gran parte sudafricani: quelli considerano i neri meno che merda».

«Garantisco io. Farà parte del mio gruppo di volontari.»

«Ti aspetto domani al Café La Goulette.»

«Alle sei.»

«Alle sei.»

L'indomani Marco passò puntuale al Café La Goulette ancora chiuso, e lì trovò Louis seduto su una delle sedie del locale. Salì sulla jeep e tutti e due partirono alla volta di Kanyamugera, dove speravano di trovare Rugenge.

«I tuoi volontari non saranno molto più teneri con i neri che i sudafricani. Lo sai bene.»

«Faranno quello che dico io. Te lo assicuro.»

Passarono da Burhale in territorio Bashi poi, dopo una lunga traversata su sterrato, da Ndolera, nei pressi della fabbrica del caffè che sembrava funzionare ancora ma a ritmo minimo. I Werpen se ne erano andati da molto tempo. Marco si pentì di aver portato Louis su quell'itinerario che gli avrebbe risvegliato ricordi amari e avrebbe voluto chiedergli scusa.

Louis si accorse del suo imbarazzo e introdusse un argomento che fosse diverso dai suoi pensieri: «Vuoi liberare gli ostaggi a Uvira, abbandonati da quel vescovo fellone».

Marco capì che era inutile continuare con la consegna della segretezza, che peraltro aveva chiesto lui stesso, ma cercò a ogni modo di non cedere: «Pensa come credi, ma io non posso dirti niente fino al momento della partenza».

«Sì, certo, penso come credo. Io sono stato espulso e coperto di infamia dai miei superiori perché ho fatto l'amore con una ragazza che adoravo: la cosa più bella e naturale del mondo. Vediamo come tratteranno questo vescovo codardo e traditore che potrebbe causare il massacro di tutti i padri e le suore radunati a Uvira. Vuoi che ti dica come finirà? Nel nulla. Non succederà proprio niente. E stai attento, perché se la prenderanno con te anche se rischierai la vita.»

«Può darsi, ma io rendo conto soltanto alla mia coscienza. Gli altri facciano quello che vogliono.»

Restarono in silenzio per quasi un'ora finché non arrivarono in vista della scarpata che fiancheggiava la cascata del Luvubu. Il pendio era talmente ripido e scosceso che nemmeno la jeep ce l'avrebbe fatta. I due si misero il mitra a tracolla e cominciarono a scalare il dirupo fino a raggiungere il villaggio. Là Marco, ancora alle prime armi come missionario, aveva assistito a un sacrificio umano, un rito che pensava appartenesse alle comunità del Paleolitico.

Giunti al centro del villaggio Marco cercò lo sciamano e scoprì che quello che aveva sacrificato la vittima umana era morto e al suo posto c'era un altro. Lo salutò e gli rese omaggio, ma quello non ne sembrò lusingato. Gli domandò: «Sei uno di quelli che vogliono mettere in catene il Luvubu?».

Marco scosse il capo e si volse verso Louis per vedere se lui avesse capito qualcosa.

«Sembra che ci sia una società internazionale che vuole costruire una diga e usare la cascata per produrre energia elettrica. E per loro è un sacrilegio. Non potranno più fare sacrifici umani.»

«Lo so» disse Marco. Poi si volse di nuovo allo sciamano: «Siamo amici di Rugenge e non lo vediamo da tempo. Abbiamo bisogno di parlargli».

Lo sciamano indicò una capanna di buona fattura, intonacata di argilla e dipinta di calce bianca che si distingueva da tutte le altre.

Era là e stava conciando delle pelli di antilope con allume di rocca.

«Rugenge, non ci riconosci?»

«Certo» rispose il ragazzo. «Siamo andati a caccia insieme!»

Si alzò in piedi e offrì loro due sgabelli; uno lo prese per sé e i tre si sedettero all'ombra di un grande albero ad attendere un caffè che Rugenge aveva messo a bollire su un fuocherello.

«Come mai da queste parti?» chiese loro.

Marco gli spiegò che stava cercando volontari per liberare missionari e suore prigionieri di uomini sanguinari che avrebbero potuto ammazzarli tutti. «Sono brave persone che hanno fatto solo del bene; insegnato, curato, aiutato chiunque si rivolgesse a loro. E ora subiscono percosse, violenze, torture di ogni genere e da un momento all'altro possono perdere la vita. Abbiamo bisogno di aiuto per evitare che tanti innocenti siano uccisi. Ti daremo armi come queste» proseguì mostrando il mitragliatore, «che userai per impedire questo delitto. La posta in gioco è altissima: si tratta della vita di molte persone.»

Louis non perdette una parola di quelle che Marco pronunciava, né si lasciò sfuggire un'espressione del volto di Rugenge.

Il giovane chinò il capo, prese un sorso di caffè e restò in silenzio per un poco. Forse meditava, rifletteva su una proposta che non si sarebbe mai aspettato, sulla presenza davanti a lui di uomini che aveva ammirato e che non vedeva da lungo tempo. Poi alzò il capo e domandò: «Quando si parte?».

«Molto presto» rispose Marco. «Di fatto dovresti seguirci ora. Scendere assieme a noi per la scarpata e continuare il viaggio fino a Bukavu sulla mia jeep. Poi saprai altre cose.

Ma attento: questa è un'impresa pericolosa. Si può essere feriti o morire.»

«Avverto mia madre e andiamo.»

Si allontanò per pochi minuti, poi tornò, entrò nella sua tenda e ne uscì con una borsa che doveva contenere i suoi averi: «Sono pronto» disse. «Possiamo andare.»

Scesero insieme fino alla jeep, montarono e invertirono la direzione di marcia raggiungendo Bukavu al calare della sera. Marco aveva già deciso di ospitare Rugenge al collegio dei gesuiti, ma Louis lo fermò: «Lo ospito io» disse. Poi rivolto a Rugenge: «Domani sveglia alle quattro, andiamo da qualche parte a sparare. Voglio assicurarmi che tu sia ancora un fenomeno come l'ultima volta che ti ho visto usare un'arma da fuoco. Non ti voglio sulla coscienza».

Rugenge sorrise scoprendo tutta la fila dei suoi denti bianchissimi, salutò Marco e, dopo essersi messo un FAL a tracolla, seguì Louis.

Nelle ore che precedono l'alba gli abitanti sentirono dalle colline dietro la città raffiche di mitra e colpi singoli per ore. Qualcuno avvertì le autorità militari pensando a scontri armati con i ribelli o a loro tentativi di contrattacchi per rientrare a Bukavu e fu inviata una pattuglia di uomini esperti a esplorare l'area da cui venivano gli spari per scoprire di che cosa si trattasse. Gli esploratori rientrarono senza aver scoperto nulla se non un certo numero di cartucce vuote. La cosa finì lì.

La mattina un giovane si presentò al collegio dei gesuiti con una busta per padre Giraldi. Marco l'aprì.

C'era scritto: "È un fenomeno. Louis".

Gli consegnò quindi un messaggio da portare ai capi militari in varie lingue: una frase ispirata a una vecchia canzone italiana della Prima guerra mondiale: "Domani i fanti passano muti". La parola d'ordine dell'inizio delle operazioni.

Il giorno dopo Marco chiamò Louis al numero che gli aveva dato: «Si parte questa notte, alle tre, dal collegio dei gesuiti. L'obiettivo è quello che tu già avevi individuato. Venite in tenuta di combattimento, un'ora prima. Portate i vostri effetti personali. Al resto provvediamo noi. Cercate di andare presto a riposare: la giornata sarà dura».

Alle due del mattino Louis e Rugenge si presentarono al collegio dei gesuiti con una jeep, in tuta mimetica e cinturone, con fucile d'assalto, pistola e caricatori di riserva. Marco era già pronto: in tenuta militare, mitra e pistola, stava confabulando con Mulamba, Turenne, O'Hare e Porter, un altro ufficiale dei mercenari sudafricani. Esponeva il suo piano.

Il suo gruppo di volontari avrebbe raggiunto al più presto il vescovado, i mercenari di "Mad" Mike O'Hare sarebbero discesi dritto per dritto fino al porto, poi avrebbero costeggiato il lago Tanganika in direzione nord, controllato che la Cotton Co. non fosse piena di ribelli e quindi sarebbero piombati sul municipio per dare man forte al suo gruppo con Louis, Rugenge e i volontari.

In quel momento uscì un giovane gesuita a chiamare Marco. Al telefono c'era padre Bergomi che aveva urgenza di parlargli.

«Non ho tempo» rispose Marco.

«Deve andarci» replicò perentorio il giovane gesuita.

Marco andò al telefono: «Pronto... sono Giraldi».

«Sono Bergomi, da parte del vicesuperiore generale.»

«Perché non ha chiamato lui?»

«È filtrata una voce che dice che stai per partire con una spedizione militare.»

«Verissimo.»

«Il tuo superiore ti diffida dal partecipare a questa impresa, in nessun modo e a nessun titolo.»

«Aspetta un minuto al telefono, per favore.»

Marco raggiunse il consiglio dei comandanti: «Devo sapere, ora, se la mia presenza in questa impresa è utile o indispensabile».

I quattro si consultarono e Mulamba riferì la risposta: «La sua presenza è indispensabile. Senza di lei non partono né i suoi volontari né i mercenari di Porter e di O'Hare: resterei solo io, ma senza l'appoggio dei professionisti non potrei contare sui miei uomini. Lo sa bene come sono. Non può ritirarsi ora, mancano venti minuti alla partenza».

Marco tornò al telefono: «Sono di nuovo io, Giraldi. I comandanti mi dicono che la mia presenza è indispensabile.

Se non parto io non parte la spedizione e verranno massacrati tutti gli ostaggi: una quarantina di persone».

Louis intanto aveva capito cosa stava succedendo. Si avvicinò al telefono e prima che Marco se ne accorgesse glielo strappò di mano: «Dica al reverendissimo vicesuperiore generale da parte dell'ex padre Louis Chevallier: che si fotta!».

Marco si riappropriò della cornetta: «Non ci fare caso, è fatto così. Ascoltami, Bergomi, io non me la sento di avere sulla coscienza più di quaranta morti e mi meraviglio che Criscuolo non si faccia alcuno scrupolo al riguardo. Vai a dormire adesso».

Bergomi tacque per un istante poi disse: «Se vuoi il mio parere credo che tu faccia bene a seguire la tua coscienza e se vuoi sapere come la penso, il tuo amico Louis non ha tutti i torti, anche se non riferirò il suo messaggio. In bocca al lupo, Marco, e che Dio ti assista».

«Grazie» rispose Marco e riagganciò.

Raggiunse subito, assieme a Louis e Rugenge, il suo reparto di volontari per tenere un piccolo briefing e alla fine comunicò: «Avremo copertura aerea con due T6 armati di mitragliatrici e razzi. Questa potrebbe essere una buona notizia ma per me può essere anche molto cattiva. Di sicuro se i Simba li vedranno, immediatamente faranno strage degli ostaggi. Come combattenti avete più esperienza di me, ma io conosco sia il territorio, sia la pianta di tutti gli edifici della congregazione e del vescovado. Quindi obbedirete ai miei ordini.

Ho visto che avete subito notato Rugenge e ho anche visto delle espressioni che non mi sono piaciute: questo ragazzo è il miglior tiratore che abbia mai incontrato in vita mia e dunque gli dovete rispetto. Sono pronto a gonfiare di pugni chiunque lo offenda. E un'altra cosa: corrono voci che alcuni di voi hanno commesso crimini, come stupri e torture. Se dovessi sorprendere qualcuno a commettere simili atti, gli sparo. Mi sono spiegato?».

Nessuno ebbe da ridire né sul piano, né sul ruolo di Marco, né sulla presenza di Rugenge, a parte una piccola smorfia di un tenente belga di nome Duplessy.

Era tutto pronto e i mezzi avevano i motori accesi; c'era una falce di luna in cielo che però non rischiarava il paesaggio. Mulamba diede il segnale di partenza e i mercenari intonarono il loro inno:

Vive la mort! Vive la guerre!
Vive le sacré mercenaire!

Partì per prima la colonna Uno dei mercenari sudafricani di O'Hare con una decina di jeep e un'autoblindo con cannoncino e mitragliatrici. Per un attimo a Marco parve di sentire che due dei mercenari si fossero scambiati una frase in italiano, ma non ci fece caso più di tanto. Stava in piedi sulla jeep di testa e diede il segnale di "Avanti" per il suo gruppo, il Due. Erano venticinque europei volontari con una jeep armata di mitragliatrice in testa e a seguire tre camion per il trasporto truppe.

Il gruppo Tre era ancora di mercenari sudafricani con quattro jeep, un'autoblindo e un camion trasporto truppe.

Il gruppo Quattro, costituito da effettivi dell'Armée Congolaise, partì per ultimo con quattro jeep armate e diciotto camion che trasportavano circa quattrocento soldati, il gruppo di gran lunga più numeroso.

Costeggiarono la sponda meridionale del lago Kivu e, dopo circa mezz'ora di marcia, attraversarono il ponte sulla diga del Ruzizi entrando in territorio rwandese.

La colonna era partita con le luci schermate; il rombo dei motori era un ronzio sommesso assorbito dall'immensa distesa del lago.

Marco sentiva in cuore una tempesta di emozioni, di sentimenti contrastanti. Indossava un'uniforme molto diversa dalla tonaca bianca, imbracciava un fucile mitragliatore e la mano destra andava di tanto in tanto al calcio della Colt 45 che teneva nella fondina: se si fosse reso necessario sparare o uccidere, che cosa avrebbe fatto? E se ne sarebbe poi pentito? Avrebbe combattuto a fianco di mercenari, uomini pagati per uccidere, possibilmente al primo colpo. Ma c'era un altro modo? Pensava che era stato il vescovo che aveva condannato a morte gli ostaggi, pur serbando le mani pulite. Ma qualcuno avrebbe pur dovuto fare il lavoro sporco.

"Perché io, Signore?" diceva dentro di sé. C'era un motivo? Forse perché sia lui che Thiago a Kasongo avevano desiderato la stessa cosa: un'arma per falciarli tutti, quei bastardi.

Questo avevano confessato l'un l'altro *in articulo mortis*. Di questo si erano assolti. Anche Pietro, principe degli apostoli, aveva impugnato un'arma. "Chi di spada ferisce di spada perisce." E allora? Era pronto a colpire, era pronto a morire.

Al ponte di Kamanyola, poco lontano dalla frontiera tra Rwanda e Burundi, la colonna rientrò sulla sponda congolese del Ruzizi. Erano le cinque del mattino.

Subito prima del ponte Mulamba ordinò uno stop tecnico per il controllo del buon funzionamento delle armi e diede istruzioni per come agire nel caso di un attacco dei Simba alle spalle della colonna.

Ripresa l'avanzata, la colonna arrivò nei pressi di Luvungi; gli scout delle due prime colonne in jeep a luci spente videro gruppi di Simba fuggire in direzione sudovest verso Kiringye e le montagne dove Marco aveva recuperato Secondo Vivarelli. Gli venne in mente cosa aveva poi scritto nella sua lettera: lui, che non aveva mai schiacciato una formica, aveva corretto fratture e suturato ferite orrende, ricomposto corpi squarciati con i pochi mezzi che aveva a disposizione e tutti erano completamente guariti.

Erano le sei e l'orizzonte sul lago cominciava a impallidire. Si alzò un vento robusto che scendeva dalle montagne. Poco dopo, al bivio per Kiliba, una parte del battaglione di Mulamba deviò a sinistra della direzione principale di marcia per raggiungere lo zuccherificio Sucraf che fungeva da quartier generale di Soumialot, il quale non si fece trovare: si era eclissato dopo aver fatto provvista di zucchero.

Alle sette altro stop al bivio di Kavimvira, praticamente un sobborgo di Uvira. Mulamba distaccò un paio di pattuglie a bloccare la strada per Usumbura.

Louis si avvicinò a Marco: «Che cosa devo fare?».

«Devi occuparti dei coniugi Monti e dei loro ospiti europei, sono dietro al municipio a circa trecento metri: una casa imbiancata a calce a un piano solo. Portali al vescovado dove si concentreranno tutti. Se ti resta del tempo, ci vediamo alla casa delle suore dietro la missione. Non posso darti altri uomini: ne ho bisogno; al viale dei manghi potrebbero esserci imboscate.»

«Mi farò bastare me stesso. Ci sono abituato.»

«Guardati le spalle dalla parte del municipio.»

«Tranquillo, non ho intenzione di farmi ammazzare oggi: ho altri programmi.»

Arrivati a Uvira, Marco s'infilò veloce per il viale dei manghi con il gruppo di volontari, facendo attenzione sui due lati dove c'era erba alta, l'ideale per imboscate. Non trovarono un'anima fino al recinto del vescovado. Giunti sull'obiettivo Marco ordinò di scavalcare il muro di cinta. Gli uomini si arrampicarono approfittando delle asperità della muratura, ma proprio in quel momento partì un colpo di fucile da qualche parte e uno dei volontari fu colpito al collo e fu subito chiaro che sarebbe morto. Si chiamava Edmond. Era una brava persona.

«Attenti a quella finestra lassù» gridò Duplessy. «Simba!»

E in effetti sembrò anche a Marco di vedere due neri armati dietro una finestra. Ma riflettendo su come era stato ferito e come era caduto Edmond, pensò che il colpo fosse venuto dalla parte opposta. I volontari innaffiarono di piombo l'intero piano terra del vescovado. Dal viale dei manghi qualcuno, a cavalcioni di un ramo che ondeggiava per il vento, puntò il fucile, mirò e sparò, e un corpo precipitò da una delle finestre del terzo piano del municipio.

«È stato lui!» gridò Rugenge dal suo ramo di mango.

Altri tre colpi e altrettanti Simba caddero dalle finestre del piano alto. Poi Rugenge scese a terra agile come un leopardo e si mise a cercare Louis. Marco intanto scoprì che il cancello del complesso vescovile era solo accostato. Con la coda dell'occhio vide anche Louis correre veloce come il vento e poi mettersi al riparo dietro l'angolo del municipio. Si sentirono altri colpi.

Marco si appostò dietro uno dei pilastri del cancello brandendo il FAL con il colpo in canna. Louis correva zigzagando dietro ai manghi del viale, poi si accinse ad attraversare la piazza completamente scoperta.

Marco gridò: «Louis, no! A terra, a terra!», e al tempo stesso, indicando il primo dei mercenari di Porter che passava in quel momento, «Tu» disse, «e tu!», indicandone un altro, «Copriamolo!».

«Va bene» rispose il primo in italiano e, mentre Marco vuotava un caricatore dopo l'altro sui piani superiori del municipio, l'italiano di Porter imbracciò una mitragliatrice e cominciò a fare ricami sulla facciata dell'edificio: vetri in mille pezzi, intonaco che crollava a larghi strati frantumandosi al suolo e sollevando un denso polverone.

Marco tentò al tempo stesso di dare copertura a Louis con il FAL contro le finestre alte del municipio e vide che Rugenge tentava di raggiungerlo.

Louis non era più visibile ma si fece sentire: raffiche furibonde di Kalashnikov, rumore di vetri infranti, di intonaci che crollavano al suolo. Sembrava fosse entrato un carro armato. Poi colpi singoli, uno due tre quattro, di quelli che si sparano per uccidere. Doveva essere Rugenge. Rumore di un'altra porta che sbatteva. Louis stava attraversando l'edificio da una parte all'altra come un coltello nel burro, se la stava cavando benissimo e Rugenge gli dava man forte.

Marco spinse i battenti del cancello fino ad aprirlo e fece entrare altri volontari. In quattro sollevarono Edmond e lo portarono al riparo. Duplessy ordinò: «Tutti dentro, e prima di entrare gettate una granata in ogni stanza».

«Sei pazzo?» gridò Marco. «Non se ne parla. Entro io per primo. Se mi uccidono continuate voi la missione: se riesco ad aprire la strada vi farò un segnale con due colpi della mia Colt e voi entrate in massa ma senza sparare a casaccio. Siamo venuti per salvare gli ostaggi. Non per ucciderli.»

Si sentì il rombo degli aerei T6 che passavano a bassa quota, quasi rasente al viale dei manghi, sparando raffiche con la mitragliatrice di bordo dovunque vedessero qualcosa che si muoveva. Marco e i suoi si distinguevano per i drappi rossi che portavano sulle spalle.

Marco entrò subito nel vescovado e passò immediatamente nella camera dove aveva visto movimenti sospetti: trovò due Simba sdraiati a terra che alzarono le mani terrorizzati. Marco li consegnò agli uomini di Duplessy. Perquisì il resto dell'edificio e trovò il corpo esanime del cameriere del vescovo. Era disarmato ma era stato "un servo dei bianchi" e tanto era bastato per trucidarlo. Poi vide i padri tremanti di paura seduti per terra. Quando lo videro armato e in uniforme furono ancora più atterriti: «Cosa fai vestito così e con le armi? Se ti vedono ci ammazzeranno tutti!».

«Sto cercando di salvarvi la pelle! Smettetela di starnazzare e seguitemi: dobbiamo andarcene subito! Io intanto cerco le suore», e si diresse alla casa delle monache a sinistra del vescovado.

I padri si precipitarono giù per le scale.

Intanto i sudafricani di O'Hare erano arrivati al porto correndo velocissimi lungo l'asse parallelo al viale dei manghi in direzione sud. Lì presero in consegna il personale. Poi in pochi minuti proseguirono verso nordest fino alla Cotton Co. dove liberarono i dipendenti e alcuni dirigenti falciando i Simba che li sorvegliavano. Poco dopo erano al municipio spegnendo ogni focolaio di resistenza e facendo cessare il fuoco completamente.

Marco si diresse di corsa con i suoi volontari in direzione del centro di Uvira e di là a ovest verso la missione: a destra c'era la cattedrale, a sinistra la casa delle suore belghe e delle ragazze del collegio. Sentì dei colpi da destra e vide Louis che sparava contro un piccolo gruppo di ribelli: dietro di lui, appiattiti a terra, c'erano i Monti e i loro ospiti. Louis sparava come un forsennato e alla fine del manipolo di ribelli che stava di guardia alla casa dei Monti non restò più nessuno. Marco gli si avvicinò e gli appoggiò una mano sulla spalla: si trovò la canna del Kalashnikov alla base del collo: «Sono io, Louis. Basta adesso. È finita».

Prese in consegna le suore e le ragazze e le mise su una delle tre camionette. Tutti si diressero al vescovado, luogo di riunione. Marco dovette quasi arrivare alle vie di fatto per farsi consegnare uno dei diciotto camion di Mulamba. Fu il mercenario italiano ad afferrare il conducente e a buttarlo sull'asfalto. Poi, visto che non voleva dargli le chiavi, strappò i cavi dell'accensione, li mise in contatto e fece partire il mezzo.

Marco gli si avvicinò. «Ci siamo già visti?» domandò.
Il mercenario nascondeva gli occhi dietro un paio di Ray-Ban, indossava una giacca mimetica e pantaloni grigio-verde con cinturone e fondina e portava a tracolla un MAB ancora caldo del combattimento.
«Io ti ho visto mentre andavi a Kongolo, e ti ho insegnato la via della casa degli spiritani.»
«Il fantasma.»
«Già.»
«E forse ti chiami Piero, Piero e poi niente.»
«Tempi remoti» rispose il mercenario. «Ora il mio nome è Jean Lautrec.»
Erano le sette e trentacinque minuti.

23

Marco fece salire gli ostaggi in parte sul pick-up Chevrolet, in parte sul camion sottratto agli uomini di Mulamba e sulle jeep dove c'era posto e cominciò la marcia verso nord per tornare a Bukavu.

I T6 americani precedevano la colonna e segnalavano l'eventuale presenza di ribelli abbassando il carrello di sinistra o quello di destra. A volte li tenevano abbassati tutti e due, quando la minaccia era pesante. Marco e gli altri comandanti temevano una violenta reazione da parte dei numerosi contingenti ribelli che si andavano concentrando per un possibile secondo attacco a Bukavu, ma in realtà non si fecero vivi. Neppure le truppe congolesi di Mulamba ebbero vita difficile e in molti calarono su Uvira, quando l'operazione era già terminata, per saccheggiare la città assieme ad altri loro commilitoni.

Alla fine, giunti sul ponte del Ruzizi a Kamanyola, gli aerei ritirarono i carrelli sia di destra che di sinistra. Il che significava via libera, nessun pericolo nelle vicinanze.

Fu un momento di enorme sollievo per gli ostaggi liberati, che fino a quel momento avevano avuto paura di essere attaccati, fatti prigionieri e riportati a Uvira per subire le più efferate sevizie e la morte.

Giunsero a Bukavu verso le undici, accolti con grandi manifestazioni di gioia, quasi in trionfo. E la gioia esplose ancora più entusiasta quando la colonna arrivò al collegio dei gesuiti, quartier generale dell'operazione. Il personale del collegio aveva già preparato un pasto leggero in piedi per persone esauste e affamate in attesa del pranzo. Mentre gli ostaggi si rifocillavano e riprendevano fiato, Marco passò fra i suoi volontari per congratularsi e ringraziarli per l'esecuzione impeccabile del piano d'azione.

Unica nota triste la morte del volontario Edmond. La notizia si era già diffusa e i familiari erano arrivati per prendersi cura del corpo del combattente caduto. Una donna in lacrime sembrava essere la moglie o la fidanzata. Marco si guardò più volte intorno cercando i suoi più formidabili guerrieri, ma Louis, Rugenge e Jean Lautrec erano scomparsi.

Gli ostaggi e Marco passarono la notte al collegio.

Il giorno dopo fu celebrato il funerale di Edmond, officiato da un pastore protestante. I compagni di Edmond, alla fine, spararono tre colpi a salve per dargli l'addio e Marco recitò in cuor suo il *Requiem*. Molti dei presenti avevano le lacrime agli occhi.

Finita la cerimonia, tutti gli ostaggi liberati vennero condotti all'aeroporto di Shangugu, dove due Hercules C130 americani li attendevano per trasportarli alla capitale Léopoldville.

Marco li osservò mentre salivano a bordo ed era felice di aver strappato quegli uomini e quelle donne a morte certa e di averli riconsegnati alle loro famiglie e ai loro compagni di vita e di missione. Sorridevano e salutavano prima di scomparire nel ventre del gigante.

Nello stesso momento vide il Piper di Renzo atterrare e padre Bergomi scendere dalla scaletta seguito dalla superiora delle suore saveriane.

I C130 si stavano rimpicciolendo nel cielo per la distanza quando padre Bergomi si avvicinò: «C'è posta, Marco» gli disse allungandogli una busta chiusa. «Ma temo che non siano buone notizie.»

Marco l'aprì:

Rev. Padre Marco Giraldi
s.g.m.

In qualità di vicesuperiore generale della Congregazione dei missionari Saveriani sono spiacente di comunicarle che disappro-

vo completamente la sua partecipazione all'assalto a Uvira, azione temeraria quanto inconsulta e soprattutto inutile poiché nessuno dei padri e nessuna delle suore erano stati uccisi, mentre l'azione militare ha comportato comunque un alto tributo di vite umane. La accuso formalmente di aver infranto la regola della santa obbedienza a cui lei è tenuto in forza di un voto. Informerò gli altri Superiori a Parma e vedranno loro quale sanzione applicare alla sua deplorevole condotta.

Girolamo Criscuolo, s.x.

«È dura, immagino» disse Bergomi.

«Durissima» disse Marco. «Se hai un foglio e una penna ti consegno la risposta che ti prego di recapitare.»

Bergomi prese un foglio e una penna da una cartellina e glieli porse. Marco si appoggiò sulla mensola di una biglietteria in disuso e scrisse:

Rev.mo Padre Girolamo Criscuolo,
Vicesuperiore Generale dei missionari Saveriani,

Ormai ciò che è fatto è fatto. Ora si deve completare l'impresa con una spedizione di volontari e di mercenari per raggiungere Nakiliza, Fizi e Baraka e liberare gli altri ostaggi in pericolo.

Padre Marco Giraldi, s.x.

Porse la sua risposta a Bergomi che però aggiunse: «C'è anche una parte del messaggio in forma orale».

«Che cosa mi devi dire?»

«Mi ha detto di chiederti con quale autorità hai fatto mandare gli ostaggi a Léopoldville. E c'è di più...»

«Che c'è ancora? Non dirmi le cose a pezzi e bocconi!»

«Mi ha ordinato di dirti questo solo dopo che l'aereo con gli ostaggi fosse già decollato» concluse Bergomi con imbarazzo.

«Ma che razza di ipocrita!» inveì Marco completamente fuori dai gangheri. «Avrei voluto che ci fosse lui fra quei poveracci che aspettavano la morte a ogni momento!»

Marco salutò Bergomi e si avvicinò al Piper fermo sulla pista: «Renzo, mi puoi portare a Usumbura? Debbo parlare con Criscuolo».

«Monta» rispose Renzo. Riavviò il motore e si mise in posizione di decollo sulla pista.

Una volta in volo Marco si sfogò: «Dimmi sinceramente: pensi che abbia fatto una cosa sbagliata a tirare fuori quei poveracci da quella situazione?».

«Certo che no. Sono più di quaranta persone che sarebbero sicuramente morte. Li avremmo avuti tutti sulla coscienza.»

«Ma allora perché quel bastardo vuole fermarmi?»

«È evidente, Marco. È chiaro che Vezzali gli ha riempito la testa di balle, gli avrà detto che andava tutto bene, che erano trattati con i guanti e poi sei arrivato tu, l'ammazzasette. Quelli sono ottusi burocrati: non capiranno mai la tua generosità e il tuo coraggio. Ma non hai visto Vezzali? Se l'è fatta sotto ed è scappato come un coniglio ben sapendo che la sua fuga sarebbe costata la vita a tutti gli ostaggi.»

«E se quello non vuole intendere ragioni?»

«Allora dovrai fare una scelta molto dura e impegnativa.»

Atterrarono. Marco andò a piedi alla sede del superiore e suonò all'ingresso.

Criscuolo era un uomo robusto, con un pizzo che ricordava quelli dei gerarchi fascisti e un'espressione indecifrabile da persona astuta ma abituata a comandare.

«Padre superiore» esordì Marco, «nessuno le ha mai detto come monsignor Vezzali ottenne dai ribelli il permesso di recarsi a Bukavu? Impegnandosi a tornare perché, in caso contrario, i ribelli avrebbero trucidato tutti gli altri. Lei conosce padre Saltini, non è vero? Quando l'ho accompagnato a Bukavu riuscendo a passare i posti di blocco, mi ha implorato per tutti i santi di liberare quei padri e quelle suore.»

Criscuolo accennò uno di quei suoi sorrisi ambigui e sarcastici che mettevano i brividi. Si poteva capire solo una cosa: che per qualunque motivo mai e poi mai avrebbe concesso un assenso che mettesse in pericolo la sua condizione gerarchica e lo esponesse a critiche, neanche se fosse stata in gioco la sopravvivenza dell'intera umanità.

«Tu sei un religioso, Marco; hai pronunciato dei voti,

hai rinunciato a qualunque azione che non sia la preghiera. Capisci?»

«Sono in condizione disperata. Non hanno scampo. Verranno torturati, mutilati, fatti a pezzi. Io li ho visti a Kongolo gli spiritani: è spaventoso, è atroce. Lei non può nemmeno immaginare.»

«Capisco, ma per me non cambia niente: tu non puoi partecipare a nessuna impresa di carattere militare, non puoi indossare un'uniforme, non puoi portare armi. Sono stato chiaro?»

«I due vescovi di Bukavu e di Kasongo mi hanno spinto a partire e hanno detto che le avrebbero parlato. Perché non li incontra? La stanno aspettando.»

Criscuolo tentennò un poco, poi acconsentì. Marco aveva capito che doveva giocare la carta del potere gerarchico, l'unico che potesse interessarlo, e appena vide Renzo gli disse di chiamare immediatamente il collegio dei gesuiti e avvertirli del loro arrivo. Doveva farlo in quel momento, mentre Criscuolo controllava la sua borsa e i suoi documenti.

Decollarono diretti a Shangugu senza che il superiore e Marco scambiassero mai una parola, e quando scesero trovarono la Volkswagen del vescovo di Bukavu ad aspettarli per condurli al collegio dei gesuiti. Ma una volta arrivati, il vicesuperiore generale impedì a Marco di entrare con un: «Tu aspettami qui».

Non passò molto tempo, lo stretto necessario, perché padre Criscuolo capisse che i due vescovi non contavano niente in Italia e men che meno a Roma, e uscisse. E fu ancora brutalmente chiaro con Marco che attendeva ansioso: «Se non vuoi essere cacciato da questa congregazione devi obbedire. L'ordine è che per nessun motivo, hai capito?, nessuno, dovrai partecipare ad alcuna spedizione né ad avventure di questo genere. Non è affare nostro. Dobbiamo solo pregare, ci penserà la Divina Provvidenza.»

La spedizione già progettata per salvare sei missionari sparsi fra Nakiliza, Fizi e Baraka era cancellata. A Marco non restava che rientrare nella sua missione a Mwenga dopo aver salutato i volontari che tornarono alle loro famiglie.

Che avrebbe fatto? Terminato la costruzione della chiesa?

Certo, bella impresa. Riposato nel primo pomeriggio per recuperare le forze e proseguire il lavoro fino a sera? Battezzato, cresimato, predicato... Perché no? Non era quello che aveva detto al patriarca di Venezia? Convertire più anime possibile e portare tutti in paradiso. E invece era andato all'inferno. All'inferno sì, e doveva ammettere che gli era piaciuto e che ci sarebbe tornato anche subito. E cosa gli aveva risposto il patriarca? Accidenti, che cosa gli aveva risposto?

"Vedi di non fare troppi disastri." Ecco, aveva risposto così.

Riprese la sua jeep, controllò che tutto funzionasse, fece il pieno e si diresse verso Mwenga. Gli dispiaceva di non aver visto né salutato Louis, Rugenge e Jean Lautrec. Gli avrebbero ricordato per sempre l'impresa più grande di tutta la vita.

Passò da Burhale e pensò che se fosse entrato nella stanza da letto della Mwami Kazi forse l'avrebbe trovato là il suo amico Louis. Lo spirito è forte, ma la carne... Com'è la carne? "È carne umana" gli risuonò nella mente la frase come quelle senza senso la prima volta che aveva attraversato la savana dei Bashi.

Pensò di fermarsi dalla regina ma non se la sentì. Preferì proseguire per Mwenga.

«Tanto vale...» disse fra sé e sé. Giunto alla missione entrò nella sua abitazione, sistemò quel poco di bagaglio, la Colt 45 che gli era rimasta nella borsa da viaggio, chissà perché, e si mise a cucinare qualcosa per cena. Mentre stava per sedersi sentì la voce di Renzo dalla radio.

«Marco, Marco, mi senti?»

«Ti sento sì. Che c'è?»

«Notizia riservatissima, e infatti sto usando la frequenza cifrata. Il colonnello, anzi il generale Mulamba – lo hanno promosso – è stato convocato nella capitale dal grande capo supremo assieme a Turenne, O'Hare, Porter, due consiglieri militari americani, il nunzio Solari e indovina chi?»

«Non saprei.»

«Tu.»

«Io? Interessante... Ma tanto non posso fare niente. Criscuolo mi ha legato le mani e anche i piedi. Non posso muovere un passo.»

«Aspetta un momento: Solari ti vuole incontrare. Subito.»

«Ho appena disfatto i bagagli...»

«E allora? Rifalli. Non crederai di fare il parroco di campagna, vero? Non ci crede nessuno che vuoi fare il parroco di campagna.»

«No, eh?»

«No. Vengo io a prenderti e scendo sulla pista sterrata dietro la missione. Domani alle sei. Passo e chiudo.»

Marco ebbe una notte agitata: immagini del combattimento, Rugenge che gridava: "È stato lui!" mentre il corpo di un Simba si abbatteva al suolo dal terzo piano del municipio, la faccia di pietra di Piero – e poi niente – mentre ricamava ghirigori sui muri con la mitragliatrice fra le braccia e il nastro con i proiettili sulla spalla. E la faccia da furbastro di Criscuolo che affidava tutto alla Divina Provvidenza.

Si addormentò dopo mezzanotte e si alzò con la sveglia e il canto dei galli. Indossò la tonaca bianca aperta fino alle ginocchia e nettamente più corta di quanto usasse tra i confratelli, e strinse il cinturone sui fianchi. Poco dopo era ritto al bordo della pista sterrata a guardare Renzo che scendeva con impeccabile manovra. Il Piper non era ancora fermo del tutto che già apriva il portello e Marco s'infilava nella cabina. Renzo non fece altro che dare manetta e il velivolo invertì la marcia, riprese velocità e decollò in tre minuti.

Il nunzio apostolico aveva convocato una sorta di stati generali delle missioni, specialmente di quelle in pericolo, per decidere il da farsi. Ognuno dei presenti fece la propria relazione e quando toccò a Marco si alzò in piedi e descrisse per filo e per segno ogni momento degli interminabili venti minuti che era durata l'incursione al vescovado e al municipio di Uvira. Concluse raccontando il suo incontro con la superiora delle suore belghe: era ferita, piena di lividi, il volto tumefatto e le labbra spaccate e si era appena, e a stento, coperta dopo lo stupro subito.

«Le ho detto: "Sorella, siamo venuti per salvarvi, comando io questa incursione e sono il padre Marco Giraldi. Si faccia forza e coraggio". Le sue sofferenze sono finite. Ora la porto al punto di raduno. "No, no" ha balbettato, "ci sono le ragazze del collegio e quelle dell'orfanotrofio lassù su quella collina. Dietro ci sono i Simba." Cercava di alzarsi in piedi per indicare il luogo ma avevo capito. "La supplico" rantolava, "fate qualcosa." Ho avuto l'impressione che stesse per morire...»

Il nunzio lo interruppe: «Padre, non se ne vada dopo che sarà finita questa riunione: venga nel mio ufficio che devo parlarle».

Marco aspettò la fine della riunione e andò a bussare all'ufficio del nunzio.

«Avanti» disse la voce di monsignor Solari.

Marco entrò, il nunzio lo squadrò dalla testa ai piedi e poi lo invitò ad accomodarsi.

«Siediti... Allora, com'è andata a finire?»

«Bene, grazie a Dio. Siamo riusciti a raggiungere la sommità della collina dove c'era il collegio. Le ragazze Barega erano già in salvo, ma le altre erano in mortale pericolo e nessuno aveva pensato fino a quel momento a loro. Le abbiamo salvate tutte. Ma ho poi saputo dalla superiora di altre situazioni identiche che possono da un momento all'altro precipitare.»

«E dunque si dovrebbe fare qualcosa, giusto?»

«Certamente.»

«Tu te la sentiresti?»

«Anche ora.»

«Ma cosa ne pensano i tuoi superiori?»

«Mi hanno diffidato dal prendere parte in futuro a simili spedizioni o avventure, in virtù di santa obbedienza e pena l'espulsione dalla congregazione.»

«Criscuolo, vero?»

Marco annuì.

«Senti, io qui rappresento il papa, e dunque la mia autorità sovrasta di gran lunga quella di chiunque fra i tuoi superiori.» E soggiunse: «Alzati».

Marco si alzò dalla sedia non senza una certa sorpresa.

Il nunzio lo squadrò di nuovo da capo a piedi, soffermando lo sguardo su certi particolari della sua veste, non proprio di ordinanza. Poi sorrise: «Un Templare! Ecco a chi somigli! È tanto che ci penso e solo ora mi è venuta l'idea».

«Non capisco» disse Marco.

«La tua non è una tonaca ma una cotta, aperta fino alle ginocchia, molto più corta, e porti il cinturone per la spada. Come un Cavaliere Templare, frate e guerriero. C'è quindi un precedente, sancito dal Concilio di Troyes, che stabilì che uomini che avevano preso i voti potessero anche brandire una spada. Dimmi che cosa ti serve.»

«Un'unità combattente.»

«E dove la trovo, ragazzo mio?»

«C'è già. Dagli americani, dai congolesi.»

«E poi?»

«Un elicottero. Quando vi chiamo dovete arrivare subito. Anche prima.»

«Vedrò di procurarlo. E poi?»

«Il grado di colonnello. Quando do un ordine devo essere obbedito.»

«Fra tre giorni, qui a Léopoldville, prenderai parte a un meeting con il generale Mobutu, con i comandanti Porter e O'Hare, il generale Mulamba, il colonnello Turenne, io stesso e i due consiglieri americani, il colonnello Rattan e il capitano Wieser. Avrai tutto quello che chiedi, dobbiamo però salvare non solo i padri e le suore in pericolo, ma anche molti europei intrappolati in zone occupate dai Simba.»

«Bene, eccellenza, e se posso contare sulla sua ospitalità mi tratterrò fino a quel giorno.»

«Certo. Ti ho prenotato una stanza in albergo. E ora vai, ci sarà una macchina ad attenderti fuori. A presto dunque.»

Marco gli strinse la mano e fece per uscire.

«Un momento» disse il nunzio. «Naturalmente io e te non ci siamo parlati, anzi, non ci siamo proprio visti.»

«Naturalmente, eccellenza.»

Al meeting non mancava nessuno e il generale Mobutu, capo di stato maggiore dell'Esercito, si congratulò con il generale Mulamba e con Marco per il felice esito della spedizione di Uvira e per la liberazione degli ostaggi.

«Tuttavia» proseguì Mobutu, «ci sono ancora situazioni di gravissimo pericolo, non solo per missionari e suore, ma anche per le famiglie di molti europei residenti a Stanleyville. Gizenga ha minacciato di ammazzare tutti gli ostaggi qualora il governo centrale provasse a riconquistare la città. Sappiamo inoltre dai nostri servizi di informazione che i ribelli hanno radunato missionari e suore in campi sorvegliati facendo rastrellamenti nelle loro missioni.»

«È assolutamente necessario tentare di salvare queste persone che rischiano la vita» intervenne il nunzio.

Mobutu si rivolse a Marco: «Padre Giraldi, sono stato molto colpito dalla sua azione a Uvira, sia per la sua abilità strategica sia per il coraggio che ha dimostrato, e l'ho invitata a questo raduno perché vorrei sapere se sarebbe disposto a tentare altre spedizioni di questo genere. Ovviamente con il nostro massimo appoggio».

Marco riportò all'attenzione il suo problema di obbedienza ai voti e il categorico divieto dei suoi superiori. Monsignor Solari lo guardò con una certa sorpresa, ma pensò che evidentemente, pur senza rivelare il loro incontro riservato, Marco volesse avere una copertura pubblica da parte della nunziatura per non rimanere alla fine con il cerino acceso in mano e pagarne le conseguenze.

Il nunzio non si fece pregare: «Caro padre Marco, mi permetta di assicurarle che nel mio ruolo istituzionale rappresento il papa in persona in questo paese e che la mia autorità è dunque molto al di sopra di quella dei suoi superiori. Può quindi star certo che nessuno di loro oserà discutere il suo operato che porta inoltre il sigillo della massima autorità militare del Congo».

Mobutu sorrise ossequiosamente al nunzio per la citazione della sua persona, poi si rivolse a padre Marco: «Sono contento che accetti la mia proposta, padre. Mi dica pure liberamente di che cosa ha bisogno».

«Grazie, generale. Ho bisogno di un'unità combattente fatta sia di volontari che di mercenari. Questi ultimi penso possano essere distaccati ai miei ordini dalle formazioni che già militano per lei.»

«Senza dubbio. E provvederemo al più presto perché la situazione comporta la massima urgenza.»

«Dei circa cinquanta uomini che mi servono, le chiedo di poterne scegliere venticinque personalmente, mentre gli altri venticinque li sceglierà il colonnello Mike O'Hare fra i professionisti che già agiscono sotto il suo comando. Le chiedo inoltre che mi conferisca un grado militare che mi permetta di comandare ogni azione senza alcuna interferenza.»

Mobutu non perse una parola del discorso di Marco mostrando la più grande attenzione a quello che diceva. Non aveva mai visto un prete capace di condurre in modo impeccabile un'operazione militare di alto livello. Quell'uomo aveva migliori capacità della maggior parte dei suoi generali. Rispose: «Va benissimo. Può cominciare il suo arruolamento senza alcun problema: ho già una bozza di decreto che le dia totale copertura. Aggiungerò che le viene conferito, a partire da questo momento, il grado di colonnello per i meriti della sua campagna di Uvira».

Vergò poche righe su un documento con l'intestazione dello stato maggiore generale dell'Armée e vi appose la firma. Poi ne fece una copia, si alzò in piedi e la consegnò a Marco dicendo:

«Congratulazioni, colonnello Giraldi.»

24

"Mad" Mike O'Hare diede a Marco le istruzioni per contattare Jean Lautrec: un sistema piuttosto complesso, quasi una caccia al tesoro. Il suo mestiere lo imponeva, perché lasciava dovunque tracce di odio e di sangue che dovevano in un modo o nell'altro essere nascoste o cancellate.

Lo trovò, alla fine, nei sobborghi meridionali di Bukavu in un magazzino di pezzi di ricambio per macchine da movimento terra che non era ovviamente la sua residenza ma solo un punto di appoggio per incontrare persone. Si presentò in tenuta militare e la cosa sorprese Marco non poco, visto il terrore e l'odio che i regolari o i Simba – a seconda dei casi – avevano per i cosiddetti *paracommandos*, cioè i paracadutisti belgi.

Evidentemente Piero era convinto che la sua uniforme incutesse rispetto e paura più che eccitare aggressività, e comunque il codice mercenario prevedeva che chiunque facesse parte di quei corpi venisse sempre sorvegliato e protetto dai compagni e a sua volta facesse la stessa cosa per gli altri.

Calzava anfibi lucidati a specchio e portava un paio di Ray-Ban Aviator. Non fumava e non beveva e questo ne faceva una macchina di alta precisione quando era in azione. Non toglieva mai i Ray-Ban a meno che non fosse buio pesto, un'abitudine che poteva sembrare un vezzo e che invece era un modo per nascondere la propria espressione, le proprie emozioni, perfino le proprie intenzioni.

Marco non rievocò nulla dal passato e si precluse così domande che avrebbe voluto fargli, ma che sapeva bene avrebbero destato irritazione. Aveva capito molto presto che per un mercenario non c'era via di mezzo: o mostrava anche troppo di sé e delle sue emozioni o celava tutto ermeticamente. Piero era della seconda categoria. Ogni mercenario sapeva che se fosse caduto vivo nelle mani di un nemico o semplicemente di qualcuno che lo temeva, e quindi odiava la sua specie, non ci sarebbe stato limite alle sofferenze che gli avrebbe inflitto e pertanto tutti portavano in cintura una granata senza sicura per farsi esplodere prima di essere catturati.

«Queste sono le regole d'ingaggio» disse Marco porgendogli un documento da firmare.

Piero lo lesse attentamente, poi alzò la testa a confrontarsi con l'uomo che aveva davanti e che aveva conosciuto – ora lo sapeva – quando era poco più che un adolescente, in una piccola città del Nord Italia durante una guerra civile non meno sanguinosa di quella in atto in quella regione africana.

«Colonnello...» disse a bassa voce come parlando fra sé e sé. «Devo obbedire a un prete con i gradi di colonnello. Chi l'avrebbe mai immaginato?»

«Hai qualcosa da ridire?» domandò Marco.

«Sono pagato per rispettare le regole d'ingaggio. Voglio solo che tu sappia che non mi considero diverso da te e che forse anche tu non sei molto diverso da me.»

«Eviterei una discussione di principio che non porterebbe a niente» rispose Marco. «La differenza è il fine: io assumo il comando di un corpo militare senza un centesimo di ricompensa, ma solo per salvare dei fratelli innocenti che verrebbero torturati e macellati come bestie. Per questo sono pronto a morire in ogni momento. Tu lo fai per denaro» disse porgendogli la busta sigillata che conteneva l'anticipo.

«Certo. Perché non credo nello Stato con i suoi politici corrotti e i suoi generali felloni, e non credo nella Chiesa con i suoi preti che violentano i bambini approfittando della loro miseria e i vescovi che si salvano la pelle mettendo a repentaglio la vita di tutti gli altri. Tu ne sai qualcosa.»

«Io non ho nulla da rimproverarmi così come la gran parte dei miei fratelli. Per me la morte è il sacrificio del più grande tesoro che possiedo, la mia vita, per salvare quella degli altri; per te è un incidente sgradevole che interrompe il flusso dei tuoi guadagni e che ti priva dell'unica emozione di cui sei ancora capace: il senso di onnipotenza nel togliere o risparmiare la vita ad altri esseri umani.»

«Hai capito tutto quindi» rispose Piero. «Meglio così. Ma c'è ancora una cosa di me che non sai... Ogni volta che firmo un ingaggio, non importa con chi, firmo un patto con il diavolo... Questa volta il diavolo sei tu.»

Marco incontrò Louis verso sera al Café La Goulette.

«Jean Lautrec mi ha detto che tu puoi aiutarmi a trovare un dottore, suppongo che ne avremo bisogno.»

«Che cosa ti ha detto?»

«Che è un ex Spetsnaz, solo al mondo. Stalin gli ha sterminato la famiglia quando non è rientrato in tempo da una missione e non è tornato più. Alcolizzato, lavora per comprarsi da bere ma è un buon chirurgo che ha ancora la mano ferma. Si chiama Kazianoff. Dove lo troviamo?»

«Poco prima dell'alba quando è ubriaco perso: cade per strada e rotola dentro la canaletta di scolo delle latrine. Se ci alziamo alle quattro domani lo troviamo non troppo lontano dal bar Le Grand Guignol. Porta una bottiglia di whisky o di brandy: ci servirà.»

Si incontrarono al café l'indomani alle quattro e si diressero a piedi verso la bidonville in cui i prezzi erano bassi e la merce – alcol, prostitute, droga – adeguata a quasi tutte le tasche.

Lo trovarono, come aveva previsto Louis, nella canaletta di scolo, una fogna a cielo aperto, ubriaco fradicio. Louis cercò un rubinetto dell'acqua potabile, riempì il secchio che era appeso al rubinetto stesso e glielo rovesciò in faccia. Kazianoff trasalì, si scosse l'acqua di dosso e si alzò in piedi senza protestare né imprecare.

«Partiamo fra pochi giorni per una gita a Stanleyville» disse Marco. «Ci serve un medico.»

Kazianoff cercò di recuperare il controllo della situazione: «Una gita?».

«Una spedizione militare con un commando di mercenari e di volontari» specificò Louis.

«Ah» disse Kazianoff.

«Allora?» insistette Marco.

«Non ho gran che da fare in questo periodo. Da che parte si va?»

«È prevista un'azione di riconquista di Stanleyville da parte dell'Armée Congolaise sostenuta da altre forze di pronto intervento. Gizenga e i suoi hanno proclamato che se questo avverrà verranno uccisi tutti gli stranieri: belgi ed europei in generale, missionari e suore di qualunque ordine. Un bagno di sangue. Il nostro intento» proseguì Marco «è di liberarli e portarli via prima che questo avvenga. Allora che mi dici?»

«Per me va bene.»

«Quanto chiedi per le tue prestazioni?»

«Whisky. Una cassa di whisky... due.»

«Hai preferenza per una marca in particolare?»

«No. È sufficiente che abbia quaranta gradi.»

«D'accordo ma devi firmare che in azione non potrai bere nemmeno una goccia di alcol. Se ti troviamo ubriaco in missione rischi la fucilazione.»

«Va bene. È giusto.»

Marco e Louis lo accompagnarono al Grand Guignol quasi deserto e lo appoggiarono a un tavolino perché firmasse l'ingaggio. Marco estrasse dalla sua borsa una bottiglia di Johnnie Walker e gliela consegnò a mo' di anticipo: «Ti aspettiamo mercoledì pronto per partire alle quattro del mattino al collegio dei gesuiti. Sobrio e con la borsa dei ferri sterilizzati. Ai medicinali pensiamo noi: antibiotici, disinfettanti, anestetici, materiali di consumo come bende, cerotti, filo da sutura, siringhe. Dimenticato niente?».

Kazianoff annuì: «No, va bene così. Ci sarò: quattro del mattino al collegio dei gesuiti».

Aprì la bottiglia e si versò un bicchiere mentre Louis e Marco uscivano.

«Mah, speriamo bene» commentò Marco.
«Se la caverà benissimo. È uno Spetsnaz» rispose Louis.

Nella tarda mattinata Marco fece presente a Louis che a Uvira aveva sentito due mercenari parlare in italiano. «Uno era Piero alias Jean Lautrec, l'altro non so.»

«Sergio» rispose Louis. «Sergio Roncato. È un ottimo radiomarconista ma spara anche piuttosto bene. Andiamo a trovarlo: so dove sta.»

I due salirono sulla Buick nera di cui Louis si serviva in quel periodo e Louis guidò fino alla penisola sul lago Kivu, dove c'erano le ville dei possidenti. Salì verso il promontorio che si ergeva alla fine dell'istmo e si fermò davanti a una villetta di stile coloniale. Suonò il campanello che portava la scritta "G. Mc Grawth" e la voce dal citofono domandò: «Chi è?».

«Amici» fu la risposta.

«Ciao, Louis. Da amici come te sempre meglio pararsi il culo.»

«Dài, apri.»

Roncato aprì la porta in vestaglia di cotone amaranto e li fece accomodare.

«Che succede?» domandò.

«Ci servono uomini. Conosci il colonnello Giraldi, no?»

«E chi non lo conosce? Il guerriero di Dio, il Templare di fine millennio, lo stratega di Uvira. Accomodatevi... un Bourbon con ghiaccio?» L'interno era ben arredato ma non vistoso.

«Il sotterraneo» mormorò Louis all'orecchio di Marco «è un vero e proprio arsenale. Ha anche una mezza dozzina di RPG di modernissima concezione... Ok per il Bourbon, Jack Daniel's etichetta nera se c'è.»

«Partiamo per Stanleyville» disse Marco. «No, grazie, non bevo... Stesso obiettivo: liberare missionari e suore ma anche borghesi europei, prima che arrivi l'incursione dei parà belgi che farà esplodere la rappresaglia dei Simba.»

«Mmmh, andiamo sul pesante. Non so se ne ho voglia.»

«Non fare storie» tagliò corto Louis. «C'è anche Jean Lautrec, Piero per i pochi amici. Inoltre il fenomeno degli *sharpshooters*, Rugenge, il leopardo nero. L'hai visto in azione? Quello ti centra un moscerino a un chilometro di distanza.»

«Non so. Ho bisogno di pensarci. Tornate la prossima settimana.»

«Neanche per sogno» rispose Marco. «Si parte fra tre giorni, quattro al massimo.»

«Le notizie che ho io» intervenne Louis «sono che i parà arrivano presto.»

«Vediamo un po'» disse Roncato, e si sedette alla radio camuffata da stereo. «Vediamo cosa ne dicono nelle alte sfere.» La radio emise una serie di scricchiolii, di fischi e di fruscii, poi si fermò su una emissione in inglese americano sufficientemente udibile.

«Ecco qua: canale CIA, non facile da beccare, ci vuole la manina di velluto e bisogna anche avere la chiave della decodificazione... Allora...»

«Entro i prossimi tre giorni» commentò Louis. «Quindi si dovrà anticipare la partenza.»

«Complimenti» ammise Roncato. «Ok, fammi vedere le regole e i compensi di ingaggio, signor colonnello.»

Marco gli mostrò il documento e Roncato lo scorse rapidamente: «Voglio un venti per cento in più. Io sono speciale».

Louis annuì verso Marco che accettò la richiesta: «In via del tutto eccezionale».

«Ovviamente.»

«Il segnale di partenza arriverà su questa lunghezza d'onda evidenziata nelle cifre che compongono i numeri. Porta le armi che vuoi. Noi pensiamo alle munizioni e ai mezzi, incluse quattro autoblindo.»

Uscirono e quando salirono sulla Buick Louis commentò: «Soldi ben spesi; hai visto? È un fenomeno».

«Ma hai dato per scontata la presenza di Rugenge, che non abbiamo ancora arruolato.»

«Il ragazzo fa quello che dico io» rispose Louis.

«Siamo in quattro. Ne mancano venti. Dobbiamo fare alla svelta.»

Nel pomeriggio, sempre accompagnato da Louis, Marco incontrò i colonnelli Porter e Turenne per avere il permesso di scegliere mercenari dai loro reparti. Porter era inglese e correva voce che fosse stato espulso dall'esercito di Sua Maestà Britannica per vari crimini in territorio coloniale: stupri, massacri, torture. Era un razzista convinto e odiava i neri.

Prima che si facesse buio era costituito il gruppo di intervento: il Quinto Commando.

A mezzanotte Marco fu contattato da Thiago via radio.

«Dove sei?» domandò Marco.

«Vicino. Sulla penisola. Ho chiamato dalla radio di Louis. Sono suo ospite.»

«Ah, non lo sapevo... Allora vediamoci. Vieni qui alla succursale del collegio dei gesuiti.»

Thiago arrivò stravolto. La sua baldanza spagnolesca era sparita. Sembrava che avesse visto in faccia il diavolo: «Marco, ho notizie da Stanleyville: sono arrivato da poco con un C130 americano che mi ha dato un passaggio. I capi ribelli, Gizenga, Gbenye, Olenga, Soumialot e gli altri, hanno dato l'ordine ai Simba di uccidere tutti gli europei ma anche tutti i missionari e le suore al primo aereo americano che appaia nel cielo della città. Ce ne sono settantaquattro sulla riva destra del fiume e sulla riva sinistra ne sono arrivati parecchi dalle varie missioni da utilizzare come ostaggi. Mobutu se ne infischia: vuole Stanleyville e non gli interessa quanto costi in termini di vite umane. L'operazione di riconquista è imminente: trecentocinquanta parà belgi saranno lanciati sull'aeroporto nelle prossime ore per prendere il controllo della situazione, ma da quel momento in poi è tutto nelle mani di Dio».

"Nelle prossime ore..." Avrebbero dovuto correre come il vento. Marco cercò di calmarlo: «Thiago, andrà tutto bene. Noi abbiamo il compito di bloccare i Simba da sudest, se cercano di scappare da quella parte, e di recuperare tutti gli ostaggi possibile. I parà si occuperanno degli ostaggi che stanno sulla riva destra del fiume. Ho la radio sulla mia jeep: puoi chiamarmi quando vuoi. Soprattutto fammi sapere se hai avuto contatti con loro».

«Vuoi che venga con te?»

«Meglio di no, siamo al completo e ti vedo sconvolto.C'è

bisogno di nervi saldi. Ma da qui puoi essermi più utile che sul campo. Ho già preparato il mio bagaglio; adesso devo dormire qualche ora.»

Lo abbracciò e gli aprì una delle camere perché potesse anche lui riposare, poi si gettò sulla branda per essere abbastanza fresco con qualche ora di sonno.

La sveglia suonò alle tre e Marco si preparò in pochi minuti: indossò l'uniforme, controllò il FAL e la Colt 45 e salì sulla jeep. Era ancora buio. Giunto a un bivio, fece per girare a destra ma gli venne in mente che molto vicino c'era la residenza di monsignor Clairmont e prese a sinistra. Era un'ora barbara per svegliare il vescovo di Kasongo, ma era in credito con lui per avergli portato Thiago sano e salvo e decise di osare: era una delle persone che stimava di più e la più carismatica che avesse conosciuto in terra d'Africa.

Si fermò sotto la sua finestra e tirò un sasso contro i battenti. Una, due volte. Si affacciò il cameriere, un Babuyu sulla sessantina di nome Jerôme, che lo riconobbe nel cono di luce dei fari della jeep: «Padre Marco, ma le sembra l'ora di...».

«Hai ragione, Jerôme» rispose Marco, «ma non posso partire per questa impresa senza salutare sua eccellenza. Potrei anche non tornare. Come si dice, *à la guerre comme à la guerre*.»

Jerôme scosse il capo sbuffando: «Aspetti un momento».

In capo a cinque minuti ricomparve: «Monsignore la riceve; vengo ad aprirle».

Pochi minuti dopo era nel salottino del prelato che gli apparve in vestaglia e con i capelli arruffati. «A cosa debbo il piacere?» esordì trattenendo uno sbadiglio.

«Eccellenza, mi perdoni ma fra mezz'ora sarò in partenza per Stanleyville assieme ai miei uomini. Non potevo andarmene senza la sua benedizione.»

Monsignor Clairmont sospirò e gli puntò l'indice sul cuore. «Io ti conosco...» disse. «Tu sei un guerriero, hai l'istinto del combattente, l'*Urinstinkt*. Ti darò la benedizione, ma tu promettimi di non violare il Quinto comandamento.»

«Farò il possibile, eccellenza, ma lei mi benedica.»

Monsignor Clairmont lo fece inginocchiare e alzò la mano.

«*Benedico te, in nomine Patris...*» e aggiunse: «Vai, e che Dio ti protegga».

Marco gli baciò la mano e scese in strada. Stava per accendere il motore della jeep quando si aprì la finestra e udì la voce di monsignore: «Marco!».

«Sì, eccellenza.»

«Degli altri nove non ti preoccupare!»

«Grazie, monsignore!» rispose Marco sorridendo. Mise in moto e raggiunse il crocevia fermandosi a guardare se la strada era libera.

«Ci dai un passaggio?»

Louis e Rugenge, armati da capo a piedi: «Piero lo troviamo al piazzale del collegio».

«Montate» disse Marco.

«Novità?» chiese Louis mettendosi a sedere al suo fianco.

«Si tratterà di una corsa contro il tempo» rispose Marco. «I parà scateneranno la rappresaglia dei Simba appena toccheranno terra.»

Indicò con il pollice all'indietro la MG a nastro: «Sai usare quell'arnese?».

«No. Ci pensa Piero. È un asso.»

Al piazzale Mulamba tenne il briefing: «I paracadutisti decolleranno nelle prossime quarantott'ore – "Trentasei" commentò Roncato sottovoce – su vari C130, e saranno lanciati sull'aeroporto. Di là muoveranno subito verso la città il più rapidamente possibile. Il generale Mobutu ha messo in campo tutte le forze a disposizione. L'Armée risalirà il fiume con dei battelli a motore e tenterà lo sbarco nella zona sudest per congiungersi ai paracadutisti belgi. Il Quinto Commando, venendo da sud, dovrebbe arrivare più o meno alla stessa ora, ma dovrà calcolare il tempo necessario per fermarsi in diversi punti lungo la strada e accertarsi se ci siano missionari o civili da mettere al sicuro. I loro Chevrolet 4x4 li porteranno al più vicino aeroporto a seconda della loro posizione. Poiché si prevede» proseguì Mulamba «che i Simba sconfitti dovrebbero prendere due possibili direzioni, una a est e l'altra a sud, il Quinto Commando dovrà bloccare i Simba sulla strada che porta a est verso Bunia.

Stanleyville dista, come sapete, ottocentodieci chilometri che in teoria si potrebbero coprire in un paio di giorni, ma in realtà nessuno lo sa. La strada può diventare impervia per tanti imprevisti. La loro colonna non è molto numerosa però è potentissima per le straordinarie attitudini militari dei suoi componenti e per la perizia e intelligenza del nostro colonnello Giraldi» tutti guardarono Marco, «che già a Uvira ha dato prova del suo valore e delle sue capacità tattiche e strategiche. Un saluto speciale al Quinto Commando che agirà sotto la sua direzione. Buona fortuna a tutti!»

Marco strinse la mano al generale Mulamba, a Turenne sottile e affilato, a Porter dal profilo grifagno, a "Mad" Mike O'Hare noto anche come "Wild Goose", quasi la caricatura del mercenario per l'esibizione di tutti i *paraphernalia* del soldato di ventura, e in particolare a Louis, Rugenge e a Piero-Jean Lautrec. Da ultimo la strinse anche a Kazianoff: quanto diverso dal rottame umano tratto ubriaco e puzzolente da una canaletta di scolo! Indossava l'uniforme Spetsnaz, impeccabile con i nastrini delle decorazioni guadagnate, rasato di fresco, senza un capello in disordine e con la lieve fragranza di una finissima colonia pour homme: «Salve Kazianoff».

«Salve colonnello.»

I capi mercenari erano tutti formidabili guerrieri, ma anche i semplici legionari di quel manipolo valevano sul campo ciascuno come cento soldati regolari o come trecento irregolari raccogliticci.

Il Quinto Commando partì con davanti la colonna di Porter, al centro gli uomini di O'Hare; a chiudere quella del colonnello Marco Giraldi che portava nel cinturone che reggeva la Colt anche una corona da rosario arrotolata. Sulla spallina portava cucito uno scudetto nero con la croce bianca octopuntata dei cavalieri Ospitalieri. Aveva due blindo, sette jeep con la MG e il mitragliere, due camion per le attrezzature e in più i pick-up Chevrolet 4x4 per trasportare gli eventuali ostaggi liberati.

La prima fermata avvenne a Walikale, dove Marco incontrò un catechista cristiano che aveva già conosciuto.

«Salve Synèse, sono padre Marco Giraldi. Sai se ci sono ostaggi qui o nei dintorni? Puoi fidarti, ci siamo già incontrati, ricordi?»

«Certamente. Purtroppo no. I Simba hanno fatto un rastrellamento e li hanno spediti a Stanleyville.»

Marco si sentì d'un tratto demoralizzato. Gizenga e gli altri facevano sul serio e senza il fattore sorpresa sarebbe stata durissima. Atterrò in quel momento un C130 con tutti i rifornimenti e il carburante per la spedizione. Marco radunò il suo gruppo d'assalto.

«Ragazzi, cosa ne dite?»

«Questi non scherzano» rispose Louis.

«I capi hanno dato ordine di ammazzare tutti gli ostaggi in caso di attacco a Stanleyville e per stare nel sicuro li hanno radunati tutti là» soggiunse Piero. «Auguriamoci che Walikale sia un fatto isolato, ma non lo credo.»

«Nemmeno io» concluse Marco. «Hanno imparato la lezione di Uvira. Prepariamoci a scontri molto duri se arriviamo a Stanleyville.»

Coprirono la tappa successiva, Lubutu, avendo percorso oltre i due terzi della distanza da Bukavu alla meta, ma anche lì si trovarono di fronte alla stessa situazione: tutti i missionari erano stati portati a Stanleyville. E a quel punto era ormai chiaro che da lì alla meta non avrebbero incontrato alcun ostaggio. Per il momento era scacco e Marco si sentiva frustrato per quel tentativo a vuoto. E, quel che era peggio, sembrava evidente che i capi Simba sapevano il fatto loro e si erano mossi tempestivamente. Forse la sua impresa di Uvira, cui aveva assistito Soumialot, li aveva veramente messi in allarme.

Sia Louis che Rugenge e anche Piero erano diventati nervosi e aggressivi. Cercavano un bersaglio da colpire.

«Nervi saldi» disse Marco, mentre su un tratto rettilineo della strada scendeva un C130 che portava ancora rifornimenti. Li separava una sola tappa da Stanleyville: Tungu, vicinissima al capoluogo, ma i capi delle varie unità combattenti decisero assieme a Marco di pernottare a Lubutu perché il giorno dopo sarebbero arrivati gli ultimi rifornimenti.

Alle cinque del mattino Marco e gli altri comandanti udirono il rumore del cargo che atterrava con il carburante e i mezzi di sussistenza.

Subito dopo il cielo si riempì di un rombo più vasto e profondo, la terra vibrò per il fragore di decine di motori turboelica dei C130 che portavano in pancia centinaia di paracadutisti sull'obiettivo. Sergio Roncato intercettò le comunicazioni fra gli aerei.

Il Quinto Commando giungeva in ritardo all'appuntamento con l'apocalisse.

25

Marco convocò i capi delle varie unità di combattimento: «Dobbiamo muoverci alla massima velocità possibile» esordì. «Temo purtroppo che arriveremo troppo tardi.»

«La radio ha detto "ritardo", non "fuori tempo massimo"» precisò Sergio Roncato.

«La radio non sa niente. Non voglio rischiare!» insistette Marco. «Ogni minuto di ritardo può significare la perdita di molte vite umane.»

La colonna del Quinto Commando riprese immediatamente la direzione di Stanleyville, da dove provenivano i rumori di furiose sparatorie e colpi singoli di armi pesanti attutiti dalla distanza. Dopo un paio d'ore di veloce avanzata apparve una colonna in marcia nella direzione contraria.

«Simba!» gridò Turenne.

«In fuga da Stanleyville» disse Marco: «Blocchiamo la strada, potrebbero avere con sé degli ostaggi».

«Forse se li sono divisi per gruppi» osservò Piero.

Louis scrutò la strada con il binocolo: «Si preparano a combattere ma non vedo ostaggi».

«Pronti a far fuoco!» ordinò O'Hare ai suoi. «Adesso, fuoco!»

Le due blindo cominciarono a sparare con il cannone di bordo martellando a colpi alternati il centro della colonna. Un camion saltò per aria per l'esplosione delle munizioni che trasportava e il relitto in fiamme rotolò giù dalla scarpata continuando a bruciare e alzando una colonna di fumo denso e bianco per il grande calore. Dalla jeep Piero afferrò le maniglie della MG e cominciò a sparare, velocissimo e micidiale. Ai fianchi del veicolo si accumularono, in pochi minuti, centinaia di proiettili. Rugenge saltò a terra assieme a Louis, si misero al riparo a fianco di una delle blindo e cominciarono a sparare a colpo singolo con il FAL e il Garand. Nessun colpo andava a vuoto. I Simba si resero conto ben presto che avevano di fronte un formidabile volume di fuoco e dei tiratori di massimo livello. Non avevano alcuna possibilità di cavarsela. Abbandonarono quindi i loro mezzi e si gettarono nella foresta che si estendeva ai due lati della strada.

«Attenzione» disse Porter. «Non sono spariti, si sono nascosti nella boscaglia. Ci spareranno addosso quando passeremo. Pronti a transitare a tutta velocità e distanziati fra di noi di qualche metro. Via!»

Partì per primo, seguito da O'Hare e da Turenne. Marco con il suo gruppo chiudeva, come era previsto, la colonna in marcia.

Porter non si era sbagliato. Al primo passaggio, dal folto della vegetazione, da un lato e dall'altro della strada, si scatenò una violenta sparatoria proprio nel momento in cui i mezzi del Quinto Commando erano costretti a rallentare zigzagando fra i relitti, e alcuni dei mercenari vennero colpiti, anche se in modo non troppo grave. Kazianoff ebbe sulla sua jeep uno di quei feriti, e cercò, nonostante i sobbalzi e gli sbandamenti, di fare del suo meglio per fermare l'emorragia.

Sulla jeep di Marco Piero aveva staccato la MG dal suo cavalletto e sparava tenendola in braccio, spazzando la boscaglia con raffiche rabbiose e continue. Louis, Marco e Rugenge completavano la copertura con le raffiche dei loro fucili d'assalto. Era quella la tecnica di combattimento dei mercenari: scatenare un volume di fuoco che non lasciasse a nessuno il minimo spiraglio di sopravvivenza, alzare un muro di fuoco e di piombo cui nessuno potesse scampare.

Nessuno, sulla jeep di Marco, fu colpito né ferito. La colonna riuscì a passare senza riportare danni irreparabili: si fermò a un paio di chilometri oltre il punto dello scontro a fuoco e Kazianoff si prodigò per impedire che qualcuno perdesse la vita.

Marco tuttavia non aprì bocca per parecchio tempo perché era ossessionato dal pensiero che i Simba avessero messo in atto gli ordini dei loro capi alla lettera. A volte pensava anche alla possibilità di aver colpito o ucciso qualcuno nell'ultimo scontro a fuoco. Per lui sarebbe stata la prima volta e si chiedeva se l'avrebbe fatto ancora, se ci avrebbe fatto l'abitudine o se avesse ragione Vezzali: "Noi dobbiamo solo pregare, ci penserà la Divina Provvidenza". Era una frase senza motivazione, pronunciata da un uomo senza onore e senza fede, indegnamente consacrato. Ma l'altra, quella di monsignor Clairmont, era molto significativa: "Degli altri nove non ti preoccupare".

C'era una componente di militari del Katanga con il Quinto Commando, dotati di un armamento potentissimo, disciplinati e ben addestrati da ufficiali belgi. Restarono indietro per spegnere ogni focolaio di resistenza rastrellando la foresta per un vasto raggio e disseminandola dei cadaveri dei Simba. Agli altri Marco ordinò di ripartire e procedere alla massima velocità possibile. Raggiunsero Tungu e cercarono di capire se ci fossero degli ostaggi, ma fu loro risposto, da persone di cui Marco si fidava, che i Simba li avevano già portati via, a Stanleyville, dove stavano concentrando il massimo numero possibile di ostaggi. La massa rendeva più efficace il ricatto.

Anche a Tungu dunque fu evidente che gli ostaggi c'erano stati ma non c'erano più. Ne erano comunque arrivati in gran numero da Ponthierville in treno e nessuno sapeva dove fossero.

Gli uomini del Quinto Commando si fermarono tuttavia perché un C130 cominciava a paracadutare carburante, munizioni e pezzi di ricambio e solo nel primo pomeriggio raggiunsero Rukula, sulla riva destra del Congo, praticamente un sobborgo di Stanleyville.

A quel punto Sergio e Piero si accorsero che c'era una colonna di veicoli in movimento intorno al bivio fra la strada di Stanleyville e quella per Bunia. Louis vide con il binocolo che c'era al centro un furgone che forse avrebbe potuto trasportare parecchi ostaggi. Marco ordinò immediatamente l'inseguimento. Louis e Rugenge fulminarono due conducenti di jeep mentre Piero apriva il fuoco con la MG sui due mezzi che sbandavano e li faceva a brandelli. Ma il convoglio di ribelli non si fermava. La blindo che avevano fece un'inversione di marcia e cominciò a brandeggiare il cannone verso Marco e i suoi. Piero lasciò la jeep, con un balzo saltò sulla blindo del Commando e aprì il fuoco prima che i Simba potessero prendere la mira. Colpita, la loro blindo esplose scagliando frammenti metallici incandescenti in tutte le direzioni.

Ormai cominciava a imbrunire e dopo un breve consulto fra i capi, il Quinto Commando tornò a Rukula per passare la notte. Marco protestò dicendo che era una inutile perdita di tempo che sarebbe potuta costare cara.

«Domani abbiamo appuntamento con i barconi al porto per raggiungere il nostro obiettivo» replicò O'Hare. «È il modo più rapido e sicuro.»

Marco dovette rassegnarsi alla sosta notturna, ma cominciò a pensare che il fallimento della missione poteva essere sempre più probabile ogni giorno che passava.

Consumato un pasto a base di razioni K, gli uomini del Quinto Commando si sistemarono in un edificio abbandonato e Sergio Roncato prese contatto con il comando delle truppe regolari che risalivano il fiume con i barconi.

Qualche ora dopo Marco ricevette una chiamata radio da Thiago: «Brutte notizie: pare che gli ufficiali belgi alla testa dei paracadutisti non sapessero che c'erano parecchi ostaggi sulla riva sinistra del Congo. Dove siete voi?».

«Siamo esattamente a Rukula, Thiago. Abbiamo inseguito una colonna di Simba sperando di liberare degli ostaggi, ma si è fatto buio e abbiamo preferito non rischiare un'imboscata che avrebbe potuto essere disastrosa. Inoltre domani abbiamo il punto di incontro con i barconi che ci porteranno sull'obiettivo.»

«Avete fatto bene. Ci sono già abbastanza guai. Come pensate di procedere?»

«Domani sbarcheremo nei pressi della missione: speriamo di essere ancora in tempo. Che Dio ce la mandi buona.»

Thiago restò in silenzio per qualche istante poi rispose: «Temo molto che le cose siano andate per il peggio».

«Teniamoci in contatto» concluse Marco per non addentrarsi ulteriormente in una conversazione che si annunciava tutt'altro che serena. «Se hai novità non esitare a chiamarmi a qualunque ora. Ho l'auricolare della radio a venti centimetri dal mio orecchio.»

«Passo e chiudo, amico mio» rispose Thiago, e c'era un profondo, evidente turbamento nella sua voce, come se non avesse avuto la forza di parlare oltre.

Si mossero prima dell'alba, arrivando all'appuntamento prima che attraccasse il primo barcone.

Piero, Louis e Rugenge prepararono con la moka un ottimo caffè, il cui profumo finì per attirare anche Sergio Roncato. Gli anglosassoni intanto bevevano il loro caffè lungo come una messa cantata, come diceva Roncato, e fumavano Chesterfield in scatola di latta smaltata da sessanta.

«Novità?» domandò Louis.

«Io ho delle novità» rispose Marco.

«Tu? E come?» si stupì Sergio, l'insuperabile radiomarconista.

«Conosci Thiago?»

«No.»

«Ecco. Io invece sì e stanotte mi ha chiamato due volte, la seconda alle tre del mattino, dopo aver captato un messaggio radio presto interrotto da una scarica di fucileria. Sulla riva sinistra c'erano nella missione tredici suore e una decina di padri e fratelli laici, congolesi in buona parte, provenienti da Ponthierville in treno... Se ci sono dei sopravvissuti sono nell'edificio delle ferrovie... Ecco i barconi per attraversare il fiume. Si parte.»

Roncato applicò a Marco un microfono e distribuì a ciascuno un auricolare.

«Continua» disse Sergio, «mi piace questa storia. Colpo in canna tutti, mi raccomando.»

Marco rispose che la storia completa di Thiago si sarebbe saputa se avessero trovato dei sopravvissuti.

Piero-Jean Lautrec era già salito a bordo, pronto per sparare con la MG, la "sua bambina", che portava in braccio nelle situazioni difficili, con i Ray-Ban sul naso. Molti si chiedevano se portasse gli occhiali da sole anche a letto, e non era da escludere. Le jeep e gli altri mezzi vennero imbarcati con due passerelle a binario. «Adesso avremo da fare» disse. «Dov'è Porter?»

«Dietro di noi, verso poppa» rispose Louis che impugnava il suo FAL e aveva sette caricatori tutto attorno al cinturone. «Ci copre le spalle mentre sbarchiamo. Se troveremo ancora dei Simba saranno furibondi e terrorizzati e potrebbero aver organizzato un agguato.»

Quasi a confermare quelle parole, più volte Marco e i suoi dovettero reagire per improvvisi attacchi e raffiche di fucili d'assalto dalla sponda del fiume, ma non ci furono arrembaggi con motoscafi, per fortuna.

Arrivarono sull'altra sponda verso le undici, senza incontrare resistenza. C'era ancora speranza? Dopo aver sbarcato mezzi e armi, si diressero verso la missione. Se Thiago non si era sbagliato, lì avrebbero capito subito quanto era costato il loro ritardo. Strada facendo i suoi sparavano su qualunque cosa si muovesse e comunque mantenevano un incessante fuoco di sbarramento. Videro un elicottero che tentava di fare una ricognizione e sentirono una reazione furiosa dei Simba che sparavano con qualunque mezzo. L'elicottero salì di quota per non essere colpito e sparò con i lanciarazzi mettendo a tacere i gruppi di resistenza.

Si fermarono davanti alla missione e in quattro entrarono per un sopralluogo. Furono accolti da un silenzio di tomba. Non c'era niente e nessuno. Si rimisero in viaggio e, percorso qualche centinaio di metri, Marco vide qualcosa a sinistra della strada che lo raggelò: rivoli di sangue raggrumato che scendevano dai gradini della veranda di una villetta da tempo evidentemente abbandonata. Pestò il freno del suo mezzo mandandolo quasi in testacoda e corse con Louis, Sergio e Rugenge verso l'ingresso dell'edificio mentre Piero, seduto sulla jeep con la mitragliatrice in braccio, faceva cenno agli uomini di Porter di proseguire verso l'edificio delle ferrovie.

I quattro, armi alla mano, salirono guardinghi i gradini dell'ingresso, attraversarono il piano rialzato della villetta e giunsero sulla veranda posteriore. Furono accolti da un fetore insopportabile di putrefazione e dal sinistro, incessante ronzìo delle mosche. Marco si sentì morire il cuore in petto: erano arrivati tardi, troppo tardi!

La veranda era completamente ingombra di cadaveri di suore e di padri.

Tutti mostravano segni di feroci violenze e tutti avevano la gola tagliata. Marco, attanagliato dall'angoscia, ne contò venti. Rugenge si appoggiò alla parete e distolse lo sguardo non sopportando la vista di quel mattatoio, Louis si coprì naso e bocca con un fazzoletto, poi Rugenge, squassato dai conati, vomitò. Marco, in preda all'orrore e con gli occhi pieni di lacrime, trovò a stento la forza di ordinare la ritirata e tutti e quattro, coprendosi le spalle a vicenda, arretrarono fino all'ingresso.

Piero li aspettava fuori con la mitragliatrice in braccio. Impassibile, si avvicinò: «Tardi?».

Marco accennò di sì. Poi risalirono sulla jeep e si diressero a tutta velocità, continuando a sparare rabbiosi, fino all'edificio delle ferrovie.

Si sentivano delle grida. Cessarono il fuoco.

Porter era già arrivato sul luogo. «C'è qualcuno là sotto, ma sono terrorizzati e non vogliono uscire.»

«Venite fuori!» gridò Marco in francese e in italiano. «Sono padre Marco Giraldi: siamo venuti a liberarvi! Non abbiate paura!»

Giunse in quel momento un fratello coadiutore congolese, trafelato.

«Perché non escono?» chiese Marco.

«Fino a ora uscire significava solo andare a morire» rispose.

Uno alla volta uscirono. Larve umane, con gli occhi infossati, sporchi dei loro stessi escrementi. Piangevano per l'umiliazione, la vergogna, il dolore. Imploravano acqua. C'erano padri e suore, erano gli unici scampati fino a quel momento all'eccidio perché tenuti prigionieri dentro la cantina dell'edificio delle ferrovie utilizzata dai Simba come latrina, ridotta a una fossa lurida e maleodorante. C'erano anche donne e bambini.

Intanto Porter, O'Hare e gli altri erano passati oltre, fino alla zona prossima alla riva del fiume. Lì, da un ciuffo di canne, suo nascondiglio, era uscito padre Kostner, già dato per morto. Era salvo per miracolo. La lama dei Simba che avrebbe dovuto tagliargli la gola non aveva inciso con la forza sufficiente, perché già sembrava morto per una larga ferita alla spalla sinistra e inoltre la lunga e fitta barba lo aveva protetto. Celato in mezzo ad altri cadaveri, aveva aspettato la notte. Poi, con il favore delle tenebre, si era nascosto nel canneto.

Tremava di un tremito convulso, gli occhi ruotavano nelle orbite per l'orrore e la follia. Era scosso da singulti che non riuscivano a esplodere in pianto.

Gli gettarono una coperta sulle spalle e lo portarono verso il pick-up dove Kazianoff si prese cura di lui, lavando e disinfettando le ferite e le escoriazioni che aveva su tutto il corpo.

I fratelli laici congolesi ancora scavavano la fossa comune dove già avevano deposto i cadaveri dei padri uccisi. Altri li avevano portati con carriole da cantiere verso il fiume per abbandonarli alla corrente. Alla fine, Marco ringraziò Dio per avergli donato quei sopravvissuti, tanta fatica e tanti rischi non erano stati inutili.

Marco trascorse molte ore al capezzale di padre Kostner nella struttura di soccorso messa in opera dal comando dei paracadutisti, mentre gli altri combattenti del Quinto Commando battevano la zona per vedere se c'erano ancora ostaggi nascosti da qualche parte. Seppe così da lui tutti i particolari di ogni sevizia subita dai prigionieri: all'inizio erano state stramberie al limite del ridicolo, come quando volevano costringere un fratello coadiutore congolese a violentare una suora. Fallito il tentativo, avevano cercato di costringere altri religiosi allo stesso vergognoso contegno, ma tutti rifiutarono e dovettero subire feroci pestaggi che li ridussero in fin di vita. Ad alcuni spezzarono la colonna vertebrale condannandoli a una perpetua invalidità. A quel punto obbligarono le suore a salire al primo piano, dove si trovarono a subire stupro una dopo l'altra dai Simba imbottiti di droga. Poi a tutte fu tagliata la gola.

L'umiliazione più sofferta e cocente per uomini e donne che del pudore avevano fatto la loro divisa era la nudità imposta dai Simba sia ai padri che alle suore. Quando avevano finito con i lavori forzati o con gli interrogatori e le percosse erano costretti a togliersi tutto tenendo solo le mutande e a camminare scalzi fino alla prigione sotterranea nell'edificio delle ferrovie, su un terreno aspro e su sassi appuntiti. Le suore cercavano in ogni modo di conquistare un brandello di stoffa per nascondere la nudità, che per loro era martirio non meno duro delle percosse e delle torture.

Padre Kostner raccontò a Marco anche la vicenda di una suora, suor Maddalena che, sdraiata fra i corpi esanimi delle sorelle, implorò un fratello coadiutore congolese che le passava accanto di gettarla direttamente nel fiume. Non voleva subire ancora l'onta dello stupro. Un Simba che l'osservava si avvicinò per tagliarle la gola ma lei lo fermò dicendo: «Aspetta». Poiché si era abbottonata la veste fino a coprire tutto il collo, si sbottonò fino al petto poi disse: «Adesso taglia». E lui le tagliò la gola.

«Una morte degna di una matrona romana. E sai perché, quando siete arrivati, le suore e i padri prigionieri nel sotterraneo della ferrovia non volevano uscire? Perché li buttavano ancora vivi nella fossa comune con i morti e i moribondi.»

Marco non riusciva a perdonarsi di non aver potuto evitare tutte quelle sofferenze. Ora che era troppo tardi gli venivano in mente altre soluzioni, tutte migliori di quelle che erano state adottate anche con la sua approvazione. Si era perso troppo tempo. Si erano inseguiti i Simba che tentavano di fuggire per ottenere cosa? Qualche testa in più? Cosa stavano soffrendo intanto i suoi fratelli e le sue sorelle sulla riva sinistra del Congo?

Se fosse partito appena pronto, subito dopo la benedizione di monsignor Clairmont assieme a Louis, Piero, Rugenge e Sergio! Tre italiani, un negro e un belga spretato: un dream team senza un solo sudafricano isterico e sanguinario, a tutta velocità con un Chevy armato e blindato prima che cominciasse la notte. Sarebbero arrivati in tempo. Avrebbero scatenato l'inferno, oh sì, l'inferno! Sarebbero piombati come folgori, lui e Louis e Sergio con i fucili d'assalto, Rugenge e Piero con i suoi Ray-Ban: il primo a colpo singolo che non falliva mai e colpiva al cuore o alla testa e Piero con la sua mitragliatrice che vomitava un uragano di fuoco.

«Ora sarebbero vivi» disse Marco d'improvviso a padre Kostner, come svegliandosi da un sogno.

Ma Dio non aveva voluto. Perché? Stava dalla parte dei Simba? Degli stupratori delle sue vestali? L'unica persona ispirata che avesse incontrato era monsignor Clairmont che gli ricordava il patriarca di Venezia.

«Hai fatto il possibile» disse in un rantolo padre Kostner. «Hai rischiato la vita per noi mentre gli altri delle nostre Congregazioni se ne stavano comodi in chiesa a pregare. Diglielo quando li vedi, diglielo!» gridò. «Quando sei in queste condizioni vuoi solo una cosa: non vuoi dei rosari, vuoi che ti tirino fuori!»

«Non ho rischiato niente» rispose Marco. «Un colpo secco e sei in paradiso o all'inferno sia quel che sia! Voi avete patito pene insopportabili, strazio, sangue, vomito e merda e da tutto questo non sono riuscito a salvarvi, eppure avrei potuto.»

Pianse, per la prima volta.

Padre Kostner gli artigliò il braccio con la sua mano scarna: «Ti sarà data un'altra possibilità. Molto presto. Non sbagliare questa volta. Spara, Marco, se non c'è alternativa, spara!».

Marco uscì quasi barcollando dalla struttura sanitaria e salì sul blindato 4x4 che aveva ottenuto dai belgi e che avrebbe usato per trasportare i corpi verso una sepoltura decorosa, almeno quella. Arrivò che i fratelli coadiutori ancora trasportavano i cadaveri sulle carriole: questa volta dall'edificio della ferrovia verso le sponde del fiume. Li guardò: si muovevano come automi e fu perfino difficile fermarli.

Osservò per contro i movimenti dei suoi uomini: sciolti, leggeri, possenti. Nessuno come loro conosceva in tutte le sue forme la malvagità degli esseri umani. Conoscevano anche lo spirito di chi dava tutto e subiva ogni sorta di atrocità, insulti ed efferatezze cui rispondeva sempre con la carità. Così erano solo carne per il pasto delle belve. Ed era questa consapevolezza che aveva spinto i suoi mercenari a impugnare sempre il coltello dalla parte del manico. La loro conoscenza della malvagità era tale che non volevano implorare nessuno, supplicare nessuno, inginocchiarsi davanti a nessuno, neanche a Dio; piuttosto preferivano il suicidio e tenere sempre con sé la granata senza sicura che prima o poi li avrebbe disintegrati.

26

Un funerale.

Era l'unico tributo che si potesse offrire a quei poveri corpi senza vita, che avevano subìto tante offese e tante torture senza che nessuno venisse in soccorso a liberare le vittime dai loro aguzzini. Ebbe luogo nella cattedrale di Stanleyville.

All'offertorio un padre intonò il *Miserere,* che le volte neogotiche del tempio accolsero e dilatarono fra i pilastri e sotto gli archi assieme alle note di un organo. Molti dei presenti furono presi da grande commozione quando alla voce virile si unì quella femminile di una giovane suora, bella di una bellezza delicata e fragile, vestita del suo abito immacolato ma con gli occhi cerchiati di un azzurro cupo che manifestava una tristezza abissale.

Nei giorni successivi Marco incontrò più volte Louis, Piero e Sergio, e qualche volta anche Rugenge, che sparivano a intermittenza, ognuno per le proprie frequentazioni. Per Piero e Sergio il cadere in battaglia era ordinaria amministrazione. In questo mercenari e missionari si somigliavano e sia gli uni che gli altri speravano che il trapasso fosse immediato e indolore. Quanto alle vittime, avevano fatto una scelta sapendo a che cosa andavano incontro. Per loro i mercenari non provavano compassione. Non se lo potevano permettere.

Anche Marco si sentiva cambiare. Se voleva riuscire nei suoi intenti non avrebbe potuto piangere e soffrire oltre i limiti dei suoi doveri. Doveva mantenere la forza e il coraggio necessari per riuscire nella sua impresa.

E la chiamata non tardò ad arrivare. I belgi e gli americani avevano distribuito radio ricetrasmittenti a tutti i gruppi attivi sul terreno a Stanleyville e con la collaborazione degli scampati per l'intervento dei paracadutisti si venne a sapere che a ovest, a Isangi, sulla sponda sinistra del Congo dovevano esserci degli ostaggi. Quasi tutti missionari e suore in mano ai ribelli. Quanti fossero non era dato sapere, ma presumibilmente qualche decina e dovevano essere in condizioni pietose, se pure erano ancora vivi.

In quel periodo Marco cominciò a capire che si stava creando una certa ruggine fra lui e il colonnello Porter, che avrebbe voluto avere il controllo totale ed esclusivo delle operazioni e invece si trovava spesso a subire le sue decisioni. Per fortuna, quando fu organizzata la spedizione a Isangi, Mulamba volle scegliere come coordinatore il colonnello "Fox" Sullivan, con cui si poteva ragionare. Anzi, fu proprio in quel frangente che Marco si trovò perfettamente d'accordo sulla strategia del colonnello.

Il meeting si tenne nel quartier generale dell'Armée e i due si presentarono per la prima volta. Poi Marco distese sul tavolo la carta topografica dove si poteva vedere molto chiara la situazione. La missione si trovava sulla riva sinistra del Congo, ben visibile per chi scendeva la corrente in direzione ovest.

Sullivan espose subito un piano molto semplice ma anche molto efficace. Fu deciso di utilizzare due barconi a motore per discendere la corrente. Marco, in collegamento continuo via radio, sarebbe sbarcato con i suoi per primo, tre chilometri a monte della missione. Erano una sessantina di mercenari e una trentina fra guide e portatori. Avrebbero attraversato la palude e la foresta e infine il fiume Lomami con sei gommoni, raggiungendo il lato posteriore della missione.

Intanto Sullivan sarebbe arrivato in sincronia, tenendosi al centro della corrente, proprio di fronte alla missione. Da lì avrebbe impegnato i Simba, distogliendoli così dall'azione di Marco e del suo Quinto Commando.

Il viaggio sui barconi fu fin troppo tranquillo, tanto che qualcuno si mise a sonnecchiare, altri si dedicarono alla revisione delle armi, altri ancora a discutere attorno alla carta topografica. A un certo momento Marco chiamò Sullivan, che lo seguiva a distanza: «Siamo arrivati al nostro punto di sbarco. Vedrete il nostro battello all'ormeggio. Proseguite, ma lentamente».

«Qui Sullivan. Molto bene. Tutto come previsto. L'appuntamento al Punto Rosso è fra le 15.30 e le 16. Aspetteremo la vostra chiamata per cinque minuti, prima di dare inizio all'azione. Good luck. Over.»

«Good luck, colonnello» rispose Marco, e procedette immediatamente alle operazioni di sbarco. La zona era difficile, con fitta vegetazione e aree paludose oltre al fiume Lomami, affluente del Congo infestato di coccodrilli. Aveva con sé i suoi quattro assi: Piero, Louis, Rugenge e Sergio. Non avendo veicoli e dovendo portare pesanti cassette di munizioni, la marcia era estremamente disagevole, ma si trattava di un sacrificio necessario per arrivare completamente inattesi e dal lato dell'entroterra. La mitragliatrice di Piero la portavano in due in modo che "il solista", come a volte lo chiamavano, arrivasse a destinazione nel pieno delle forze.

Arrivati al Lomami, effettuarono la traversata con i gommoni, che però fecero la spola più volte da una riva all'altra dovendo traghettare tanti uomini. Giunsero in vista della missione all'ultimo momento perché era nascosta da una fitta vegetazione.

Marco domandò a Sergio di metterlo subito in contatto con Sullivan.

«Qui Pirate One» disse Marco. «Siamo in vista di Punto Rosso. Mando i quattro assi.»

«Ricevuto, Pirate One. Da ora! Over.»

Marco e i suoi si avvicinarono alla missione. I quattro si divisero, due per angolo. Tutti gli altri arrivarono all'ingresso secondario. Piero da destra e Louis da sinistra fecero cenno agli altri mercenari di raggiungerli dall'interno dell'edificio sulla facciata della missione che dava verso il fiume.

Tempo scaduto. Dall'esterno si udirono una scarica fortissima e colpi di cannoncino e mitragliatrici. Sullivan aveva dato inizio alle danze.

Marco entrò a sua volta nella casa dei padri accompagnato da due mercenari e si guardò intorno: il piano aveva funzionato e tutti i ribelli erano usciti in direzione del fiume per rispondere al fuoco. All'interno non c'era un'anima, ma poco dopo si udì un richiamo soffocato come di un uomo imbavagliato. Marco si diresse verso la cucina e trovò il cuoco legato e pieno di contusioni con una ferita alla fronte. Lo slegò, gli tolse il bavaglio e subito gli chiese dove fossero i padri e le suore e lui rispose che erano nella casetta dietro la cucina.

Marco raggiunse il luogo indicato, uno stanzone in cui in tempi più tranquilli si mettevano gli attrezzi della missione. Era una scatola di quattro metri per quattro senza aperture di sorta, coperta con un foglio di lamiera ondulata che durante un giorno di sole equatoriale si arroventava. Marco capì subito che in quella camera di tortura erano ammassate tutte le persone che potevano esservi contenute assieme ai loro escrementi, con poco cibo e quasi niente acqua. Scardinò senza sforzo la porta e il chiavistello e subito una figura umana gli crollò addosso e poi un'altra e un'altra ancora. Altri si trascinavano fuori penosamente, invocando: «Acqua, acqua!».

Nel volgere di quattro, cinque minuti erano stati tutti liberati e fino a quel momento i ribelli che avevano ingaggiato il conflitto a fuoco con gli uomini di Sullivan non si erano ancora accorti di avere alle spalle i mercenari del Quinto Commando.

A quel punto Sergio Roncato chiamò Sullivan: «Here Pirate One; siamo dietro ai ribelli. Cessate il fuoco o ci colpirete. Entriamo in azione noi».

«Got you, Pirate One» rispose Sullivan. «Cessiamo il fuoco. Ora. Passo.»

Per i ribelli non c'era più scampo: le armi da fuoco del Quinto Commando sparavano a brevi raffiche micidiali falciando i Simba che pensavano di aver respinto l'assalto dal fiume e ora avevano i nemici alle spalle. Poi calò il silenzio e Marco si rese conto dell'enormità della pena che gli infelici che aveva da poco liberato sopportavano da più di una settimana. A turno si sedevano quando non si reggevano più in piedi, a turno si sdraiavano in terra per respirare un po' di aria pulita dalla fessura tra la porta e il terreno.

Marco riconobbe uno di loro che aveva conosciuto prima della ribellione: un padre Bianco, il gigante irlandese di nome Sebastian Linden, dalla forza smisurata, che lo aveva aiutato a trasportare i blocchi di marmo blu dalla cava fino alla chiesa di Mwenga e a sollevare ogni blocco da terra per appoggiarlo sul muro che cresceva. Ora era a malapena riconoscibile. Era uno scheletro sproporzionato che a stento riusciva a parlare e che continuava a ripetere la stessa monotona frase: «L'ho ucciso io, l'ho ucciso io».

Uno degli ostaggi, sentendo quelle parole e vedendo l'espressione sgomenta di Marco, gli si avvicinò: «Ripete quella frase da giorni, ossessivamente, come fosse tormentato da un rimorso. In realtà non ha fatto nulla. Era venuto il suo turno di sdraiarsi per respirare l'aria che filtrava da sotto la porta e il padre che aspettava dietro di lui intanto è morto. Per colpa sua, continua a dire. Non si libererà mai da quel rimorso».

Marco si rese conto che ognuno di quei miserabili aveva una storia simile da raccontare, un diario atroce che non avrebbe mai potuto dimenticare per il resto dei suoi giorni.

A mano a mano che i prigionieri uscivano da quel tugurio venivano condotti alla riva e imbarcati su Pirate One, appena giunta, e Marco continuava a scrutare l'interno della casetta per capire come potesse persistere quel tanfo insopportabile e, poiché la porta era troppo piccola e volta verso l'ombra, la fece scoperchiare togliendo il tetto di lamiera ondulata. E lo spettacolo che gli si parò dinnanzi lo paralizzò.

Sul pavimento giacevano sei cadaveri in avanzato stato di putrefazione. I prigionieri avevano convissuto con quei corpi, con i propri escrementi, quasi senz'acqua per sette giorni e respirando un'aria fetida e nauseabonda. Anche i mercenari, che avevano assistito a ogni sorta di brutture nella loro vita, impallidivano alla vista di tanta mostruosa crudeltà.

Non fu possibile dare sepoltura ai cadaveri perché era urgente abbandonare il luogo al più presto, né mai si seppe chi fossero e come fossero morti.

Molti caddero mentre cercavano di raggiungere l'imbarcazione perché non avevano più forze, altri piangevano a dirotto, altri ancora lanciavano grida quasi ferine e Marco dovette farli tacere perché avrebbero potuto richiamare altri ribelli dai dintorni e vanificare i loro sforzi.

Pirate Two era partita appena completata l'operazione, mentre Pirate One si era attardata di più per sistemare i quaranta ostaggi. Una volta che tutti furono a bordo, Pirate One si diresse alla maggiore velocità possibile, data la navigazione controcorrente, verso Stanleyville, mentre Kazianoff si prodigava con le persone più duramente provate.

Molti erano disidratati, altri avevano una febbre altissima da infezioni micidiali, altri ancora erano quasi fuori di senno: continuavano a piangere, a gridare, a muoversi come automi avanti e indietro cadendo spesso a ogni ondeggiare del natante.

Arrivati a Stanleyville buona parte dei prigionieri liberati, dopo aver ricevuto le prime cure e i trattamenti igienici, venne imbarcata su un C130 diretto a Léopoldville, la capitale.

Marco partì il giorno dopo per fare rapporto il più presto possibile in un incontro personale con il nunzio apostolico. Per lui il lavoro era finito, almeno per quello che riguardava Isangi. Aveva salvato quaranta vite umane, vite di persone che si erano dedicate a chi soffriva, pativa la fame, le malattie, le persecuzioni, la miseria, ed era contento di quello che aveva fatto. Vite preziose. Sperava che avrebbe ancora avuto la possibilità di adoperarsi per chi subiva atrocità come quelle di cui era stato testimone.

La sera chiamò Thiago.

«Hai saputo?»

«Le notizie volano, sia le buone che le cattive.»

«Thiago, ancora tremo per la tensione e per le cose che

ho visto. Al confronto, quello che accadde a noi di ritorno da Kasongo è una passeggiata. Comunque abbiamo salvato tanta gente e questo mi ha fatto sentire, se non soddisfatto, almeno in pace con me stesso. Kazianoff ha fatto il possibile, ha stabilizzato situazioni che avrebbero potuto precipitare a ogni momento: larve umane, spettri, capisci? Fra un po' saranno tutti in ospedale, grazie a Dio.»

Thiago non disse una parola.

«Mi senti, Thiago?»

«Sì, ti sento... Quali ospedali?»

«Che importa? Saranno ospedali, no? Perché mi fai questa domanda?»

Thiago esitò ancora un minuto prima di rispondere: «Perché ho sentito dire che le suore che hanno subìto stupro vengono portate a Léopoldville, tutte in una clinica ginecologica della congregazione».

«Mi sembra normale in una simile situazione ma... mi stai tacendo qualcosa?»

«Niente, niente» rispose Thiago. «Spero di vederti presto. Ti saluto.»

«Aspetta» disse Marco. «Come sai, tutta la mia corrispondenza arriva fermo posta presso il collegio dei gesuiti lì a Bukavu e il superiore ha il permesso di aprirla per avvisarmi se ci sono cose urgenti. Puoi chiedergli da parte mia se c'è qualche messaggio dalla congregazione?»

«Lo farò, ma se fosse arrivato qualche messaggio ti avrebbero avvertito.» Thiago concluse così la conversazione e chiuse la comunicazione.

L'indomani Marco si imbarcò sul C130 diretto a Léopoldville predisposto dal colonnello Turenne. C'erano padri e suore di quelli che aveva visto e liberato a Isangi, ma anche civili, belgi ed europei in generale. Nessuno apriva bocca.

Si accorse di avere di fronte la giovane suora che aveva cantato il *Miserere* alla messa funebre dei morti di Stanleyville riva sinistra. I loro sguardi s'incontrarono più volte finché la ragazza ruppe il silenzio: «Sei padre Marco Giraldi?».

«Come hai fatto a riconoscermi? Non mi sembra che ci siamo mai visti.»

«Ti ho visto in chiesa, e inoltre su varie pubblicazioni, anche sui giornali della città. Si parla molto di te.»

Marco non osò risponderle, né farle domande, ma gli sembrava strano che la giovane suora gli avesse rivolto la parola in quella situazione.

«Posso chiederti perché vai a Léopoldville?» domandò ancora la ragazza.

«Devo incontrare una persona importante per quello che sto facendo. Perché mi fai questa domanda?»

Lei gli si avvicinò sporgendosi in avanti: «Qui non posso parlare, ma siccome penso che ci sarà un'auto ad aspettarti, vorrei chiederti se mi puoi dare un passaggio, perché allora ti dirò tutto».

Marco pensò in silenzio a quello che gli aveva detto la ragazza, poi rispose: «Sì, posso farlo. Stai sempre vicina a me e seguimi. Mi dici come ti chiami?».

«Suor Antoinette.»

«Va bene, Antoinette. Adesso chiudiamo qui. Riprenderemo il discorso in macchina.»

Atterrarono all'orario previsto all'aeroporto di Léopoldville e Marco vide subito che c'era l'auto della nunziatura ad aspettarlo.

«Stammi dietro e muoviti più rapidamente che puoi» disse alla suora.

L'autista aprì la portiera posteriore e vide, non senza un moto di sorpresa, entrare anche la ragazza.

«Possiamo fermarci il tempo di prendere un caffè?» domandò suor Antoinette.

«Sì, al Pierre Loti, se per te va bene.»

«Certo. Non ti ruberò tanto tempo.»

«Non ti preoccupare» rispose Marco. Poi si rivolse all'autista: «Aspettaci qui. Dobbiamo scambiare due parole».

L'autista annuì con un gesto educato.

Suor Antoinette cominciò a parlare mentre Marco ordinava due caffè: «È una cosa molto grave secondo me... ma non so a chi confidarla. La nostra superiora mi metterebbe sottochiave e non mi consentirebbe di comunicare con nessuno, anche perché lei sa già benissimo di chi e di cosa sto parlando». Aveva ripreso l'espressione di profonda tristezza con cui l'aveva conosciuta.

«Di che cosa si tratta?» domandò Marco.

«Tutte le suore che sono state stuprate in tempi recenti vengono indirizzate a una clinica gestita dalla nostra congregazione qui a Léopoldville e lì vengono sottoposte indiscriminatamente a raschiamento dell'utero da ginecologi belgi.»

D'un tratto Marco ricordò le parole di Thiago alla radio quando avevano parlato di ospedali dopo la sua spedizione a Isangi. «Continua» disse.

«Perché non fanno prima i test di gravidanza? Io temo che sia un modo per la Chiesa di sgravarsi la coscienza. Se facessero i test potrebbero scoprire delle gravidanze e a quel punto cosa farebbero? Così tutto passa come una precauzione igienica e nient'altro.

Nel caso di gravidanze avanzate, sempre successive a uno stupro, la persona coinvolta verrà assistita fino al parto in patria, quindi il bambino verrà subito separato dalla madre e affidato a una madre adottiva scelta dalla congregazione. L'idea è che venga destinato a un territorio di missione in cui potrà crescere in una famiglia di colore, trovandosi così in un ambiente a lui più congeniale.

Questo è tutto e lo trovo angoscioso. So quello che hai fatto e intendi fare e ho pensato che tu mi possa capire e forse anche consigliare. Non voglio farne un caso personale, ma mi sembra un'ingiustizia mostruosa che all'umiliazione dello stupro si aggiunga anche il dolore della privazione della maternità, se non addirittura la soppressione di una nuova vita.»

Marco fu certo che la giovane monaca avesse subìto personalmente ciò di cui stava parlando. I suoi occhi si riempirono di lacrime quasi a confermare ciò che Marco stava pensando.

«Che cosa vuoi fare?» le domandò.

«Evitare il raschiamento, rientrare in Belgio e fare un test di gravidanza affidabile.»

«E se fosse positivo?

«Mi terrei il mio bambino. Puoi aiutarmi?»

«Certo. Hai un posto dove stare fino al primo pomeriggio?»

«Sì, ho degli amici.» Vergò una breve nota su un foglietto di carta e glielo porse: «Chiamami a questo numero di telefono quando sarai pronto».

Risalirono in auto e Antoinette scese nel punto che più le conveniva per raggiungere la sua meta: «Grazie» disse. «Non lo dimenticherò.»

«Lo faccio con tutto il cuore» rispose Marco. «A presto. Fatti trovare in abiti borghesi.»

Antoinette annuì con un pallido sorriso.

Marco proseguì fino alla nunziatura dove monsignor Solari, visto l'orario, lo invitò a pranzo.

«Ho seguito le tue imprese» cominciò versandogli personalmente un po' di vino bianco secco e molto freddo. «Hai fatto un lavoro straordinario. Fenomenale.»

«Non abbastanza, eccellenza; a Stanleyville siamo arrivati troppo tardi.»

«Hai fatto quello che potevi.»

«In questi casi le conseguenze sono di tale atrocità che bisogna fare anche l'impossibile. Ho parlato a lungo con padre Kostner e mi ha raccontato cose raccapriccianti.»

Il cameriere mise in tavola del pollo con patate arrosto e dei crackers. Marco fece una relazione completa e molto dettagliata sia della spedizione di Stanleyville sia di quella di Isangi, ma non si fermò. Introdusse immediatamente dopo l'argomento che in quel momento gli stava più a cuore: «È vera questa storia dei raschiamenti a tutte le suore che hanno subìto stupro?».

Solari non fece una piega: «Ovviamente è vera. Si tratta di una misura igienica. Non c'è alternativa».

«Certo che c'è» rispose Marco. «Un test di gravidanza. E poi lasciare decidere all'interessata se vuole portarla a termine o interromperla date le circostanze del... concepimento.»

«Sai bene che è impossibile. La stampa internazionale ci si butterebbe come le api sul nettare o le mosche sulla merda se preferisci, e non si parlerebbe d'altro per mesi. In ogni caso si tratta di questioni interne della congregazione e non sarebbe opportuno interferire.»

«Non posso credere che un uomo come lei...» cominciò Marco.

«C'è dell'altro, ragazzo mio, cose che tu quasi certamente non sai e che io so, benché tu fossi sul campo; perché è mio dovere conoscere tutto quello che succede nel territorio di mia competenza. Ascoltami bene: ho saputo un particolare terribile di quanto accadde in quella ammorbante prigione. L'ha confidato una delle suore sopravvissute al suo padre spirituale. E questo, credimi, non è stato violazione del segreto confessionale perché non vi è stata confessione...»

«Vada avanti...» disse Marco, cupo.

«Nei primi tempi i Simba prelevavano ogni giorno una delle suore per stuprarla a turno per ore. Quando il tanfo di escrementi e di corpi putrescenti e l'aria rovente sotto il tetto di lamiera della prigione si sono fatti insopportabili, l'abiezione di quelle povere creature è arrivata al punto di spingerle a implorare di essere scelte. Dicevano: "Prendi me, prendi me!" pur di potersi lavare, di poter bere e respirare... e potrei continuare.»

La voce tremò anche al vecchio e cinico funzionario del potere temporale e addirittura parve a Marco di vedere i suoi occhi gelidi inumidirsi di un'insolita emozione.

«No!» disse. «In nome di Dio, basta!»

Solari tacque e abbassò il capo. Aggiunse solo: «Immagina che cosa dovrebbero subire quelle sventurate se storie di questo genere diventassero di pubblico dominio. Chiedimi qualunque cosa, Marco, ma non di infrangere questa fortezza del silenzio che cerchiamo di innalzare attorno a loro...».

Marco si rese pienamente conto del significato di quelle parole e tuttavia volle spendere subito quella piccola apertura di credito. «Eccellenza» replicò, «c'è un caso molto doloroso che sto seguendo. Si tratta di una suora che vorrebbe evitare questa procedura della sua congregazione. Il mio intento è di farla imbarcare sul primo aereo per Bruxelles. Le chiedo quindi, se possibile, di non mettersi di traverso o di avvertire le sue superiore. La prego: a lei non costa niente. Per suor Antoinette è tutto.»

Solari sospirò: «È giovane?».

«Sì, eccellenza.»

«Non si tratterà di una questione sentimentale per caso? Ho già avuto i miei grattacapi con il tuo amico Louis.»

«Per nulla, eccellenza: è soltanto una questione di umanità, se non vogliamo parlare di carità: ho visto che cosa hanno patito quelle donne, e quante sono state barbaramente uccise. Questa ragazza vuole solo conoscere il suo stato e prendere lei stessa le decisioni in merito. Se riesco nel mio intento e se le cose stanno come penso, vorrei che almeno una di tante donne orrendamente offese abbia la possibilità di decidere sul futuro suo e forse anche della sua creatura.»

Solari si toccò le labbra con il tovagliolo per indicare al cameriere che poteva sparecchiare e servire il caffè. «Marco, tu hai fatto cose straordinarie, messo in pericolo la tua vita e anche la tua stessa appartenenza alla congregazione di cui fai parte, pur sapendo che io non avrei mai potuto sostenerti o difenderti pubblicamente. Almeno in questo caso, cercherò non solo di non creare ostacoli, ma di rimuoverli, se possibile.»

«Grazie, eccellenza.» Marco fece per alzarsi.

«Fammi sapere l'orario dell'aereo e il numero del volo.»

Marco poté salutare Antoinette la mattina dopo all'aeroporto, mentre si apprestava all'imbarco. Era persino elegante nel suo piccolo tailleur blu mare.

«Grazie, padre Marco, o devo chiamarti colonnello Giraldi?»

«Puoi chiamarmi Marco: è più immediato. Allora, buona fortuna.»

La ragazza lo abbracciò forte, si asciugò le lacrime e si diresse al controllo di sicurezza.

Marco attese che l'aereo fosse decollato, poi raggiunse il settore militare per salire su un C130 diretto a Stanleyville. Per tutta la durata del volo pensò ad Antoinette: se era davvero incinta, se avrebbe portato avanti la gravidanza e se la nascita di un figlio sarebbe stata per lei una benedizione o non, piuttosto, una maledizione. Pregò che il resto della sua vita le portasse gioia.

Nel pomeriggio incontrò Piero a Stanleyville, al bar Les Explorateurs. Aveva ordinato due bicchierini di Mirabelle, una specie di grappa.

«Credevo che non bevessi superalcolici» disse Marco.

«In questi casi, sì» rispose Piero scrivendo qualcosa su un block-notes.

«Allora ti faccio compagnia. Di che si tratta?»

«Della conta dei nostri caduti. Di quelli che mancano all'appello, visto che sia i morti che i feriti irrecuperabili vengono abbandonati sul campo e con una granata senza sicura.»

«Quanti sono?» chiese Marco.

«Ventotto, nelle due spedizioni.»

«Mi dispiace» disse Marco chinando il capo.

«Non importa. Siamo pagati anche per morire.»

27

Marco era sempre più preoccupato per il silenzio della sua congregazione che lo faceva sentire come un cane sciolto. Sospettava che qualcosa fosse accaduto: non era possibile che i superiori avessero ingoiato il rospo delle sue clamorose disobbedienze senza mandargli un'altra pesante, ufficiale ammonizione. D'altra parte non riusciva a darsi pensiero di questioni di "santa obbedienza" davanti a corpi squarciati, gole tagliate e ogni altra possibile efferatezza. Se la sarebbe vista di persona con Dio, pensava, quando fosse venuto il momento.

Poteva anche essere che l'ammonizione fosse arrivata al fermo posta del collegio dei gesuiti a Bukavu e che il superiore l'avesse letta ma non gli avesse comunicato il contenuto per non distoglierlo dalla sua impresa. Marco confidava le sue preoccupazioni a Louis quando lo incontrava in un bar o in un bistrot, ben sapendo che poteva capirlo.

Louis aveva steso decine e decine di Simba a colpi di mitra, li aveva immolati sulla tomba del suo amore perduto e Marco poteva capirlo benissimo.

«Sei mai stato innamorato?» gli chiese Louis una sera davanti a un piatto di riso e una omelette.

«Non ho mai avuto tempo. Sono entrato in seminario che avevo dodici anni: le uniche donne in circolazione erano anziane suore di tale aspetto da inibire – senza offesa naturalmente – anche i pensieri e i sogni di un adolescente pieno di ormoni come un cane pieno di pulci.»

Louis sorrise alla battuta, poi la voce assunse un tono malinconico: «Non sai cosa ti sei perso... È la cosa più bella che Dio abbia inventato... Oh, il mio unico, grandissimo amore».

Marco cercò di dissipare la densa nebbia triste che calava sui suoi occhi: «E la Mwami Kazi?».

Louis recuperò il sorriso: «Che c'entra? Lei è un'altra cosa. Ma anche quella l'ha fatta il buon Dio. E una ragione ci sarà pure... Davvero non sei mai stato innamorato?»

«Se devo dire la verità vera... sì. Ma solo per cinque ore di cui una soltanto insieme e in mezzo a un sacco di gente, prima su un aereo, poi in un caffè e poi in un aeroporto.»

«Era bella?»

«Bellissima.»

«E come si chiamava?»

«Come si chiama vorrai dire. Penso proprio che sia viva grazie a Dio... Si chiama... Antoinette.»

«Cosa darei per vederla!» disse Louis. Poi improvvisamente s'incupì: «Ci sono notizie».

«Di che?»

«Centocinquanta ostaggi in mano a seicento Simba furiosi. Sono stati portati via prima che arrivassero i parà.»

«Allora si parte.»

«Se vogliamo trovarne qualcuno vivo, sì.»

«Passa parola. Voglio Piero, Rugenge, Sergio e gli altri che erano con noi a Isangi pronti entro due giorni al massimo.»

Rientrò tardi ma in tempo per ricevere la chiamata radio di Thiago.

«Mi è arrivata una comunicazione da Usumbura: i Simba hanno ucciso due padri a Baraka, altri due a Fizi. Il loro capo, Abedi Masanga, aveva puntato a sud per raggiungere la regione dei Babembe ancora in mano ai ribelli sostenuti da unità di cubani. Hanno tentato di raggiungere anche Nakiliza per ucciderne altri due, ma la popolazione glielo ha impedito e forse anche il commissario politico Lwecha che era amico personale dei padri.»

«Anche quei quattro, morti per santa obbedienza!» sbottò Marco. «Se mi avessero lasciato andare, a quest'ora sarebbero vivi.»

«È molto probabile» assentì Thiago, «ma ormai non c'è niente da fare.»

«Temo di no. Fra due giorni parto per una caccia grossa: centocinquanta fra uomini, donne e bambini ostaggi di seicento ribelli.»

«Buona fortuna, Marco» disse Thiago. «Io sono sempre qui.»

Si salutarono.

Louis aveva saputo che il 7 di dicembre alcuni civili congolesi si erano presentati al presidio dell'Armée a Stanleyville per riferire che prima dell'arrivo dei paracadutisti un nutrito gruppo di ribelli armati aveva preso la via del nord, probabilmente in direzione di Niangara, per passare il confine con il Sud Sudan.

I centocinquanta ostaggi erano padri, suore e anche un certo numero di civili.

Il Quinto Commando fu subito radunato e le sue file ricostituite con belgi e francesi. Il generale Mulamba trattò con gli americani un passaggio su un C130 per Buta, che era sulla via del nord. In quel modo Marco sperava di tagliare la strada ai ribelli. A Buta il cargo aprì il portellone posteriore e lasciò uscire jeep, blindo e camion che avrebbero dovuto inseguire i fuggitivi.

La colonna motorizzata si diresse però a sudovest sull'unica strada percorribile, che poi avrebbe preso la direzione contraria fino a incrociare la camionabile per Niangara. Marco era in testa con i quattro assi sulla jeep armata e dava il ritmo dell'avanzata.

Prese poi la testa il capitano Wieser e puntò decisamente verso Balebe, attraversando un territorio infestato dai ribelli. Si trattava di uomini che conoscevano benissimo il terreno, ogni sentiero, ogni guado, ogni corso d'acqua e ogni anfratto. Il convoglio fu oggetto di molte imboscate in cui parecchi fra i componenti del Quinto Commando rimasero feriti, ma non gravemente.

Marco ordinò ai suoi di avanzare con la loro jeep armata quasi a fianco di Wieser e apparve chiaro, entro la prima ora di marcia, che gli assalti non solo si erano diradati ma che gli assalitori avevano subìto pesanti perdite. Piero, Louis, Sergio e Rugenge avevano imperversato, a raffica e a colpo singolo.

Incontrarono molti cadaveri di civili, morti anche di recente, villaggi bruciati e saccheggiati. Evidentemente i ribelli sentivano la pressione degli inseguitori e volevano lasciare tracce della loro feroce reazione per dissuaderli.

Verso sera la colonna arrivò all'ingresso di Panga e gli uomini già si preparavano a una serata che speravano tranquilla quando la jeep di testa saltò in aria per una mina anticarro e Wieser restò a terra gravemente ferito. Marco chiamò immediatamente l'elicottero di soccorso che atterrò in meno di un'ora e prelevò, oltre al capitano, altri tre che però non avevano riportato ferite gravi.

Marco dormì su un materassino sotto un camion e con il mitra armato con il colpo in canna per essere sempre pronto a qualunque evenienza e infatti, verso l'una del mattino, sentì un alterco a poca distanza. Due individui sconosciuti erano stati bloccati dagli uomini di sorveglianza.

«Giravano intorno al campo al buio» disse una delle sentinelle, «c'è mancato poco che gli sparassi.»

«Che cosa cercavate?» domandò Marco.

«Volevamo parlare con il comandante» rispose uno dei due.

«Sono io. Che cosa volete?»

«Lei è padre Marco Giraldi?»

«In persona.»

«Allora è lei che cerchiamo. I ribelli sono circa seicento ma non hanno tante armi. Portano con loro circa centocinquanta ostaggi, in gran parte padri e suore. Non si sono fermati qui ma siamo quasi sicuri che vanno a nord: a quest'ora dovrebbero essere dalle parti di Balimbi, forse diretti al confine con il Sud Sudan.»

«Ti fidi?» domandò Porter, che era sopraggiunto.

«Sì.»

«Spera di non sbagliarti o farai i conti con me.»

«Parlerò con loro e alla fine saprò cosa ci conviene fare, di sicuro.»

Porter mugugnò qualcosa nel suo gergo coloniale e se ne andò a sedere su un tronco di noce africano a fumare un sigaro cubano, probabile bottino di guerra. Marco mise una moka italiana su un fornello a gas e si sedette in terra imitato dai due messaggeri della notte.

«Siamo cristiani» disse il più adulto dei due, «e abbiamo visto le condizioni miserevoli dei padri e delle suore che si trascinano a stento zoppicando, fiaccati dalla stanchezza, stremati per la fame e arsi dalla sete. Siamo cresciuti in una missione dei padri Bianchi; lì abbiamo imparato a leggere e a scrivere, ma il nostro mestiere è un altro.»

«Cioè?» li invitò a proseguire Marco.

«Siamo cacciatori di foresta: abbiamo buona mira anche di notte, sappiamo leggere le tracce e stabilire da quanto tempo sono passati quelli che le hanno impresse sul terreno. Purtroppo i nostri fucili ce li hanno presi i ribelli. Per questo ci siamo avvicinati al campo, per chiedere armi e munizioni. Prima però li abbiamo seguiti per qualche ora e poi siamo tornati indietro sperando di incontrarvi. Non siamo distanti dai ribelli. Possiamo raggiungerli.»

Il caffè borbottò nella moka e Marco lo versò in tre bicchierini di carta: «Abbiamo quindi solo il tempo di un caffè».

«Ha anche una sigaretta, comandante?»

Marco si fece dare due Gitanes da un sergente francese che passava e gliele porse. Pensò anche che prima di morire avrebbe voluto provare che gusto c'è a fumare una sigaretta.

«Quando avete finito venite alla mia jeep: quella con la bandierina nera con la stella bianca a otto punte. Lì avrete due Garand ad alta precisione.»

Convocò immediatamente l'intero commando più gli ausiliari e i colonnelli Porter e O'Hare: «Ragazzi, so che siete stanchi morti e stavate sulle vostre brande, ma ho avuto in questo momento delle notizie di estrema importanza. I ribelli con i loro prigionieri potrebbero essere a poche ore davanti a noi. Se dormiamo si allontaneranno ancora di più e non riusciremo a riagganciarli. Loro sono più stanchi di noi, più lenti e impacciati con tutti quei prigionieri esausti, ma non possiamo inseguirli con i mezzi, ci sentirebbero. Di sicuro viaggiano di notte perché di giorno verrebbero visti dagli aerei. Noi chiameremo le macchine solo quando saremo sicuri che non ci sono ribelli. Abbiamo due guide formidabili, due autentici segugi. Vi chiedo uno sforzo molto duro, ma salveremo centocinquanta persone innocenti da una fine atroce. So che siete uomini d'acciaio e non vi risparmierete. Partiamo immediatamente!»

Il Quinto Commando si mise in colonna in cinque minuti esatti e Marco prelevò dalla sua jeep armi e munizioni per le sue guide.

«Che cos'è quello stemma sulla bandiera nera?» domandò uno dei due cacciatori di nome Michel.

«È lo stemma dei cavalieri Ospitalieri: erano monaci guerrieri di Gerusalemme che combattevano, accoglievano, curavano e assistevano. Impugnavano la spada e la croce che proiettano al suolo la stessa ombra.»

In quel momento la jeep dei quattro assi li affiancò da destra prima di fermarsi e Gervais, l'altro cacciatore, notò che quello seduto al volante portava cucito sulla spalla della mimetica uno scudetto con lo stesso stemma, croce bianca a otto punte su campo nero. Era Piero, noto anche come Jean Lautrec.

«Piacerebbe anche a noi averne uno» disse Michel.

«Temo che sia un pezzo unico» rispose Marco infilando le braccia e le spalle nelle fasce dello zaino e mettendo a tracolla il suo FAL.

Dopo due ore di marcia ininterrotta arrivarono a un fiume, un piccolo affluente dell'Uele. Il ponte era distrutto. I due cacciatori lo osservarono attentamente: «È rotto di fresco» disse Gervais, «due o tre ore, non di più. Non possono essere lontani e sanno che gli siamo alle costole». Ma occorse tempo per riparare il ponte e per il fatto che si procedeva a piedi: i mezzi restavano sempre a una distanza di qualche chilometro per non farsi sentire.

Arrivarono il giorno dopo intorno a mezzodì e purtroppo videro una colonna di fumo che si alzava verso il cielo: Likandi bruciava! A mano a mano che ci si avvicinava si vedevano cadaveri da ogni parte e una volta nel villaggio Marco riconobbe i corpi di tre padri e due suore. I corpi non erano ancora induriti nel *rigor mortis*, osservò Kazianoff e quindi i ribelli non dovevano essere molto lontani. I due cacciatori stimavano circa un paio d'ore.

Marco decise di riprendere subito la marcia tenendo vicini i due cacciatori, che sapevano leggere le impronte in modo magistrale. La colonna avanzava comunicando il meno possibile con il gruppo meccanizzato che continuava a mantenere le sue distanze, e puntava decisamente e più velocemente possibile verso Amadi, un centro sul fiume Uele. Erano tutti stremati e prima che calasse l'oscurità si trovarono di fronte a uno spettacolo agghiacciante: i corpi di due padri giacevano nudi e squarciati dalla gola all'inguine. Gli avevano strappato e sicuramente mangiato il cuore e il fegato. L'emozione, la stanchezza, l'oscurità che non permetteva più di vedere le tracce indussero Marco a dare l'alt per il pernottamento.

Marco stentava a prendere sonno e si accorse che anche Rugenge, Sergio, Piero e Louis si voltavano e rivoltavano sulla brandina in evidente disagio. Dormì poche ore ma riuscì a riposare veramente solo per venti, trenta minuti.

Erano stati disposti turni di sentinella brevi perché tutti potessero riposare a sufficienza. Prima dell'alba Rugenge gli si avvicinò: «Quando si arriva al punto di mangiare il cuore e il fegato del nemico significa che si è disperati. Gli piomberemo addosso, vedrai, e per quanto mi riguarda la pagheranno cara. Anche Sergio la pensa come me, e anche Louis. Piero parla poco».

«Che Dio ti ascolti» disse Marco. E subito dopo, la radio chiamò: «Qui Okapi One: mi ricevi, Red Spot?».

«Ti ricevo, Okapi One» rispose Sergio. «Che succede?»

«Abbiamo liberato qualche decina di ostaggi a Niangara.»

«Da dove venivano questi ostaggi? Da Stanleyville?» Marco sperava che fossero quelli che stava cercando, ma dovette presto ricredersi.

«No, erano tutti locali ed erano sempre stati lì. Abbiamo tolto di mezzo i sorveglianti e li abbiamo liberati.»

«Ottimo, Okapi One. Noi proseguiamo allora. Qui Red Spot, over.»

«Niente da fare» disse Marco. «L'unica è puntare su Doruma. Gli ostaggi gli servono fino là, poi arrivati al confine con il Sud Sudan saranno solo d'impiccio e verranno eliminati. Non abbiamo più molto tempo.»

Chiamò quindi alla radio la colonna motorizzata, per poter raggiungere più rapidamente i fuggitivi, e puntarono a nord verso Boeli. Là incontrarono una conferma alla loro ipotesi: sette cadaveri, quattro di suore e tre di padri. Dunque i ribelli continuavano a marciare verso nord. Gli uomini del Quinto Commando si trovavano in una situazione grottesca: da un lato i corpi martoriati e quasi irriconoscibili di sette fra uomini e donne, e di fianco i due cacciatori in ginocchio non per pregare, ma per decifrare segni impressi sul terreno umido per una pioggia recente.

«Che succede?» domandò Rugenge.

I due cacciatori alzarono il capo: «Hanno invertito la direzione di marcia: vanno a sud, non più a nord».

Il capitano Shannon, un sudafricano della scuola di Cooper, che aveva sostituito il capitano Wieser, s'infuriò: «Ma siete pazzi? È chiaro che stanno andando verso nord e questi morti ne sono la prova».

Marco taceva: troppo pesante a quel punto la responsabilità di prendere una decisione.

Rugenge si erse in tutta la sua mole di fronte a Shannon e gli altri sudafricani misero il dito sul grilletto del FAL. «I cacciatori hanno ragione» disse, «mettiamoci nei panni dei ribelli che si sentono braccati. Uccidono sette ostaggi e ci gettano fra i piedi i loro cadaveri, esche per un abile depistaggio, poi invertono la rotta di centottanta gradi.»

Marco si inginocchiò a fianco dei due cacciatori che passavano le dita sulle impronte di scarpe puntate verso sud: «Siete sicuri di quello che dite?».

«Non c'è mai niente di sicuro in queste cose: sei un guerriero, e anche tu sai leggere le impronte. Qualcuno comunque deve prendere una decisione.»

Rugenge fissò negli occhi Marco da una spanna di distanza.

Bianco e Nero.

«Decidi, comandante!»

Shannon piantò il suo stivale fra il piede di Rugenge e lo scarpone di Marco: «Ti lasci convincere da questo negro?».
Rugenge arretrò il carrello del suo Garand e mise il colpo in canna: «Vuoi fare un gioco con me, capitano? Vuoi misurarti con un negro, uomo bianco?».
La tensione montò al massimo. Piero scosse la testa fissando il formidabile *sharpshooter* come per dissuaderlo da una sfida folle. Ma ormai Rugenge era incontenibile: «Arretriamo ciascuno di trenta passi poi uno dei tuoi sudafricani conterà fino a tre. Al tre si spara: bianco si va a nord, nero si va a sud».
Cominciarono ad arretrare: «Uno, due, tre...».
«Ma siete pazzi, fermatevi!» gridò Marco.
«Venti, ventuno, ventidue...» Si fermarono, presero la mira: a un cenno di Shannon un sudafricano cominciò a contare: «Uno!».
Marco, che fino a quel momento sembrava paralizzato si fece un segno di croce come chi sta per morire e si piantò nel mezzo esattamente sulle traiettorie dei due fucili: «Basta! Si va a sud!».
Incredibilmente, tutti si misero in marcia rivolti a sud tirando un sospiro di sollievo. Marco intercettò gli sguardi dei quattro assi che significavano "bel colpo!".
Avanzarono di buon passo e verso sera arrivarono nei pressi di Bwendi. I due cacciatori tornarono indietro di una ventina di passi fino a incontrare Marco con i suoi uomini: «Comandante, vieni. Una cosa terribile».
Marco capì e si precipitò dietro a loro, subito seguito dai suoi.
C'erano i cadaveri di sei uomini, irriconoscibili nei volti ma certamente missionari a giudicare dai brandelli delle vesti insanguinate. Marco alzò la mano a benedire i corpi sfigurati e non poté evitare il sorgere immediato di un pensiero: "L'avevo detto che dovevamo andare a sud!". Anche qualcuno dei mercenari si segnò, Rugenge per primo.
Shannon avanzò e gettò uno sguardo indifferente sui cadaveri, poi seguì tranquillamente la colonna che si rimetteva in marcia benché tutti fossero sfiniti. Negli ultimi tre o quattro giorni avevano dormito poche ore e male.

Il percorso fu particolarmente faticoso: la strada era piena di buche e con profondi solchi di carreggiate. I due cacciatori notarono che i ribelli e i loro prigionieri si fermavano spesso: dovevano essere affamati, infuriati ma esausti. Il contatto finale si avvicinava a ogni passo.

I mezzi meccanizzati seguivano a una distanza di un paio di chilometri. Il silenzio a quel punto era tassativo. Il pericolo era di sottovalutare i ribelli: erano diverse centinaia mentre il Quinto Commando sommato ai soldati di Cooper arrivava al massimo a ottanta uomini.

Si levò un'alba torbida e piovigginosa, e si sentirono dei lamenti, dei richiami, e anche grida di dolore che facevano rabbrividire. Quelle voci di strazio e di terrore giungevano sempre più nette e vicine. Forse c'era un piccolo villaggio nascosto nella foresta. Il commando percorse ancora un centinaio di metri e tutti si resero conto che il contatto era imminente.

Marco convocò gli ufficiali e i capi squadra e intanto inviò in avanscoperta i suoi, distanziati l'uno dall'altro di una ventina di metri. Tornarono dopo dieci minuti bagnati e con schizzi di fango fino alle ginocchia.

«Possiamo circondarli senza problemi. Uno su due è armato, forse meno» disse Louis. «Nessuno di noi è di stomaco delicato, mi sembra, ma preparatevi a uno spettacolo sgradevole.»

«Allora colpo in canna e avanti a ventaglio senza fare il minimo rumore» disse Marco. «I due capifila muoveranno in cerchio fino a congiungere un capo all'altro. A quel punto mandatemi l'ok per passaparola: darò io l'ordine di attacco.»

I quattro assi li volle al suo fianco: Rugenge e Louis alla destra. Sergio e Piero a sinistra. Presero ad avanzare mentre gli altri mantenevano il contatto e continuavano ad allargarsi in cerchio. A un tratto un suono lo raggelò: un rantolo gorgogliante di sangue e di morte. Davanti a sé vide un gruppo di Simba spogliare e macellare uno dei padri. Un altro era appena stato squartato, e ancora dava i tratti benché gli avessero strappato il fegato, che veniva tagliato e distribuito da mangiare. Il cuore fu strappato subito dopo e fu la fine delle sue disumane sofferenze. Alcuni prigionieri assistevano paralizzati dal terrore a quella scena, altri erano come fuori di senno e lanciavano acute strida verso il cielo piovoso. Si sentì in lontananza il cupo rombo del tuono.

A quella vista Marco urlò l'ordine d'attacco senza esitazione e si lanciò in avanti. Louis e Rugenge sparavano a fuoco alternato; Piero abbrancò la sua MG e scatenò un inferno di fuoco ma con la precisione di una macchina da guerra, prima in basso, al livello delle caviglie, e poi più in alto, all'altezza della testa. Il fango s'inzuppò di sangue che si divideva in tanti rivoli rossi. Sergio vuotava un caricatore dopo l'altro del suo Breda M16, Marco fece fuoco con il suo Kalashnikov ma forse il caricatore s'inceppò. O forse lo smontò e lo buttò in terra per quel vecchio motto: *Ecclesia refugit a sanguine*.

Ma non cambiava granché. Il lavoro lo fecero per lui i suoi uomini e con precisione micidiale.

Marco si rese conto che i mercenari erano in preda a un furore quasi nevrotico, convulso, e gridò di cessare il fuoco ai suoi; ai prigionieri, di non muoversi per nessuna ragione.

Per fortuna gli ostaggi avevano capito e stavano immobili a terra come inebetiti dal fragore della sparatoria e dall'orrore cui avevano assistito prima dell'attacco.

Concluso il combattimento, Sergio si mise subito in contatto con il quartier generale chiedendo soccorso per evacuare i più sofferenti. Gli elicotteri arrivarono in breve tempo e presero a bordo i più malconci portandoli a Stanleyville. Dalla colonna motorizzata, che già era stata avvertita, giunse la comunicazione che sarebbero arrivati anche loro per prendere a bordo tutti quelli che potevano.

In totale erano centodiciannove persone, fra cui ventisette civili, donne e uomini, intere famiglie. Molti erano nudi e tremavano dal freddo battendo i denti. C'erano perfino dei bambini, e i soldati distribuirono a tutti le poche razioni di viveri rimaste.

Marco si avvicinò a Shannon che aveva circondato i Simba che si erano arresi e, dopo averli disarmati, stava evidentemente per dare l'ordine di fucilarli tutti, quanti erano.

Sbollito il furore nel freddo mattino, nel pianto e nei singhiozzi che lo circondavano, Marco si sentì ghiacciare il sangue all'idea di una mattanza venti volte più grande dei prigionieri trucidati dai Simba. Una montagna di carne nera sanguinante. Pensò che l'unico modo per fermare gli uomini di Shannon, anche solo per pochi minuti, era evocare lo spettacolo feroce del carnaio che avrebbe definitivamente fatto uscire di senno i già provati e devastati ostaggi restituiti alla libertà.

«Fermatevi!» gridò. «Quelli che abbiamo liberato diventeranno tutti pazzi se li costringerete ad assistere a un altro massacro. Hanno già sofferto abbastanza, hanno visto scene raccapriccianti, nemmeno immaginabili. Non fateli morire di orrore!»

I prigionieri avevano la morte negli occhi, la disperazione sui volti, l'incredulo stupore di essere ancora vivi e le parole di Marco risuonavano tremendamente autentiche. Shannon gli si avvicinò: «Non aspettate la colonna motorizzata, mettetevi in cammino e andate più avanti che potete. Il vostro compito l'avete assolto, adesso tocca a noi. Ci allontaneremo nella direzione opposta ma qualcosa si sentirà. Gli racconti quello che vuole».

Gli portarono una jeep e Shannon si mise alla testa del suo plotone di esecuzione. L'interminabile colonna dei prigionieri Simba, affiancata a destra e a sinistra dagli uomini del Quinto Commando, si mise in movimento percorrendo circa un chilometro. Poi Shannon diede l'alt.

Due chilometri più a sud Marco avanzava davanti ai padri e alle suore che si trascinavano a fatica lungo la strada limacciosa. Si sentì una lunga raffica, che sembrò non finire mai. Poi il silenzio, che sempre accompagna la morte.

Tranquillizzò i suoi tristi compagni di viaggio: «Non temete. Sono gli ultimi fuochi di un incendio ormai spento: fra poco i nostri soldati ci raggiungeranno con le jeep e i carri blindati che vi condurranno a Niangara, dove un aereo vi porterà in salvo nei vostri paesi. Fatevi coraggio».

Si guardò intorno come cercando qualcuno, fra i soldati di scorta agli ostaggi liberati non vide né Piero, né Louis, e nemmeno Sergio: era rimasto Rugenge, perché era nero.

Soltanto allora, dal primo giorno che era arrivato in quel paese magnifico e tremendo si rese conto di che cosa significassero davvero le parole del colonnello Kurtz: "L'orrore! L'orrore!".

28

Non passò molto tempo che arrivò la colonna motorizzata, ma sui mezzi c'era posto solo per i prigionieri. Marco e i suoi uomini del Quinto Commando seppellirono alla meglio i corpi dei padri uccisi e si rimisero in viaggio a piedi sotto la pioggia battente. Anche il cielo piangeva su quello scempio e su quelle indegne, frettolose esequie.

Marco si unì al suo piccolo esercito perché quegli uomini esausti di fatica e di strage avevano bisogno di qualcuno che conoscesse il territorio e perché pensava che meritassero il suo aiuto: avevano affrontato fatiche durissime per salvare gli ostaggi, e il denaro che guadagnavano non era sufficiente per pagare il rischio della vita e la vista di scene di spaventosa crudeltà a cui nessuno poteva fare l'abitudine; abbrutiti e tuttavia esseri umani. Piero gli camminava a fianco, muto.

La sera arrivarono a Niangara e s'imbarcarono su un C130 che li portò a Stanleyville da dove erano partiti solo pochi giorni prima. Sembrava un'eternità.

Per qualche giorno, ma soprattutto per qualche notte, Marco dovette combattere con i suoi incubi. Le immagini della sua ordinazione sacerdotale nei sogni si facevano sempre più evanescenti. Ma non si pentiva di quello che aveva fatto. Si rendeva conto perfettamente che la lunga storia del saccheggio dell'Africa, dei milioni di giovani e ragazze strappati ai loro villaggi, incatenati ai ponti delle navi sui loro escrementi, annegati durante le tempeste nell'Oceano, messi all'asta nel nuovo mondo e schiavi per generazioni, puniti, fustigati, bruciati vivi fino alle soglie dell'età moderna, delle donne stuprate o usate come fattrici per generare nuovi schiavi pesava sulla coscienza dell'Occidente infinitamente di più che le crudeltà e le efferatezze commesse dai ribelli congolesi in pochi anni.

Credeva nelle responsabilità individuali e lui non riteneva di averne. La situazione era quella che era e un uomo retto non poteva ignorarla o fingere di non sapere. Considerava un dovere soccorrere chi soffriva in qualunque caso e in qualunque modo.

Credeva nella missione della Chiesa che lui conosceva, quella di frontiera che annunciava un messaggio di pace, portava cultura, insegnava e diffondeva i mezzi per l'autonomia economica delle piccole comunità. Eppure le immagini di scontri sanguinosi con le milizie ribelli seminavano dubbi nelle sue convinzioni. E in certi casi arrivava fino a credere nel buon diritto di chi voleva gestire il potere in modo più giusto e non per il tornaconto personale. Ma non oltre. *Non plus ultra!*

Aveva ucciso in battaglia? In un modo o nell'altro sì: e se anche fosse riuscito a ricordare limpidamente in quel turbine di grida e di sangue il movimento della sua mano sul nero acciaio del mitra, che cosa sarebbe cambiato? Una volta Louis glielo aveva detto, e anche Piero, che nascondeva l'anima dietro ai suoi Ray-Ban: «Noi siamo le protesi del tuo braccio violento e per questo meritiamo rispetto».

La piccola bandiera nera con la croce bianca octopuntata l'aveva adottata anche Piero sulla spalla della mimetica e pure i due cacciatori di foresta l'avrebbero voluta. E quanti altri? Porgere l'altra guancia? Certo, fino a quando? Fino a quando non c'erano più guance da porgere!

E quando usciva dal ventre di un C130 con quella bandierina nera sulla prua della jeep, si sentiva ingenuamente ma sinceramente templare, monaco guerriero, non per aggredire ma per liberare, non per offendere ma per salvare. Un umile e povero cavaliere di Dio.

Le immagini crudeli stavano appena sbiadendo che arrivò un'altra chiamata.

«Colonnello Giraldi? Generale Mulamba. Abbiamo bisogno di lei. Dovrebbe raggiungere Wamba, che è ancora sotto il controllo dei ribelli. Sappiamo che vogliono uccidere tutti i padri e le suore, ma il vescovo Wittebols si è eretto a reclamare su di sé tutte le responsabilità che venivano imputate dai Simba alla presenza in Congo dei missionari, a offrirsi come capro espiatorio. Se ho ben capito avrà pensato così di prendere tempo perché sa che la gente è con lui e i Simba hanno paura della gente. Ma la sua sopportazione non sarà senza limiti. Stanno infierendo selvaggiamente sul suo corpo macilento, frustrati per la sua eroica resistenza. Colonnello Giraldi, io voglio che parta subito con i suoi uomini, con i suoi leggendari quattro assi.»

«Generale» rispose Marco, «entro un'ora posso avere il Quinto Commando in pieno assetto di guerra all'aeroporto. Mi faccia trovare un C130 con i motori accesi sulla pista di decollo. Ci sono altre nostre unità in zona?»

«In teoria sì, ma non abbiamo notizie della loro posizione. Non riusciamo a metterci in contatto con loro.»

«Le lascio Sergio Roncato, uno dei miei uomini migliori. Se quelli hanno una radio funzionante lui li troverà subito. E lei li farà convergere su Wamba.»

«Sarà fatto, colonnello: buona fortuna!»

In un'ora Marco ebbe il Quinto Commando all'aeroporto e il C130 a rullare sulla pista e poi a decollare. Appena in quota, Sergio chiamò: «Comandante, li ho trovati. Erano in una zona molto disturbata. Sono vicini e li sto guidando. Speriamo bene. Avete un grosso temporale sulla rotta, circa sul fiume Lindi: dovrete fare una diversione, ma dovreste arrivare a Wamba in non più di tre ore».

Appena atterrati Marco ebbe la notizia che l'eroico Wittebols era morto da due giorni per le percosse subite, ma con la sua ostinata resistenza aveva consentito all'altro commando di mercenari di arrivare da nord il giorno prima a liberare tutti i padri e le suore. Marco si congratulò con il comandante, un suo parigrado di nome Blackman e ordinò di radunare i sopravvissuti per inviarli con il C130 a Stanleyville.

Un'ora dopo arrivarono con un pick-up da una fattoria due operai con la notizia che in un remoto avamposto chiamato Avakubi c'era un gruppo di padri e di suore in grande pericolo. La popolazione li difendeva ma i ribelli minacciavano ogni giorno di ucciderli tutti. Un piccolo aereo da ricognizione era disponibile e Marco si alzò in volo immediatamente. In mezz'ora era sul villaggio.

Al primo passaggio a bassa quota sembrò tutto tranquillo: nessun segno di turbolenze, ma quando l'aereo virò per tornare indietro vide che alcuni padri erano usciti davanti alla missione e con un grande agitar di mani facevano cenno di atterrare. Manovra impossibile: non c'era una pista né un solo spazio appena praticabile, se ci avesse provato si sarebbe schiantato. Il pilota fece una ricognizione in largo per cercare eventuali unità ribelli senza vedere nulla. E quando tornò a sorvolare la missione vide che i padri, utilizzando ritagli di un lenzuolo, avevano tracciato la scritta SOS.

Marco chiese al pilota di fare un altro giro e intanto scrisse un messaggio per i padri su un foglietto di carta:

Non posso atterrare ora: è troppo pericoloso e non potrei fare niente per voi. I miei uomini sono pronti e fra venticinque minuti ci metteremo in viaggio da Wamba con i nostri mezzi e scorta armata. Domattina vi porteremo via. Un abbraccio a tutti e che Dio vi protegga.

Padre Marco Giraldi

Lo piegò, lo ripose in una scatoletta di latta aggiungendo dei pallini di piombo per dargli stabilità e quando ripassò a volo radente la lasciò cadere e vide i padri che l'aprivano, leggevano e poi facevano segno di aver capito. Era caduta dal cielo una scatolina che un tempo aveva contenuto delle liquirizie calabresi, e ora era piena di carta, piombo e speranza.

Era ormai sera, Marco agitò la mano per salutare e fece rotta per tornare alla base. In meno di mezz'ora era atterrato a

Wamba e si era messo alla testa dei suoi uomini perché durante il viaggio aveva fatto la triangolazione radio con Sergio a Stanleyville e Sergio poi con Louis a Wamba: «Pronti a partire, masnadieri! Niente nanna stanotte».

C'era una certa euforia fra gli uomini a dispetto dei faticosi e pericolosi trasferimenti notturni. Combattere per salvare delle persone inermi, per liberare prigionieri, uomini, donne e anche bambini. Li prendevano in braccio quando capitava, ci giocavano. E obbedire agli ordini di un prete colonnello. Ma quando mai! Era meglio che bere whisky, soprattutto per Kazianoff. Di solito sparavano dove diceva chi li pagava senza porsi domande, ma sapevano benissimo che spesso chi stava nel mirino del loro fucile o del loro mitra non meritava di morire.

Il più cupo in combattimento era sempre Louis perché stava vendicando Bashira e la vendetta per lui era una necessità ineluttabile ma molto amara, perché un giorno non lontano era stato un prete.

Viaggiarono sulle jeep e sui camion per il trasporto truppe alla maggiore velocità possibile per tutta la notte, ma poco prima dell'alba dovettero fermarsi perché il ponte sul fiume Ituri era stato demolito, certamente dai ribelli. Le probabilità che si fosse salvato qualcuno a quel punto erano ridotte al minimo. Abbandonarono i mezzi di trasporto e proseguirono a piedi più in fretta che potevano, ma ben presto videro un riflesso sanguigno davanti a loro: Avakubi bruciava!

Corsero ancora più veloci con le armi pronte nel caso i ribelli fossero ancora sul posto. Non ne trovarono nessuno. La missione bruciava ancora e si vedevano i corpi dei padri e delle suore sfigurati, mutilati, fatti a pezzi. I ribelli avevano ucciso gli abitanti del villaggio che avevano cercato rifugio nella missione: anche i bambini. I mercenari che portavano fuori sulle braccia quei piccoli corpi piangevano.

Louis vide Marco in mezzo al villaggio, quasi tra le fiamme, che alzava i pugni chiusi al cielo gridando: «Perché? Perché?».

Poco dopo lo aiutava a ricomporre i corpi dei missionari e a condurli su barelle improvvisate fino all'Ituri per poi trasportarli a Wamba e seppellirli accanto al loro vescovo, che si era sacrificato per salvare i suoi.

Marco non ebbe il tempo di assistere al funerale. Un messaggio lo richiamava immediatamente allo stato maggiore.

Il generale Mulamba lo accolse personalmente e gli comunicò che nella missione di Rungu, a nordest di Stanleyville, c'era un gruppo di missionari e di suore in pericolo: «Colonnello Giraldi, dovrebbe partire subito: so che purtroppo ad Avakubi le cose sono andate male, certo non per colpa sua. Ha fatto tutto il possibile per arrivare in tempo, viaggiando di notte in un territorio molto pericoloso. Se non se la sente me lo dica sinceramente, la capirei».

«Io me la sento sempre» rispose Marco. «Andrò avanti finché non avrò portato a termine la mia missione. Mi serve un C130 per poterci avvicinare il più possibile. Non voglio arrivare tardi: non me lo perdonerei mai.»

«Questa volta abbiamo fortuna. Ce ne saranno due a distanza di sette ore l'uno dall'altro. Io suggerirei di aspettare anche il secondo, così potrete caricare più uomini e con armamento pesante: le blindo e le jeep con la mitragliatrice.»

«Generale, ormai ho imparato a mie spese che la velocità dell'attacco è fondamentale, meglio piccoli gruppi con armamento leggero ma con grande volume di fuoco. Due grossi aerei militari attirerebbero troppa attenzione. Me ne basterà uno solo con venti uomini, poi ci avvicineremo con i mezzi veloci. In sette ore può succedere di tutto e non voglio altre vittime. Per favore, avverta subito l'aeroporto. Io radunerò gli uomini.»

«Ci conti» rispose Mulamba.

«Non dobbiamo più attenderci grossi concentramenti di truppe» proseguì Marco, «ma solo gruppi di sbandati che cercano di prendere il largo verso nord e attraversare il confine con il Sud Sudan. Non per questo sono meno pericolosi: disperati, impauriti e feroci come sono. Il nostro compito è di arrivare sempre prima di loro, disinnescare la bomba di odio e di violenza prima che esploda. I comandanti dell'Armée Congolaise aspettano un nostro avviso qualora ci fosse bisogno di rinforzi e di armi pesanti e farebbero partire il secondo C130.»

Marco decise di partire immediatamente e di portare con sé gli inseparabili Louis, Rugenge, Piero e Sergio Roncato. Il colonnello Porter guidava gli altri quindici uomini, scelti fra i più addestrati ed esperti. Non mancava nemmeno Kazianoff, che si era dimostrato molte volte abile, capace e dotato di un eccezionale sangue freddo.

Tutto faceva pensare che la partita per Mobutu fosse ormai vinta. Non solo perché gli americani gli fornivano soldi e mezzi senza economia, ma anche perché si stava affermando come il loro uomo in Congo, mentre il movimento lumumbista sembrava avere i giorni contati.

Una volta sull'aereo, Louis si sedette vicino a Marco. «Sai una cosa?» gli disse senza preamboli. «Nei primi tempi della mia vita accanto a Bashira il mio pensiero era favorevole a Lumumba, che voleva un paese indipendente che amministrasse le proprie risorse a vantaggio di tutti. Ora che vincerà Mobutu e quelli come lui che vogliono il dominio del denaro e della corruzione, mi dispiace che in un modo o nell'altro anche tu e io abbiamo facilitato l'avvento di questo prossimo regime.»

«Lo sapevo» rispose Marco, «eppure non ho mai avuto dubbi che quello che facevo fosse giusto. Quando non c'è più legge, né pace, quando una violenza cieca e crudele regna sovrana e persone innocenti che hanno sempre fatto solo del bene vengono torturate e trucidate barbaramente so benissimo da che parte stare, così come lo sai tu. Ma se non te la senti fai ancora a tempo a tornare indietro, anche se mi dispiace.»

«Non dire sciocchezze, sai benissimo che starò sempre al tuo fianco» rispose Louis e non disse altro per il resto del viaggio.

Kazianoff era seduto di fianco a un mercenario sudafricano di Porter di nome Larson, che in quel silenzio e nel rombo dei motori lo apostrofò chissà perché in spagnolo: «Ehi, *borrachón*, cosa ci fai con i soldi che guadagni con tutte queste missioni?».

Kazianoff lo guardò con un'espressione di compatimento e rispose calmo: «I cazzi miei, se non ti dispiace».

Larson non raccolse e cercò di appisolarsi.

Louis passò il tempo a smontare e lubrificare le sue armi fino all'atterraggio. Le jeep e i camion 4x4 a chiglia blindata scesero dal C130 e fecero rotta verso Rungu, dove c'era la missione in pericolo, su una pista impervia, piena di buche e di pietre sporgenti che mettevano a dura prova i mezzi e la schiena dei passeggeri.

Renzo si fece vivo via radio.

«Bello risentirti, vecchio mio; mi sei mancato» rispose Marco. «Che nuove?»

«Mi hanno detto che siete in escursione da queste parti e siccome anche io ero di passaggio ho deciso di dare un'occhiata in giro.»

«E che cosa hai visto?»

«Movimenti a est della vostra posizione, ma da terra non credo che possano vedere la missione, e poi, se ci sono dei ribelli, penso che non abbiano tempo da perdere.»

«Quindi non sei sicuro che si tratti di ribelli?»

«No e non posso avvicinarmi di più: li metterei in allarme e, se sono loro, potrebbero diventare pericolosi. Sbrigatevi a portare via tutti e andatevene alla svelta. Ci vediamo la prossima settimana a Bukavu. Buona fortuna.»

La colonna proseguì ancora per un paio d'ore e poi Marco diede ordine di nascondere e mimetizzare i mezzi nella boscaglia e proseguire a piedi. Gli uomini scaricarono le armi, i caricatori e le munizioni e presero a salire il pendio di una collina. Calava il sole in un tripudio di nubi rosse e il cielo, in alto, a occidente, cominciava a mostrare una sottile falce di luna. Giunti sul valico videro in basso la missione. Sembrava tutto tranquillo e non c'erano segni di disordine o tracce di violenza.

Scesero, e i due padri e una mezza dozzina di suore li accolsero con grande entusiasmo. Avevano sentito tutte le terribili notizie di stragi, stupri e massacri degli ultimi mesi ed erano terrorizzati. Non gli pareva vero di essere ancora vivi e non credevano che lo sarebbero restati per molto se non fosse venuto qualcuno a cercarli.

«Dobbiamo ripartire subito» disse Marco, «abbiamo segnalazioni di movimenti sospetti dall'altra parte di quella cresta. Non credo che ci vedano né che sappiano cosa c'è qui, ma dobbiamo andarcene. Fate uso di zaini, se ne avete, piuttosto che valigie, e portate il minimo necessario.»

I padri e le suore non se lo fecero ripetere e in un quarto d'ora furono pronti a mettersi in marcia. Tutti fuorché suor Margherita, molto avanti negli anni e malandata, che si era seduta davanti alla porta della missione come se volesse godersi gli ultimi raggi del tramonto.

«Madre, perché sta lì ferma? Non vuole venire con noi? La prego, non c'è molto tempo. Dobbiamo ritrovare i nostri mezzi e con quelli raggiungere...»

Kazianoff, intento a riempire una siringa con il contenuto di una fiala, lo interruppe: «Questa donna non può viaggiare».

«Che cosa?» domandò Marco.

«Ha i postumi di un infarto molto recente. Mi ha detto che stava male e l'ho auscultata. Anche se riuscissimo a portarla fino ai mezzi con una barella non reggerebbe quel viaggio su una strada così accidentata. È molto anziana.»

«Troveremo il modo» disse Marco, e si avvicinò alla suora: «Madre, non possiamo lasciarla qui da sola. E noi dobbiamo tornare all'aeroporto perché l'aereo che ci riporta a Stanleyville deve rientrare per fare altri trasferimenti domani mattina, e io devo organizzare l'elicottero prima dell'alba per tornare a prenderla direttamente qui, capisce?».

«Tu parli così» rispose suor Margherita «perché non hai il coraggio di restare qui. Io sono sempre stata in questo posto e non voglio lasciarlo, hai capito?»

«Madre, la prego...» insistette Marco. Ma Kazianoff lo interruppe: «Ascoltami, tu hai tante cose importanti da fare e non puoi restare qui. Suor Margherita non può affrontare il viaggio su una jeep su quella strada tutta buche e pietre. Morirebbe. Partite voi. Rimango io con lei per la notte. Domani tornate prima che potete».

Marco restò senza parole.

«Un'altra cosa» disse il medico. «Lasciami un Kalashnikov, sono stato uno Spetsnaz dopo tutto, e una pistola.»

Marco gli passò le armi e dei caricatori di riserva poi gli

strinse forte la mano: «Grazie, dottore, con tutto il cuore... Tieni gli occhi aperti, mi raccomando. Saremo qui fra poche ore e vi porteremo in salvo. Andrà tutto bene».

«Stai tranquillo. Farò buona guardia. Addio.»

Marco si mise sulle spalle lo zaino con le munizioni e il mitra a tracolla e diede ordine di partire.

La colonna si dispose su due file, dieci uomini per parte e in mezzo i padri e le suore. Il sole era ormai tramontato e l'oscurità si stendeva lentamente sulla valle. Di tanto in tanto, durante la marcia, Marco si voltava indietro e tendeva l'orecchio cercando di percepire il minimo rumore che salisse dalla valle. Mancava ormai poco a scollinare, dopo il valico sarebbero discesi per un paio di chilometri fino ai mezzi che li avrebbero condotti all'aeroporto.

D'improvviso si udirono in lontananza dei rumori, delle voci, dei richiami. Poi partì una scarica di mitra, lunga e crepitante. Poi silenzio. Poi due colpi singoli che echeggiarono più volte nella valle.

Marco e Piero si guardarono l'un l'altro con negli occhi la stessa amara consapevolezza.

«Riprendiamo il cammino» disse Marco, e cominciarono a discendere sull'altro versante della collina finché raggiunsero i mezzi. Marco si sedette al volante e Piero sul seggiolino al suo fianco. La jeep partì con le luci basse.

«Non avevi scelta» disse Piero. «Hai preso la decisione giusta.»

Marco aveva le lacrime agli occhi quando si volse verso di lui dicendo: «Pensa che razza d'uomo mi ero comprato con una cassa di whisky».

29

Arrivati all'aeroporto, gli uomini del Quinto Commando entrarono direttamente con i mezzi nel portellone di poppa del C130, scuri in volto: il sacrificio di Kazianoff aveva profondamente impressionato tutti i membri della spedizione di Rungu e intimamente addolorato il loro comandante colonnello Marco Giraldi. Quell'uomo che era sembrato un relitto quando lo avevano tolto da una fetida canaletta di scolo nei bassifondi di Stanleyville si era rivelato un eroe di quelli che entrano nella leggenda.

Marco non capiva come nessuno si fosse accorto della prossimità dei ribelli, che in meno di due ore di marcia erano calati su Rungu e la sua missione.

Renzo aveva detto qualcosa quando lo aveva chiamato alla radio, ma nemmeno lui era sicuro. E perché poi avrebbero dovuto valicare una cresta montuosa e scendere dall'altra parte perdendo una quantità di tempo molto più utile per raggiungere il più velocemente possibile il confine con il Sud Sudan? C'era stata una soffiata? Ma da chi?

I corpi di Kazianoff e di suor Margherita furono riportati il giorno dopo da un elicottero a Stanleyville, dove ebbero onorata sepoltura, l'una non lontana dall'altro: erano stati insieme per un breve periodo nella vita, sarebbero stati insieme per sempre nella morte.

Era la vigilia di Natale, Marco smise l'uniforme e per celebrare messa indossò la bianca veste con il cinturone e lo scudetto nero e bianco degli Ospitalieri che ricordava la tunica dei templari. Poi approfittò di un periodo di relativa calma per tornare a Bukavu, dove alloggiò nel collegio dei gesuiti per qualche giorno. Quando il direttore ebbe un po' di tempo gli chiese un incontro per vedere la posta. Come d'accordo era in buona parte aperta, ma non c'era una sola riga che venisse dai suoi superiori da Parma o da Bergamo.

«Le restanti può aprirle da sé, padre Marco.»

«Ma, reverendo padre superiore, non ho alcun segreto da tenerle nascosto...»

«Lo so, ma non ha senso che io le apra quando c'è il destinatario in persona.»

Marco ringraziò e cominciò a scorrere le cinque o sei buste ancora chiuse. Quasi tutte erano intestate a ordini religiosi o congregazioni, ma non la sua, o contenevano bollettini per abbonamenti a riviste missionarie. Una sola aveva l'indirizzo scritto a mano in una bella grafia ordinata ed elegante.

Nel retro della busta dove si scrive il mittente c'era solo una parola: "Antoinette". Marco ebbe un tuffo al cuore. L'aprì.

Caro Marco

ti ho pensato molto in questo mese nelle mie lunghe giornate in clinica a Parigi. Sono incinta di tre mesi e se fossi arrivata a destinazione a Léopoldville al posto di ciò che ho dentro di me, una creaturina che cresce, non avrei nulla e nel cuore un gran vuoto. Mi trattengono in clinica per seguire la mia gravidanza, data la violenza e i traumi che ho subìto. I miei genitori mi vengono a trovare quasi tutti i giorni. Sono contenti perché sanno che non rientrerò più nella mia Congregazione per ovvi motivi; lo sono al punto che non si danno il minimo pensiero che partorirò un bambino nero. Loro così borghesi e tradizionalisti, loro che me lo avevano detto!

Tutto questo lo devo a te. Mi hai ascoltata e aiutata come un cavaliere errante di quelli che mi piacevano tanto nei romanzi d'avventura che leggevo da ragazzina. Mi ricordo come fosse ora quello scudetto cucito sulla spalla della tua uniforme, croce bianca a otto punte su fondo nero. Ho fatto una piccola ricerca. È lo stemma dei Cavalieri Ospitalieri di Gerusalemme. Sei un templare, Marco!

Ci rivedremo? Lo vorrei tanto. Potresti battezzarlo tu e gli imporrei il tuo nome. Se dovessi venire a Parigi chiamami al numero che ho scritto in calce sopra il mio indirizzo di casa, ti prego.

Antoinette

Parigi!, pensò Marco, non c'era mai stato a Parigi e chissà se ci sarebbe andato mai. Uscì dal collegio con il cuore più leggero dopo aver letto quella lettera. Un messaggio di vita da una distesa infinita di morti. Ricordò lo sguardo triste e la voce cristallina di Antoinette mentre cantava il *Miserere* sotto le volte della cattedrale di Stanleyville, e gli tremò il cuore. Come mai prima si sentì solo.

Tornò, come era solito fare, alla sua missione di Mwenga e vi rimase per qualche settimana lontano dalle grida di guerra.

La Mwami Kazi gli mandò notizie sui padri Moratti e Rosato, due missionari saveriani come lui, in pericolo mortale a Nakiliza, circondati dai ribelli, ma probabilmente ancora vivi. Il tam tam della regina dei Bashi era sempre uno strumento prezioso.

Arrivò un messaggio via radio all'inizio di febbraio dalla nunziatura apostolica di Léopoldville:

«Marco» disse monsignor Solari, «devi venire subito: Mobutu ti vuole parlare.»

«Mobutu?»

«Proprio lui. Ti manda l'aereo domani stesso. Alle otto del mattino.»

«Come mai tanta fretta?»

«Lo saprai domani. Adesso muoviti, per favore.»

«Va bene, eccellenza.»

Marco preparò il suo bagaglio, partì con la jeep in direzione di Bukavu e pernottò per l'ennesima volta al collegio dei gesuiti. A mezzogiorno dell'indomani era in nunziatura a Léopoldville a colazione da monsignor Solari.

«Come ti ho anticipato, Mobutu vuole darti un incarico molto importante.»

«La cosa mi inquieta: perché proprio a me, e per quale missione?»

«Andiamo per ordine» cominciò Solari. «Perché tu? Perché Mobutu ti ha dato il grado di colonnello, ovviamente dell'Armée, e in qualche modo si sente un tuo superiore e pensa di poterti conferire degli incarichi. Il grado ti dà dei vantaggi, ma comporta anche degli obblighi, per così dire. Ora fai bene attenzione perché non voglio che tu arrivi davanti a Mobutu completamente impreparato.»

«Infatti ci contavo. Mi dica: sono tutto orecchi.»

«Il tuo gruppo viene incorporato nel contingente mercenario sotto il comando di "Mad" Mike O'Hare, al servizio di Mobutu, ma di fatto non cambia nulla e tu puoi sceglierti gli uomini di cui più ti fidi, compresi i tuoi quattro assi.»

«Questo è importante. Non mi muovo con degli sconosciuti: può succedere di tutto.»

«Dovrete scendere con un paio di motovedette il lago Tanganika e concentrarvi nella zona del porto naturale di Kibanga. A quanto si sa c'è un notevole traffico in quel porto, cosa che abitualmente non succede...»

«Fonte CIA?»

«Mi sembra ovvio. E siccome di sicuro gli americani hanno messo delle cimici anche qui, ce ne andremo in giardino... Sono nostri amici, è vero, ma come dice il proverbio "dagli amici mi guardi Iddio, dai nemici mi guardo io".» Uscirono all'aperto. «E se smetti di interrompermi vado avanti.»

«Sì, eccellenza, chiedo scusa.»

«In particolare sono i cinesi a creare il movimento nel porto, che altrimenti è quasi sempre vuoto. Come alleati dei sovietici hanno avuto l'incarico di rifornire e organizzare la logistica per un contingente di cubani...»

Marco chinò il capo con un'espressione sempre più perplessa. «Cubani?» domandò. «Non mi risulta che ci siano missionari cubani in pericolo dalle nostre parti...»

Solari non gradì il sarcasmo: «Ovviamente no, ma poiché rappresento il papa in Congo, farai bene ad ascoltarmi attentamente». Marco annuì senza proferire verbo.

«Cercherò di essere ancora più chiaro: i cubani sono estremamente pericolosi perché il loro obiettivo è di esportare la rivoluzione castrista nei paesi del Terzo Mondo e prepararli a far parte del secondo, ossia dell'area di influenza sovietica, il che sarebbe un disastro.»

«Sono d'accordo, ma a me sembra che non siano affari nostri.»

«Ah no? Ti risulta che vi sia un paese comunista in cui si rispetta la libertà di culto?»

«Onestamente no.»

«Bene. E ora ti spiegherò che sono anche affari nostri. Siccome la scelta politica del Vaticano è quella di mantenere l'Italia nell'area delle democrazie occidentali, poiché i cubani anche qui in Congo sono nemici degli americani e dell'Occidente in generale, allora i nemici dei nostri amici sono nostri nemici. Sono certo che ricorderai la crisi dei missili di due anni fa che per poco non provocò una guerra nucleare, ma tornando a noi: i cubani sostengono i ribelli contro il governo centrale, che è quello che ci ha aiutati a salvare molti dei nostri missionari, e poiché ora i ribelli stanno cercando di assassinare i nostri padri della missione di Nakiliza è nel nostro interesse contribuire a scoprire dove sono i cubani e poi avvertire chi di dovere. Nel nostro caso, me. Penserò poi io a informare i piani alti. Mi sono spiegato?»

«Sì, eccellenza, si è spiegata benissimo.»

«Allora andiamo da Mobutu che, detto fra noi, sarà il nuovo presidente del Congo.»

Salirono in auto e si recarono alla riunione.

Mobutu accolse prima il nunzio e poi Marco con un cordiale: «Caro colonnello!».

«Signor generale» rispose Marco.

Mobutu cominciò a spiegare i caratteri della nuova spedizione dal suo punto di vista, che pure era sufficientemente vicino a quello del nunzio Solari, e aggiunse: «La nostra scelta è caduta su di lei perché ci risulta che sia molto esperto di quell'area, per non parlare delle brillanti operazioni che ha condotto».

«Sì, la conosco bene» rispose Marco.

«Ottimo» approvò Mobutu. «Il nostro principale obiettivo è un medico cubano.» A Marco venne in mente il grande dottor Kazianoff. «Il suo nome è Ernesto Guevara detto "Che". In realtà non è cubano, ma argentino e di fatto il braccio destro di Fidel Castro. È popolare in tutto il mondo e presumo che abbia visto anche lei la sua classica immagine con il basco.»

«Mi sembra di sì.»

«Benissimo. Le chiedo di scoprire dove si trova e mi raccomando, faccia attenzione alle mine: sono di fabbricazione cinese e facili da mimetizzare. Si proteggono bene quei signori. Una volta che avrà individuato il luogo in cui si nasconde Che Guevara e ce lo avrà comunicato, la sua missione sarà terminata e sarà poi nostra cura appoggiare la sua spedizione a Nakiliza.»

«Grazie, signor generale.»

Si strinsero la mano e Marco continuò a chiacchierare in auto con un nunzio di ottimo umore. Per lui era un successo: aveva fatto un enorme favore a colui che con ogni probabilità sarebbe diventato il nuovo presidente del Congo.

Solari era a tal punto soddisfatto che gli diede una pacca sulla spalla dicendo: «Se fosse per me ti farei vescovo di Uvira adesso che la sede è vacante».

A Marco venne da ridere: «Io vescovo? Avrà voglia di scherzare, eccellenza».

«Scherzavo infatti. Bada di non farti male, Marco. Mi servi vivo.»

Marco convocò i suoi uomini a Mwenga, la sua missione; luogo quanto mai inusitato per una riunione del genere, ma voleva creare un ambiente quasi confidenziale per i suoi quattro assi. Preparò lui stesso il pranzo con una scatola di spaghetti e una lattina di pelati che aveva conservato per un'occasione speciale.

«Ragazzi» esordì, «questa volta è un'impresa molto particolare, e a dire la verità nemmeno mi piace tanto, ma è importante per avere l'appoggio di Mobutu per la mia prossima spedizione a Nakiliza, dove bisogna liberare due padri in una situazione parecchio difficile.»

«E quindi?» domandò Louis.

«Dobbiamo scoprire dove si trova Che Guevara.»

Louis commentò con un fischio. «Accidenti! Non è come fare un picnic.»

«Per niente. Ma non ci viene chiesto di combattere. È soltanto una ricognizione per localizzare l'obiettivo, poi lo comunicherò al comando di stato maggiore. Si parte dopodomani all'alba su una motovedetta.»

«Insomma, facciamo dello spionaggio per gli americani» concluse Louis.

«Se preferisci» replicò Marco impassibile.

«Quando conti di andare a Nakiliza?» domandò Louis.

«Dipende da quanto dura questa nostra missione a Kibanga e da come si mettono le cose. Anche subito, per quello che mi riguarda... ma temo che potrebbe passare del tempo... Una volta localizzato il gruppo di guerriglieri cubani e il loro comandante, la motovedetta ci riporterà indietro verso Uvira. Dopo aver fatto rapporto via radio al comando generale, io sarò pronto in ogni momento a ripartire e spero anche voi.»

«Sempre pronti, comandante» dissero Louis e gli altri.

«So già come sarà la spedizione per Nakiliza: per via di terra. È il maggior centro occupato dai ribelli e lì c'era la missione di Moratti e Rosato. Il nostro gruppo parte prima per essere più veloce. Porter ci seguirà con il suo contingente che ha in pancia anche il Quinto Commando. Un secondo distaccamento al comando del colonnello Cooper scenderà lungo la sponda ovest del lago Tanganika fino a Fizi, di lì passeranno da sud per andare incontro all'altro contingente di Porter. La zona intermedia è piena di ribelli fuggiaschi da Stanleyville, disperati e feroci. I due padri che cerchiamo, Rosato e Moratti, sono probabilmente da qualche parte in uno dei trenta e più villaggi disseminati fra i boschi e la savana. Sono convinto che la popolazione sia dalla parte dei padri, odiano i ribelli che gli prendono tutto il cibo e li fanno morire di fame. E ora andiamo a riposare. Domani ci troviamo all'alba all'imbarcadero.»

Si salutarono e i quattro tornarono a Burhale, ospiti della Mwami Kazi. Marco dormì da solo nella sua missione e prima di coricarsi andò nella chiesa blu che aveva costruito e pregò. Era da qualche tempo che non lo faceva.

Si imbarcarono tutti con i loro zaini pieni di caricatori di riserva e con le armi che ognuno aveva in dotazione e la motovedetta partì. A bordo c'erano una ventina di mercenari di Mike O'Hare, di rincalzo nel caso ne venisse il bisogno, e dopo due ore di navigazione sbarcarono nel porto naturale di Kibanga.

In quell'area dovevano esserci i cubani con il loro celebre Che Guevara, e forse anche, sotto custodia dei ribelli, i padri Rosato e Moratti. Il problema sarebbe stato capire dove. Appena arrivato, Marco si accorse che non c'era che poco traffico nel porticciolo e nessuna traccia di cubani.

Prese a guardarsi intorno per cercare qualche indizio finché, d'improvviso, la voce di un giovane risuonò alle sue spalle: «Padre Marco! Come mai da queste parti?». Era un catechista che aveva lavorato con lui in altri tempi. Si chiamava Justin.

«Sto cercando i padri Rosato e Moratti: ne sai qualcosa? Sono prigionieri dei cubani?»

«No, i cubani se ne sono andati da qualche mese. I padri vengono spostati continuamente da un villaggio all'altro e anche nella foresta. È molto difficile stabilire dove.»

Marco pensò ai due contingenti che sarebbero partiti da nord e da sud per convergere su Nakiliza, mossa a tenaglia impeccabile da un punto di vista strategico ma pericolosissima per i due ostaggi che quasi certamente sarebbero stati uccisi. Doveva essere sua la prima mossa e non sarebbe stato semplice. Meglio tornare indietro al più presto. Diede l'ordine di risalire sulla motovedetta ai suoi e anche ai sudafricani di Porter che lo avevano seguito. Nessuno ebbe da obiettare: evidentemente sapevano che c'era un incarico di Mobutu.

Appena sbarcato a Uvira, Marco congedò gli uomini e cercò di capire quale fosse il piano successivo. Dalle informazioni che riuscì a raccogliere, dedusse che la seconda spedizione su Nakiliza, con i due corpi di intervento dei mercenari, era di là da venire. E questo lo tranquillizzò. Ma fu una quiete di breve durata. Si recò al collegio dei gesuiti e il direttore lo ricevette seduta stante: «C'è un messaggio urgentissimo dall'Italia» disse. «Deve rientrare immediatamente.» E gli porse una lettera giunta per telescrivente, già aperta come era l'accordo. Marco la scorse ansiosamente.

Era intestata "Direzione Generale della Congregazione Saveriana" e diceva:

Il Padre Marco Giraldi della diocesi di Uvira, missione di Mwenga, è convocato alla Direzione generale a Parma con la massima urgenza. Una eventuale disobbedienza alla presente ingiunzione sarà punita severamente.

Padre Domenico Bertelli
Superiore Generale

Allegati: il biglietto aereo per Milano Linate e il biglietto del treno Milano-Parma.

Certamente doveva trattarsi della tanto paventata seconda ammonizione per disubbidienza che aspettava da tanto tempo. Guardò i biglietti e si rese conto che avrebbe dovuto imbarcarsi dall'aeroporto di Shangugu due giorni dopo. Vide in tutto questo lo zampino di monsignor Vezzali e capì che questa volta si faceva sul serio.

Salutò Louis: «Mi richiamano in Italia. Tira una brutta aria».

«Non dirlo a me. Ci sono già passato e per molto meno. Io ho ingravidato una splendida ragazza Barega, tu hai messo sottosopra mezzo Congo alla testa di un esercito.»

Marco gli appoggiò una mano sulla spalla: «Prega per me...» cominciò.

«Che cosa? Non so neanche più come si fa, e poi non credo che mi ascolterebbe nessuno.»

«Ti sbagli, Louis, chiunque vorrebbe essere tuo amico, anche Gesucristo. Salutami gli altri.»

«Sarà fatto» rispose Louis. «Fai buon viaggio.»

Marco accennò un sorriso.

Appena arrivato a Parma fu accompagnato nell'ufficio del superiore generale come un condannato alla ghigliottina.

«Che cos'è questa storia?» domandò Marco per nulla intimidito.

«Siamo convocati in Vaticano» rispose secco il superiore Bertelli.

«Perché?»

«Lo sapremo quando saremo là. Adesso seguimi.»

Il superiore generale lo condusse in una sala piena di armadi e aprì un paio di ante: «Qui ci sono dei clergyman di tutte le taglie, lavati e stirati. Dovresti trovarne uno della tua misura. Si parte domani».

"Hanno proprio fretta di tagliarmi il collo" pensò Marco. E quella notte, per la stanchezza e la tensione per l'incontro in Vaticano, dormì malissimo.

L'indomani, indossato il clergyman, passando davanti a uno specchio non si riconobbe, ma pensò che doveva essere necessario. Salì sull'auto del superiore e poco dopo era sul treno direttissimo per la Capitale.

Una volta a Roma, si fecero portare in taxi all'Istituto di Propaganda Fide, e in una decina di minuti si trovarono nell'anticamera del prefetto in persona, monsignor Ildebrando Mattei.

Un giovane chierico li accolse: «Sua eccellenza vi sta aspettando. Vi prego di seguirmi».

Giunti davanti a una maestosa porta di quercia il chierico aprì uno dei battenti e li introdusse: «Prego».

Le pareti della grande sala erano tappezzate di seta damascata e adorne di arazzi con scene della battaglia di Lepanto. In fondo c'era un massiccio tavolo di noce dietro al quale sedeva il prefetto con fascia e zucchetto paonazzi. Si limitò a fare un gesto ai due visitatori perché si accomodassero. Il piano dell'enorme tavolo era completamente vuoto, a parte un set di penna e calamaio, ed era intarsiato con una *imago mundi* a indicare la vocazione ecumenica della Chiesa. In mano aveva una rivista, tipo magazine di attualità. La voltò improvvisamente verso gli ospiti e mostrò un'immagine a doppia pagina di Marco in shorts che imbracciava un mitra. «È lei, questo?» tuonò.

«Sì, perché?» rispose Marco a muso duro.

«Ma come osa? Come osa impugnare uno strumento di morte con quelle mani consacrate per toccare il corpo del Cristo eucaristico?»

«E lei come osa giudicarmi senza sapere nulla di quello che stavo facendo in quel momento e in quel luogo? Ma lo sa che cosa c'era davanti a me? Appena pochi metri oltre il campo visuale di questa foto? Glielo dico io cosa c'era!» esclamò rosso di collera. Il superiore generale gli dava calci sotto il tavolo perché fermasse la sua travolgente oratoria, ma ormai Marco era scatenato: ne aveva viste e patite troppe per tacere davanti a quel prete atticciato e rubizzo seduto su una poltrona di velluto rosso.

«C'era una terrazza di legno con una decina di suore stuprate a morte e poi sgozzate e ammucchiate come bestie da macello che ancora gettavano sangue, e quel sangue colava lungo la scala fino a inzuppare il terreno!»

«Questo non significa abbandonarsi ad altri eccessi che...»

«Ah no? Ma cosa ne sa lei che sta qui bello comodo sulla sua poltrona con le suorine candide e inamidate che le portano il tè e il caffè in tazzine di porcellana? Lo sa lei cosa significa vedere un amico, un confratello, squartato come una bestia da macello, mentre gli strappano il fegato e se lo mangiano e lui ancora è scosso dagli spasimi dell'agonia? Lo sa? Lo sa?» Lo incalzava senza pietà e senza tregua.

Il prefetto era pallido come un cencio e avrebbe potuto vomitare da un momento all'altro. Trovò la forza di replicare: «Ma cosa crede, anche noi qui abbiamo compiti gravosissimi. Sulle nostre spalle pesa la responsabilità del governo della Chiesa e...».

«Ah sì? Immagino che fatica che deve essere. Allora sa che cosa facciamo? Io prendo il suo posto su quella bella poltrona di velluto, e lei mi sostituisce nel mio inferno e vediamo chi si diverte di più!»

Il prefetto abbozzò un atto di autorità come se si aspettasse che avrebbe funzionato: «Lei è un insolente, dica ciò che vuole ma deve impegnarsi a vivere come si conviene a un sacerdote altrimenti...».

Fu la goccia che fece traboccare il vaso: «Altrimenti cosa?» gridò Marco in preda all'ira. «Crede di farmi paura? Paura a me? Ma lo sa lei che non ho più paura nemmeno dell'inferno?» Si strappò il collarino di bianco cotone inamidato e lo buttò sul tavolo. «Bene, è questo che vuole togliermi? Ecco fatto!» gridò ancora più forte e sbatté un tale pugno sul tavolo da farlo tremare. Si alzò in piedi e lo sovrastò dalla cintura in su, poi si volse ansimando e si diresse a grandi passi verso la porta.

«Marco, aspetta!» esclamò il superiore generale. «Ti prego!» Marco si fermò ma senza voltarsi.

«Lo ha offeso» disse al prefetto che, pallido come un cencio, bofonchiò: «Io... l'ho offeso?».

Il superiore afferrò il collarino di Marco e disse sotto voce: «È forse l'uomo migliore che abbiamo su una frontiera sterminata dove la violenza più efferata è legge».

Marco si volse finalmente piantando due occhi di fuoco nello sguardo tremante del prefetto: «Ci sono due miei amici, laggiù, due confratelli ostaggi di uomini feroci capaci di una crudeltà spaventosa, e io tornerò indietro e li tirerò fuori di là, capisce? Con quello» e indicò il collarino bianco del suo clergyman «o senza di quello!». E senza volerlo aveva proferito, *mutatis mutandis,* qualcosa di molto simile alla frase delle madri spartane quando consegnavano lo scudo ai loro figli in partenza per la guerra.

«Rivolterò ogni pietra, sfonderò ogni porta, imbraccerò di nuovo quell'arma che la scandalizza tanto ma li tirerò fuori di là. Li salverò tutti e due o moriremo tutti e tre, insieme!»

Si diresse di nuovo alla porta, mentre il superiore Bertelli gli andava dietro con il collarino in mano.

Il suo passo pesante risuonò a lungo fra i corridoi e per le scale del grande palazzo.

30

Marco si rese conto che la segnalazione della fotografia che lo ritraeva con un mitra in mano e che gli aveva causato l'immediato richiamo dal Congo doveva essere stata opera del vescovo Vezzali. Il superiore generale, calmatesi un po' le acque, lo convocò nel suo ufficio a Parma dalla val Seriana, dove aveva cercato un po' di ristoro presso la sua famiglia.

«Per questa volta ti ho salvato dall'espulsione, Marco, e dalla sospensione *a divinis*, ma ti rendi conto di che cosa hai fatto? Il prefetto di Propaganda Fide ancora un po' sveniva. Capisco la tua indignazione, so bene che hai attraversato i nove gironi dell'inferno, ma per un uomo come lui vedere un religioso con un mitra in mano è come...»

«... vedere la madre superiora delle Clarisse ballare con le Bluebell al Lido.»

«Marco!»

«Mi scusi, padre generale.»

«E adesso veniamo al nocciolo della questione. Parlami di Rosato e di Moratti.»

«Purtroppo nessuna novità. I miei informatori pensano che siano ancora vivi ma gli cambiano posto continuamente in un territorio labirintico che si estende a ovest di Nakiliza, tra il fiume Lwiko e il Lualaba. È come cercare un ago in un pagliaio.»

«E allora?»

«E allora devo ripartire immediatamente prima che succeda l'irreparabile. E dica a quel brav'uomo di sua eccellenza Vezzali di non rompermi...»

«Marco!»

«Chiedo scusa, padre superiore. Insomma, me lo tenga fuori dai piedi in nome di Dio! Qui non si scherza, ci giochiamo la pelle e lui sa di che cosa parlo, visto che ha disertato come un codardo.»

Il superiore Bertelli scosse il capo e sospirò.

«Un giorno questa verità verrà fuori, padre generale. Faccia qualunque cosa ma gli impedisca di nuocere alla mia impresa.»

«Farò del mio meglio, Marco... Ti ho già comprato il biglietto. Quando vuoi partire?»

«Domani.»

«Domani?»

Marco assentì.

«Buon viaggio, ragazzo mio, che Dio ti assista.» Bertelli alzò la mano a benedirlo con un segno di croce.

«Grazie, padre generale» rispose Marco chinando il capo.

Marco raggiunse Bukavu in un paio di giorni e incontrò il colonnello Turenne, consigliere militare di Mobutu e spesso supervisore degli ufficiali mercenari che guidavano i contingenti sul campo. Turenne gli riferì in via confidenziale i dettagli dell'impresa per la riconquista di Nakiliza con i due reparti da nord e da sud. La manovra a tenaglia che Marco già conosceva.

Incontrò anche gli altri suoi fedelissimi in un bar della penisola: Piero, Rugenge e Louis, per il momento liberi da impegni, e Sergio, destinato al contingente di Porter come specialista delle comunicazioni, e li informò delle sue intenzioni. Per il resto poté ingaggiare buona parte dell'ex Quinto Commando con due jeep e due mezzi pesanti con mitragliatrice e munizioni.

«Ragazzi, la mia situazione è critica. Se i due reparti di Cooper e di Porter prendono Nakiliza tra due fuochi ed eseguono il rastrellamento fra il Lwiko e il Lualaba, Rosato e

Moratti sono carne morta. I ribelli li passeranno subito per le armi se va bene. Devo arrivare prima io, con un gruppo determinato e veloce. Cercherò di ottenere da Mobutu un compenso adeguato anche per Rugenge, Louis e Piero che ora sono scoperti. Chi ci sta?»

I tre alzarono il dito indice della mano destra.

Sergio si strinse nelle spalle: «Sorry, vecchio mio, come sai sono precettato da Porter per le comunicazioni. Purtroppo sono il migliore in questo campo. Ma potrei farvi comodo ugualmente dall'interno delle operazioni».

«Scherzi?» disse Marco. «Ci sarai prezioso. Allora, chi ci sta lo aspetto al collegio dei gesuiti domattina all'alba. Saremo noi quattro e una trentina di volontari che conosco bene. Gente in gamba. Li vedrò qui fra un'ora.»

Prima di andarsene, Piero fece cenno a Marco di avvicinarsi: «Stai attento. Non fidarti di Porter. È un bastardo figlio di puttana, cinico e spietato: conosce solo il suo tornaconto ed è capace di tutto».

«Pensi che ce l'abbia con me?»

«No, niente di personale, che io sappia. Ma stai attento.»

Dovevano partire in trentaquattro ma Piero fu inaspettatamente richiamato a Uvira dal colonnello Porter che ora guidava l'intero gruppo mercenario, compreso quanto restava dell'ex Quinto Commando. Marco tentò di raggiungerlo via radio e via telefono ma senza successo, e non ebbe miglior esito cercando di contattare Piero.

Ne restò sorpreso e fortemente contrariato e provò a mettersi in contatto con il nunzio via radio: «Eccellenza, Porter mi ha tolto Piero, ossia Jean Lautrec. Com'è possibile? Già mi manca Sergio Roncato, che deve restare con Porter. Io ho bisogno dei miei quattro diavoli».

«Aspetta» rispose il nunzio, «ti richiamo appena so qualcosa.»

Richiamò dopo un'ora, quando ormai Marco aveva deciso assieme agli altri compagni di partire comunque:

«Qualcuno ha ottenuto questo cambiamento direttamente dal comando americano e neppure Mobutu può farci niente. Mi dispiace.»

«A me dispiace anche di più. Questa non ci voleva. Passo e chiudo.»

All'alba del giorno dopo il gruppo si trovò al collegio dei gesuiti. Partì prima la jeep con Marco, Louis e Rugenge; la seconda lo seguiva con quattro volontari ben armati ed equipaggiati, i due mezzi pesanti dietro. La prima tappa doveva essere Museme, il primo centro abitato dopo il ponte sul fiume Simunambi.

Viaggiarono tutto il giorno e si fermarono alla sera fra i resti di un villaggio bruciato, forse dai Simba, forse dai regolari dell'Armée. Non avevano avuto alcun problema fino ad allora, ma nessuno si fidava di quella calma apparente e, mentre gli uomini mangiavano la propria razione di cibo seduti in terra al buio, un certo George Robertson si espresse chiaramente: «Se c'erano i cubani dovevano esserci anche i ribelli. Chi lo dice che se ne siano andati davvero? Ricordate lo stratagemma di Ulisse per far cadere Troia? Tutte le navi degli Achei partirono lasciando la riva deserta, ma non se ne erano andati. Si erano solo nascosti dietro un'isola e quando Ulisse uscì dal cavallo assieme ai suoi e fece i segnali con il fuoco tornarono rapidamente e dilagarono per le vie della città addormentata».

Marco sorrise. «Citazione colta, ma inadeguata» disse. «Le condizioni sono molto cambiate da trenta secoli a questa parte, anche se il Che, come lo chiamano, è uomo istruito a quanto si dice, e Fidel Castro pare che abbia studiato con i gesuiti.»

Louis s'inserì nella conversazione: «Dalle mie fonti ho saputo che per il Che l'esperienza africana è stata disastrosa. Il suo tentativo era presumibilmente di creare un movimento rivoluzionario di tipo – come dire? – più umanistico che ideologico che abbattesse ogni forma di tirannide e restituisse al popolo la libertà. Penso che il suo errore sia stato non avere cognizione dell'elemento tribale che in Congo è più importante di qualunque altra convinzione o sentimento di appartenenza. L'idea di popolo non ha nessun senso in questo paese. Inoltre la sua alleanza con Soumialot nei primi tempi dopo il suo arrivo è stata fallimentare e non ha portato da nessuna parte».

«Secondo te» gli domandò Marco, «è possibile che sia ancora in Congo?»

«Lo escludo e le informazioni che hai raccolto tu stesso nella zona di Kibanga lo confermano. Un problema in meno per noi, penso» rispose Louis.

«Quindi proseguiremo per la nostra strada e con il nostro obiettivo, che è quello di salvare la vita dei padri che sono ancora prigionieri dei ribelli. Si riparte all'alba per arrivare a Museme, primo abitato dopo il fiume Simunambi.»

L'indomani arrivarono di primo pomeriggio al ponte sul fiume e videro con disappunto che era stato parzialmente smontato: i ribelli avevano tolto tutte le tavole, ma avevano lasciato i due travi principali. Marco e i suoi tagliarono dei tronchi dal bosco e li allinearono di traverso su quanto restava del ponte, poi cominciarono a passare. Fra un tronco e l'altro si vedeva di sotto l'acqua torbida del fiume. Non riuscì però il transito dei mezzi pesanti, che furono nascosti e mimetizzati nella foresta. Gli uomini che li occupavano passarono a piedi. A circa trecento metri di distanza sull'altra sponda c'era una casetta isolata che sembrava disabitata, ma quando Marco e i suoi varcarono il ponte ne uscirono una decina di ribelli e presero a sparare.

Marco mise subito le jeep di traverso e, al riparo dei due mezzi, Louis e Rugenge iniziarono a rispondere al fuoco dei ribelli. Rugenge li diradò subito con tre, quattro colpi del suo Garand e Louis ne falciò altri con secche raffiche del suo FAL. La strada per Museme era libera.

Dovettero superare altri posti di blocco come il primo, ma i ribelli erano più agguerriti del previsto: il gruppo appiedato perdette due uomini, altri tre rimasero feriti e vennero ospitati sulle jeep mentre Marco e Louis proseguivano a piedi. Il piccolo esercito di Marco poté avanzare lungo la direttrice che portava a Museme senza ulteriori perdite. Il terreno diventava a mano a mano più impervio e la vegetazione più fitta.

«Mi manca Piero» disse Marco. «Su questo tipo di terreno si muove come un pesce nell'acqua. Maledizione.»

Chiamò Sergio Roncato con la radio della jeep:

«Sergio, mi senti?»

«Forte e chiaro, come si dice. Dove cazzo siete?»

«Vogliamo passare al setaccio tutti i villaggi della zona. Ora puntiamo su Museme. Il terreno si è fatto molto difficile.»

«Aspettate...» Sergio si mise a scartabellare qualcosa «dovete proprio passare di lì?»

«Dobbiamo pur cominciare da qualche parte. In più conosco gente al villaggio e sappiamo che i due padri sono stati in questa zona non molto tempo fa. Spero di trovare notizie.»

«Allora fate bene attenzione: dalle mie mappe risultano campi minati da quella parte.» George Robertson, che ora sedeva al posto di Marco fermò la jeep e volse lo sguardo intorno a occhio nudo e poi con il binocolo: «Eccone una, maledizione. È cinese» disse. «Si vedono le antenne.» Avvertì gli uomini a bassa voce: «C'è un campo minato, fate la massima attenzione».

«Potremmo tornare indietro» disse Marco, «ma chissà da quanto tempo ci stiamo passando in mezzo. Procediamo creando una specie di tracciato sicuro per chi avanza a piedi. Le jeep seguiranno per ultime a passo d'uomo. Tagliate le canne quando ne vedete e usatele come picchetti. Marciate a distanza di venti metri uno dall'altro. Io vado per primo: se segnalo a destra con la mano in basso significa mina da questa parte. Se segnalo a sinistra, la stessa cosa. Poiché non possiamo parlare in azione, sarà una specie di passaparola muto, quindi non lasciatevi distrarre da niente: se vi sfugge un segnale di mina siete morti. Avanti.»

Marco si fece un segno di croce come era solito in quei casi e si mosse per primo. Rugenge si piazzò secondo, poi un volontario di nome Rudy Ballantine, quello che a Uvira aveva difeso Edmond morente, quindi Louis e altri due volontari.

Avanzarono per quasi un'ora fissando almeno mezzo chilometro di tracciato libero con le canne. A un certo punto Marco fece segnale di mina a destra e Rugenge lo replicò per Ballantine. Passarono forse cinque minuti e si sentì il fragore di un'esplosione. La voce gli arrivò a ritroso, da uomo a uomo, finché Rugenge gridò: «Louis, Louis è saltato su una mina».

Per Marco fu una pugnalata. Corse indietro, chiamando incurante di farsi sentire: «Louis! Louis!».

Si inginocchiò al suo fianco. La parte inferiore del corpo era martoriata. La plastica fusa per il calore dell'esplosione sfrigolava sulle sue carni, sul ventre aperto e sulle gambe, che mostravano nudi muscoli e ossa.

«Louis, stai fermo, ce la faremo, non disperare!»

«Marco, sto morendo. Dammi il Sacramento...»

«Non ce l'ho, Louis. Ho solo un po' di pane.»

«Consacralo...» rantolò. «Pronuncia le parole...»

«Anche tu, con me.»

«Non posso più.»

«Sì, invece. *Tu es sacerdos in aeternum.*»

Insieme pronunciarono le parole e Marco gli pose fra le labbra una briciola di quel pane.

«Louis» diceva, «Louis, amico mio.»

«È inutile» disse Rugenge, «*he is gone.*»

Marco si coprì gli occhi trattenendo a stento il pianto. Lo riscosse Rugenge: «Dobbiamo andarcene. L'esplosione avrà messo in allarme i ribelli, senti i colpi di fucile!».

«Io non lo lascio così.»

«Marco» disse Rugenge, «li avremo addosso fra pochi minuti.»

Marco coprì il corpo di Louis con un telo mimetico e con delle fronde, poi montarono sulle jeep e tornarono indietro a cercare una deviazione per nascondersi. Si addentrarono nel bosco e spensero i motori. I ribelli arrivarono con delle jeep armate e passarono senza accorgersi che la piccola colonna si era nascosta nelle vicinanze. Quando tutto fu buio e silenzio Marco prese una pala dal fianco della jeep e tornò indietro. Rugenge capì cosa stava succedendo, prese l'altra pala e lo seguì da lontano finché lo vide fermarsi accanto a un involto di frasche e anche lui si mise a scavare. Quando ebbero approntato una fossa abbastanza grande per la statura di Louis vi deposero il suo corpo e lo ricoprirono di terra e pietre.

«Addio, Louis» disse Marco.

«Addio, Louis» disse Rugenge.

Passarono la notte con i compagni, alternandosi tra il sonno e il turno di guardia. Marco non riuscì a chiudere occhio. Mai avrebbe pensato a una morte tanto orribile e dolorosa per Louis: si sentiva responsabile e pensava che forse in guerra non si possono nutrire sentimenti di nessun genere.

L'indomani ripresero il viaggio e Marco, vista l'impossibilità di cercare i due missionari mancanti dalla parte di Nakiliza, pensò di cambiare totalmente itinerario: raggiungere Lukunda per poi seguire il corso del fiume Lwiko e tentare di esplorare tutti i villaggi tra il Lwiko e il Simunambi. Al tempo stesso cercava di mantenere un contatto con i contingenti mercenari, che volevano assediare i ribelli nella loro roccaforte e indurli alla resa.

Gli sembrava impossibile che Louis non ci fosse più.

Affranto per la perdita dell'amico e del compagno di tante avventure, Marco cominciava a chiedersi se valesse la pena fare quello che stava facendo. Quanti dei suoi uomini sarebbero morti ancora? Quanti ne erano morti nelle altre spedizioni? Uomini disprezzati per il lavoro che facevano. Uomini come Kazianoff, come Louis, come Piero, pagati per uccidere, pagati per morire. C'erano vite che valevano più delle altre?

Ma ormai era troppo tardi per recriminare: voleva trovare i due padri e portarli al sicuro e poi chiudere quel capitolo della sua vita. Avanzarono ancora in un territorio boscoso per sentieri sempre più accidentati: tendevano ora a raggiungere Makombo per avere notizie dei due missionari, ma l'area era infestata dai ribelli molto più di quanto si aspettasse. Avanzarono per tre giorni sotto una pioggia torrenziale chiedendo notizie dei due padri ma senza ottenere informazioni recenti.

Il quarto giorno il tempo sembrò migliorare e infatti si fecero vivi anche i Simba con improvvisi attacchi e imboscate sempre più pericolose. Uno dei volontari rimase ferito seriamente a un braccio. Prima di sera un piccolo gruppo cominciò a prenderli di mira da un'altura e Marco diede ordine di seguire una deviazione che s'inerpicava per uno sterrato irto di pietre aguzze, fiancheggiato da alberi secolari. Ormai stavano per raggiungere una zona a fittissima vegetazione per sottrarsi al fuoco dei nemici quando partì dalla collina un colpo di RPG diretto a far saltare in aria la jeep di testa. La granata colpì invece la base di un albero che crollò sulla jeep spezzando una gamba a Rugenge che urlò di dolore. Stretto fra il tronco precipitato e la lamiera dello sportello di destra, Rugenge si torceva per gli spasimi dell'arto maciullato.

Marco rispose con raffiche rabbiose, sostenuto dai volontari che cercavano di dare copertura al ferito. Approfittando del fuoco di sbarramento dei volontari afferrò un paio di tronchesi e cominciò a tagliare la lamiera, ma al tempo stesso il tronco non più trattenuto dallo sportello accartocciato scendeva ancora di più a premere più forte sull'arto martoriato di Rugenge.

Visto che avevano comunque ottenuto un risultato, e che il fuoco di contrattacco era troppo intenso e preciso, i ribelli si allontanarono e sparirono. Marco cercò con l'altra jeep di trainare a ritroso quella colpita dall'albero caduto per liberarla, ma le ruote scivolavano senza far presa. Allora fasciò stretta la gamba di Rugenge sopra il ginocchio e gli iniettò una fiala di morfina, sempre presente nelle cassette di pronto soccorso dei corpi combattenti. Rugenge cessò di gridare.

«Andatevene» disse. «Quelli che ci hanno sparato avvertiranno altri Simba e fra poco li avrete addosso in forze. Morirete tutti.»

Marco inorridì al pensiero di abbandonare Rugenge agli animali della foresta che presto si sarebbero fatti vivi attratti dall'odore del sangue.

«Non se ne parla» rispose.

«Chiedilo ai tuoi compagni» disse ancora Rugenge. «Ti risponderanno che non c'è altra soluzione. È la legge dei mercenari.»

«Non se ne parla» ripeté Marco quasi ringhiando. E a stento tratteneva le lacrime.

«Poteva capitare a te, è capitato a Louis, poteva capitare a chiunque. Ognuno di noi sa che deve bastare a se stesso quando non può più contare sugli altri.» Ogni tanto fitte acute di dolore vincevano la forza della morfina e un mugolio usciva di fra i denti di Rugenge, un rantolo lungo e straziante che faceva rabbrividire i compagni raccolti tutti attorno a lui.

«Andatevene, ho detto. Ho qui la mia granata senza sicura. La forza per tirare la spoletta ce l'ho. Non mi manca nulla.»

Si sentivano rumori venire dalla foresta, si intravedevano i lampi delle luci basse dei fanali quando i mezzi dei ribelli incontravano dei dossi e delle buche nel terreno. Mancava poco. Forse un'ora, forse meno.

«Vattene, Marco, ho una pistola, un mitra e una granata. E anche il mio coltello; so cosa devo fare. Va' via, in nome di Dio. Non puoi salvarmi, ma hai la responsabilità di salvare quelli che ti sono rimasti.»

Marco si rassegnò: «Buona fortuna, Rugenge. Che Dio ti benedica», e tracciò un segno di croce mormorando qualcosa in latino, forse una benedizione, forse un'assoluzione.

Radunò i suoi uomini: «Ho già perso troppi di voi e rischiamo di perdere il nostro compagno ferito. Tornate indietro a Bukavu. Io proseguirò a piedi. Solo».

Se ne andarono in silenzio. Marco prese il suo zaino, lasciando le armi. S'incamminò. Per lungo tempo tese l'orecchio: non udì il fragore di una granata, né l'esplosione di un colpo singolo, né il crepitare del mitra. Pensò che Rugenge fosse svenuto e il pensiero che fosse divorato nel coma gli spezzava il cuore. Poi udì un urlo lungo e straziante che echeggiò più volte fra i pendii dei monti. Allora si fermò, appoggiò la fronte a un albero e pianse.

31

Marco cercò un po' di sonno sotto un riparo infilandosi nel suo sacco a pelo e in qualche modo dormì. Un sonno simile a quello di chi si è assopito durante un turno di guardia, un dormiveglia sofferente e consapevole.

Giunse a Museme la sera successiva pensando di consegnarsi ai capi dei ribelli semplicemente sulla base di un equo baratto: se stesso in cambio di Moratti e di Rosato. Chi aveva guidato le incursioni di Uvira, Isangi, Stanleyville, Rungu e tante altre valeva ben di più di due tranquilli missionari che si disperavano perché avevano finito il vino per celebrare la messa. Gli fu detto però da alcuni abitanti di Museme che tutti i capi, sia politici che militari, e anche quelli dei villaggi, avevano cercato rifugio nelle regioni dell'interno e tentavano di trovare una soluzione ai problemi incombenti: che cosa avrebbero fatto nel caso che fossero tornati i regolari, o peggio, gli spietati mercenari?

La voce che il Quinto Commando avesse sterminato seicento ribelli nei pressi di Amadi si era diffusa dovunque e faceva tremare molti. Tuttavia nessuno gli fece del male e qualcuno gli disse che la riunione dei capi era in corso a Lukunda.

Quando, dopo giorni e giorni di marcia e di forzato digiuno, Marco giunse nel piccolo centro, la reazione fu fortissima: lo riconobbe qualcuno che passò parola e in un minuto ci furono esclamazioni, imprecazioni, mormorii, mugugni.

Uno dei capi militari impose il silenzio: «Fucilatelo subito!» gridò. «Questo è uno dei mercenari che hanno cercato di attraversare il nostro territorio per arrivare a Nakiliza.» Si udì il rumore di fucili e di mitragliatori che mettevano il colpo in canna. Ma i capi villaggio si opposero subito: «Quest'uomo ha sempre fatto del bene» disse il capo Kakemba, un uomo sui cinquant'anni, imponente di statura e dalla voce stentorea. «E sta cercando due suoi compagni che voi tenete prigionieri. È un suo diritto. Ed è un suo diritto dire perché è arrivato fin qui. Lasciatelo parlare!»

Marco approfittò del vantaggio della sorpresa e della possibilità offerta dal capo e intervenne subito alzando le mani: «Sono solo e disarmato e sono qui perché voglio evitare un inutile spargimento di sangue. Sarei potuto venire con un reparto armato e molto agguerrito, ma sono stanco di sangue e ho perduto anche tanti dei miei compagni, morti o feriti. Alcuni erano come fratelli per me, ma anche per gli amici che militavano nel loro gruppo. Non si daranno pace finché non li avranno vendicati. Solo io posso fermarli. Ma non è tutto: se non deponete le armi, i mercenari e l'Armée Congolaise torneranno in forze con i loro armamenti e anche con i bombardamenti degli aeroplani. È questo che volete? Io chiedo solo la restituzione dei miei confratelli e farò in modo di negoziare per voi le migliori condizioni di resa».

Marco fu ospitato in una capanna offerta dal capo Kakemba, che andò a trovarlo di nascosto a notte inoltrata. Marco si alzò di scatto temendo un attentato.

«Sono io» disse il capo. «Sono venuto a dirti una cosa molto importante: so dove sono i padri e forse potremo liberarli. Ti accompagnerò con i miei guerrieri.»

«E i Simba?» domandò sottovoce Marco.

«È questa la grande contraddizione di questa guerra» rispose Kakemba. «Noi vogliamo una resa onorevole e la pace, ma i Simba sono i nostri figli e se rifiutano non possiamo schierarci contro di loro: dobbiamo convincerli.»

«È quello che sto facendo anche io, capo Kakemba.»

Il giorno dopo Marco si unì ai guerrieri di Kakemba e si mise in marcia attraversando i villaggi di Tanganika, Matongo e Malingumu, constatando che i loro abitanti si proclamavano decisamente a suo favore perché volevano porre fine alla guerra ed erano stanchi di dover nutrire le migliaia di Simba che stazionavano sul loro territorio. Anche con loro Marco ribadì che se avessero restituito i padri e si fossero arresi deponendo le armi, avrebbe ottenuto dalle autorità della capitale e dai comandanti militari le migliori condizioni. I Simba intanto si accorgevano che le sue parole erano per loro più dannose che le armi da fuoco ma, visto il favore popolare che Marco riscuoteva, non osavano toglierlo di mezzo. Decise quindi di continuare la marcia sotto la pioggia scrosciante in direzione nord verso Kilubi. Non aveva niente per ripararsi se non i suoi abiti e la sera era fradicio, infangato, sfinito. E affamato. Da un villaggio all'altro cambiava la sua scorta, ma nessuno pensava che avesse bisogno di cibo.

Passarono Lulenge e Kayumba, dove trascorsero una notte quasi tranquilla ma anche qui con il tormento della fame che però, di giorno in giorno, scemava mentre aumentava la debolezza. All'alba si sentì il rombo lontano delle armi pesanti.

«Questi sono i cannoni dell'Armée» disse Marco al capo Kakemba. «Li riconosco dalla voce: potrebbe essere l'attacco decisivo.» Il capo diffuse la notizia e quasi tutti gli abitanti fuggirono verso le montagne con le poche cose che potevano portarsi dietro. Le donne piangevano con i loro bambini legati dietro la schiena perché non sapevano cosa avrebbero potuto dar loro da mangiare.

Giunti a Kilubi, Marco e i guerrieri di Kakemba vennero improvvisamente circondati da un nutrito gruppo di Simba ben armati ed equipaggiati che scendevano verso sud per andare a fermare i regolari congolesi. Li guidava il nemico che nessuno avrebbe mai voluto fronteggiare: il maggiore Gustave Bandit, un personaggio sinistro che terrorizzava tutta la regione. Detestava i missionari, che riteneva la *longa manus* delle potenze coloniali, e faceva torturare con i tormenti più crudeli tutti quelli che non erano in grado di dimostrare di non essere spie o mercenari. Aveva una guardia del corpo fatta solo di adolescenti che sceglieva per la predisposizione alla fredda ferocia dei ragazzi di quell'età. Era nero come tutti i Simba, ma aveva occhi verdi e taglienti, frutto di chissà quale amplesso. Anziché compiacersene viveva quell'anomalia come il marchio dello stupro di un odiato padrone belga o francese o olandese.

Marco venne a sapere che il maggiore aveva partecipato ai pesanti attacchi e alle imboscate contro i suoi mercenari e aveva dovuto rendersi conto, a sue spese, che gli uomini di Bandit dovevano essere truppe di élite per la precisione del tiro e per la determinazione in combattimento. Molto probabilmente il maggiore doveva averlo visto assieme ai mercenari e perciò aveva considerato lui stesso un mercenario e comunque una spia.

Avvertito dai suoi della recente cattura di un *paracommando*, ossia di Marco, per pochi attimi lo fissò negli occhi, quando lo ebbe davanti, con lo sguardo gelido che aveva fatto tremare molti e non gli piacque che il suo prigioniero non chinasse il capo e non implorasse pietà. Marco, che per lunghi istanti lo aveva fronteggiato e aveva capito la limpida crudeltà di quello sguardo, pregò per una morte rapida. "Dio deve avermi ascoltato" pensò, quando udì l'ordine di Bandit prima che se ne andasse: «Fucilatelo».

Quasi non poteva credere che gli sarebbe toccata solo qualche pallottola e una morte istantanea, senza soffrire. Forse il nero con gli occhi verdi sapeva di lui e delle sue imprese e in qualche modo lo stimava; gli riservava una morte da combattente.

Il plotone d'esecuzione venne subito schierato e l'ufficiale che lo comandava intimò a Marco di girarsi verso il muro per essere fucilato alla schiena. Marco si ricordò subito di come, assieme a Thiago, aveva scampato l'esecuzione capitale.

«No» disse.

«Voltati!» intimò l'ufficiale prendendolo per le spalle.

«No» ripeté Marco, «dovete guardarmi in faccia mentre mi sparate. Così il mio spirito si ricorderà di voi e vi perseguiterà per tutta la vita.»

Per l'intero pomeriggio continuò quella grottesca pantomima senza che nulla accadesse e quando venne la sera

Marco fu messo a dormire in una specie di prigione per poi essere svegliato l'indomani alle sette e trascinato nuovamente di fronte al plotone d'esecuzione. A quel punto però il capo Kakemba, apparso dal nulla, gli fece un cenno come per dire "nessuna paura".

E infatti il piccolo plotone fu completamente circondato dai guerrieri della tribù Babuyu. I pochi Simba presenti, vista l'impossibilità di obbedire agli ordini ricevuti, fuggirono dileguandosi in un istante. Marco poté quindi proseguire il suo viaggio, malgrado la pioggia incessante. Oltrepassarono Kilenga, e poi, aggirandole, Butembo e Nakiliza. Era sfinito, da giorni camminava sotto la pioggia incessante, non mangiava quasi nulla e beveva acqua in continuazione per mettere qualcosa nello stomaco. Quasi non si reggeva in piedi. A un certo punto del viaggio vide un campo di ananas e ne rubò due e quello fu l'unico cibo in undici giorni di marcia.

Il capo Kakemba, che era scomparso da un paio d'ore, riapparve dalla foresta come per magia: «So dov'è padre Moratti» disse, «e lui sa dov'è padre Rosato. Cambiano loro posizione tutti i giorni perché pensano che come ostaggi siano la loro unica salvezza. Uno è a Mulumba, l'altro a Kihungwe. Ti consiglio di andare prima a Mulumba».

Marco, che aveva trovato un paio di tuberi amarissimi, non osò cibarsene e riprese il cammino sotto la pioggia. Da un paio di giorni si sentiva la febbre sempre più alta, era tutto un brivido, e gli sembrava quasi di avere le allucinazioni.

Arrivò a Mulumba dando fondo alle ultime energie. Poi crollò sul terreno al centro del villaggio e svenne.

Fu svegliato prima dell'alba in un luogo asciutto su una stuoia e con addosso un panno che teneva caldo. Il capo del villaggio gli aveva mandato una persona di sua fiducia per aggiornarlo su quanto era successo. Moratti era arrivato, gli aveva lasciato quattro pillole di chinino e poi se n'era andato.

«Se n'è andato? Come sarebbe se n'è andato?»

«Tu avevi perso conoscenza. Era chiaro che hai la malaria e ha lasciato il chinino.»

«Ma come faccio a fidarmi?»

«Vedrai l'altro padre fra tre ore.»

Marco si mise a sedere sulla sua stuoia ed ebbe l'impressione che la febbre fosse scesa. Ma poi si sentì invaso da un pesante torpore e sprofondò nuovamente nel sonno.

A un certo punto gli parve di sentire un rumore di passi; aprì gli occhi e gli sembrò di vedere padre Moratti che gli chiese: «Ma che ci fai qui?».

«Sono venuto a prendervi: te e Rosato. Ho camminato per più di dieci giorni mangiando in tutto due ananas.»

«A prenderci? E perché?»

«Perché siete in grave pericolo.»

«Non capisco: qui nessuno ci fa del male.»

«Fra un paio di giorni al massimo questa zona verrà presa fra due fuochi. Un esercito arriverà da nord, un altro da sud, fatto di regolari ma soprattutto di mercenari. A quel punto la vostra vita non varrà un soldo bucato. I ribelli cercheranno di negoziare una via di fuga in cambio di voi due. I capi mercenari risponderanno picche imponendo una resa senza condizioni e voi sarete carne morta e probabilmente anche io se non vi faccio uscire da qui.»

«Non ci posso credere: a noi hanno detto che i Simba avevano conquistato tutto il Congo.» Esplosero intanto, abbastanza vicini da essere ben intesi, boati di cannoni e il crepitare delle mitragliatrici. Si udiva anche il rumore dei caccia T6 che sorvolavano tutta la zona con temerarie acrobazie e di tanto in tanto lanciavano razzi che fendevano l'aria con un fischio lacerante e poi esplodevano in un fragore assordante.

«Adesso ci credi?» domandò Marco.

«Sì, ci credo» rispose Moratti. Poi disse: «Ti ho portato qualcosa da mangiare».

Gli aveva portato un po' di polenta di manioca e Marco ne mangiò troppa per il suo stomaco stressato che stava digerendo se stesso e in breve dovette restituire alla terra ciò che le aveva preso. Moratti gli aveva portato anche una gallina cui Marco non avrebbe mai avuto la forza di tirare il collo né sarebbe stato capace di accendere un fuoco per cuocerla. Qualcun altro se ne impadronì.

Il capo del villaggio di Makombo entrò concitato: «Padre

Moratti, raggiunga subito il villaggio di Kihungwe; padre Rosato è là che l'aspetta. Incamminatevi per la strada che conduce alla missione di Nakiliza. Vi scorteranno un centinaio di guerrieri Babuyu che hanno già disarmato e messo in fuga i Simba che sorvegliavano padre Rosato».

Moratti salutò Marco con una forte stretta di mano: «Grazie, hai compiuto un'impresa eroica e noi non ce n'eravamo nemmeno accorti. Che Dio ti benedica», e si incamminò veloce.

Non passò molto che un ufficiale dei Simba entrò nella capanna di Marco e lo fece alzare in piedi a calci. Poi gli mise la canna del mitra alla schiena e spingendolo fuori gli disse: «Fai allontanare quegli aerei o ti sparo».

Marco pensò di non poter sfidare il destino o la Divina Provvidenza all'infinito e che fosse venuta per lui l'ultima ora, ma la sua astuzia da montanaro delle Alpi prevalse ancora una volta sul fatalismo, fece il calcolo dell'autonomia di volo di un T6 (lo aveva fatto anche con il Piper di Renzo una volta che si ruppe l'indicatore di livello del carburante) e rispose: «Mi serve un'ora e mezza, poi li faccio andare via». E così fu e anche l'ufficiale Simba se ne andò. Il capo del villaggio uscì dalla sua capanna e condusse Marco giù per la strada che portava alla missione di Nakiliza. Marco non aveva più la febbre ma era terreo in volto e ridotto a pelle e ossa.

Strada facendo, a un bivio, si incontrò con padre Moratti e padre Rosato, scortati dai guerrieri dei loro villaggi. Si abbracciarono increduli e proseguirono insieme.

Un chilometro avanti, incontrarono un gruppetto di quattro mercenari in tenuta da combattimento che scendevano da nord e Marco pensò che i suoi guai fossero finiti. Il sergente maggiore che li guidava lo salutò da lontano.

«Ehi, Giraldi!» disse. «Finalmente ti abbiamo trovato. Ti portiamo a Nakiliza; l'elicottero sta arrivando.»

Si misero in cammino: anche quella pericolosa avventura era finita.

Marco si sentì ancora più rinfrancato quando apparve davanti a loro, in mezzo alla strada, uno dei suoi quattro diavoli: Piero! «Ehi, ragazzi, come va, tutto bene?»

I mercenari lo salutarono: «Dove ti eri cacciato, Lautrec?».

Ma nello stesso istante l'espressione di Piero cambiò improvvisamente e nel volgere di pochi secondi mentre imbracciava il suo Breda 38 gridò: «A terra, Marco!». Marco si appiattì al suolo trascinandovi anche i due compagni e Piero falciò in una sola raffica tutti e quattro i mercenari rimasti in piedi un secondo di troppo. Poi si avvicinò a Marco e gli tese la mano per sollevarlo alla stazione eretta sotto lo sguardo sbalordito di Rosato e Moratti.

«Te l'avevo detto di non fidarti di Porter. È un figlio di puttana.»

«Sì, ma come...» abbozzò Marco.

«Me l'ha detto Roncato alla radio. Porter ha dato ordine di ammazzarvi tutti e tre.»

«Cosa? Ma che senso ha?» domandò Marco.

«Avrebbe dato la colpa ai Simba per dimostrare che la regione non era ancora per niente sicura e ottenere così da Mobutu un ingaggio di altri sei mesi per bonificare il territorio.»

Marco scosse il capo quasi incredulo.

«Adesso andiamo a Nakiliza, che arriva l'elicottero.»

«Hai chiamato l'elicottero prima di risolvere il problema?»

«L'ha chiamato Sergio. Sa benissimo che quando mi impegno in un'operazione, l'operazione è già fatta.»

L'elicottero arrivò in una mezz'ora; prese a bordo Rosato e Moratti e li portò ad Albertville, dove c'era un aereo con cui proseguirono fino a Usumbura e di lì in Italia.

Giunti a Parma, furono ricevuti dal superiore generale e invitati a un pasto frugale come si conveniva a persone che hanno mangiato molto poco negli ultimi tempi. Ambedue avevano un aspetto stranito: continuavano a guardarsi intorno come se non riconoscessero i luoghi e nemmeno il cibo nei piatti. Non toccarono il vino che brillava nei bicchieri.

«State bene, ragazzi?» domandò loro il superiore.

Risposero con un sorrisetto di circostanza. Forse che non si vedeva come stavano? Male, stavano male.

Marco invece restò nell'area di Nakiliza per rendersi disponibile a missioni di mediazione per i capi villaggio e per le unità di ribelli che volessero arrendersi. Quando ebbe terminato, ora con successo e ora con difficoltà quasi insormontabili, fu raggiunto da una chiamata del nunzio Solari.

«Ce l'hai fatta anche questa volta, Marco, non so come ringraziarti.»

«Sempre a disposizione, eccellenza.»

«Ti chiamo anche per un'altra ragione: Mobutu, che come sai è da tempo il capo dello Stato, vuole vederti.»

«Sa di che cosa si tratta?»

«Non so di preciso ma credo sia per un riconoscimento al tuo operato.»

«D'accordo, eccellenza, temevo di peggio.»

«Ti faccio mandare Renzo lì dove sei. Vi aspetto.»

Renzo arrivò il giorno dopo e i due ripartirono l'indomani facendo tappa due volte per giungere a Léopoldville e chiacchierando per tutto il tempo.

«Com'è che sei così magro? Sembri un attaccapanni.»

«Indovina.»

«Non ti piaceva la cucina indigena?»

«Proprio così.»

«E che cosa ci vai a fare a Léopoldville?»

«A comprare degli spaghetti.»

«Ho capito, non hai voglia di parlare.»

E Marco cambiava discorso per alimentare di nuovo la conversazione.

Giunto in nunziatura, Marco riferì a monsignor Solari com'erano andate le cose punto per punto e il prelato cambiava continuamente espressione come se rivivesse i tragici eventi che Marco narrava senza alcuna enfasi, senza lacrime e senza mai cambiare il tono della voce. Quello che non si percepiva del tutto dalle sue parole si vedeva nel volto scavato, nel colorito terreo, nelle braccia e nelle mani scheletriche: era invecchiato di venti anni.

«Ho perso diciotto chili in undici giorni, eccellenza» cercò di spiegare Marco per vincere l'imbarazzo.

«Sono contento di vederti comunque sano e salvo» disse il nunzio. «E adesso andiamo a vedere il presidente. Non possiamo farlo aspettare.»

Salirono quindi in auto e arrivarono al palazzo presidenziale dove un cameriere in guanti bianchi li portò nello studio privato del presidente: che cambiamento dall'ultima volta che si erano visti! Era aumentato di peso, vestiva in maniera vistosa e in qualche modo cercava di far passare il suo colpo di Stato come un atto politico per salvare l'unità del paese, ma poi venne presto al sodo.

«Come lei ricorderà, colonnello Giraldi, io le avevo affidato un incarico molto delicato. I nostri alleati americani sono molto preoccupati per l'infiltrazione nel nostro paese di mercenari cubani che hanno il dichiarato intento di diffondere la loro cosiddetta rivoluzione in tutto il Congo ed eventualmente in tutta l'Africa nera. Il più pericoloso di questi intrusi, come lei ben sa, si chiama Ernesto Guevara detto "Che". Quest'uomo esercita senz'altro un gran fascino in Occidente, soprattutto sui giovani, ma non è questo che mi preoccupa e che lo rende pericoloso: è la sua capacità di addestrare ed equipaggiare, con il concorso di potenze straniere, gruppi combattenti africani seminando turbolenze e disordini di cui non si possono prevedere le conseguenze. Ora vorrei sapere da lei l'esito della missione che le avevo affidato: se quei mercenari cubani sono ancora presenti e attivi nelle aree che le ho chiesto di esplorare e in particolare se c'è ancora il guerrigliero mercenario di nome Che Guevara.»

«Signor presidente» rispose Marco, «abbiamo esplorato le zone indicate intorno al porto di Kibanga sulla costa del lago Tanganika, interrogato testimoni, persone che conosco e di cui mi fido. Le risposte ottenute sono state sempre negative e d'altra parte il porto naturale di Kibanga, in cui era segnalato gran traffico di armi, munizioni e ogni tipo di rifornimenti per la guerriglia, è ora deserto o frequentato solo da piccole imbarcazioni di pescatori o per modesti traffici commerciali. Dalle informazioni che sono riuscito a raccogliere, Guevara è partito da almeno due mesi con i suoi uomini e altre fonti internazionali mi dicono addirittura che la sua impresa è abortita e che il comandante dei guerriglieri cubani è molto deluso e frustrato per il fallimento totale del suo tentativo.»

Mobutu si mostrò soddisfatto per la relazione di quello che continuava a chiamare "colonnello Giraldi" e gli pose un'altra domanda: «Cosa pensa delle truppe ausiliarie» così chiamava i mercenari al suo servizio «che combattono al fianco della nostra Armée Congolaise e addestrano i nostri giovani soldati al combattimento? Il loro contratto con le nostre forze armate scadrà fra un mese. Quando lei era in Italia, gruppi di questi mercenari avevano stretto una collaborazione molto pericolosa con gli ambienti lumumbisti di Stanleyville. Dovetti reagire con mano ferma e senza esitazione mettendo in campo i reparti di élite del nostro esercito».

Il nunzio diede un piccolo calcio sotto il tavolo a Marco come per dire "attento a come parli".

Marco restò in silenzio per un poco cercando di pesare bene le parole, poi disse quello che pensava: «Signor presidente, se davvero le interessa il mio parere glielo dirò sinceramente. Non rinnovi l'ingaggio ai commando mercenari di O'Hare, Jean Schramme, Denard, Porter e tutti gli altri. Sono causa di turbolenze e di imprevisti di ogni genere. Paghi loro quello che gli deve e poi li congedi».

Mobutu tacque perplesso e restò in silenzio tamburellando con le dita sul ricco portacarte di marocchino che aveva sul tavolo da riunione, poi disse semplicemente: «Ci penserò seriamente, colonnello Giraldi. Intanto la ringrazio per le imprese che ha compiuto, per i sopralluoghi, e per il fatto che il Quinto Commando ai suoi ordini non ha mai creato problemi al governo di questo paese». Si alzò in piedi, segno che l'udienza era terminata, camminò in emiciclo attorno al tavolo per stringergli la mano e stringerla al nunzio apostolico.

«Sono orgoglioso di te, Marco» disse monsignor Solari quando furono seduti sul sedile posteriore dell'automobile della nunziatura. «Mobutu è quello che è e lo sappiamo tutti, ma tu non ti sei né venduto né sei sceso a compromessi e hai dato una risposta sincera e leale... Che cosa farai ora?»

«Ho concluso il mio lavoro, ho raggiunto, quando è stato possibile, i miei obiettivi. E adesso lei crede che non me la faranno pagare? Il reverendissimo Vezzali, vescovo di Uvira, che ho trascinato giù per la scaletta di un aereo per riconsegnarlo agli ufficiali dei ribelli e salvare la vita a tutti i suoi ospiti? Crede che a una prima ammonizione non ne sia seguita una seconda e magari non ne seguirà una terza? Sono certo che al collegio dei gesuiti a Bukavu ci sarà posta per me quando sarò tornato.»

Monsignor Solari si volse a guardare quell'uomo consumato dal fuoco dentro e fuori, ridotto a pelle e ossa per salvare due uomini in un paese dove se ne ammazzavano a migliaia ogni giorno, un uomo che faceva brillare l'anima nel suo sguardo limpido, e si sentì commosso nel suo cuore ormai quasi impermeabile a sentimenti ed emozioni. Pensò che di uomini come lui non ne aveva mai conosciuti altri in tutta la vita e pensò che Dio doveva per forza esistere.

32

Marco si preparava al ritorno in Italia, ma il tempo passava e non accadeva nulla al punto che arrivò a sospettare che i suoi superiori si fossero dimenticati di lui. Questa incertezza gli dava angoscia e timore per il suo destino. Tornò quindi a Mwenga, la sua missione, a occuparsi delle situazioni quotidiane come un curato di campagna, ma gli incubi infestavano le sue notti e non riusciva a difendersi dalle infinite immagini di tragedia.

Trascorsero i mesi e le stagioni finché un giorno gli venne in mente che poteva fare una buona azione: consolare, anche se per poco, un dolore sconfinato. Salì sulla jeep e si diresse al villaggio di Rugenge nella speranza di incontrare sua madre. Passò da Burhale e si fermò a salutare la Mwami Kazi. Gli sovvenne di quando aveva seguito ogni movimento e ogni scomparsa di Louis, di quella volta che lo aveva visto dormire come un bambino nel suo letto.

«Grande regina» la salutò, «sono venuto a salutarti con il cuore ancora oppresso da un triste ricordo. Avrei voluto annunciarti prima la notizia crudele, ma non ne ho avuto la forza...»

La bella signora nera accolse le sue parole con un mesto sorriso: «Credevi forse che la regina dei Bashi fosse all'oscuro di una simile disgrazia? Nulla di ciò che lo riguardava mi rimaneva oscuro, anche quando si nascondeva la sua immagine mi era presente ogni giorno e ogni notte. Accolsi con angoscia la notizia che si era unito ai tuoi guerrieri di ventura e che tu gli avevi consegnato un'arma micidiale, strumento della sua vendetta. Questo era il motivo; lo sapevi tu, lo sapevo io. Chi uccide prima o poi rimane ucciso. Non per questo fu meno straziante il mio dolore e la mia vita oggi è come quando il sole è oscurato da una nube nera e il tuono fa tremare la terra».

«Regina, io...»

«Non fu colpa tua. Doveva farlo, ed essere fra i primi nel tuo drappello di guerrieri senza paura, che cantava inni alla morte, dava orgoglio e senso alla sua vita. Solo avrei voluto per lui una morte in combattimento, non la vile trappola che ha dilaniato il suo corpo...»

«Regina, il mio dolore non è forse minore del tuo e nel momento della sua terribile agonia, mentre giaceva in un lago di sangue, gli diedi il corpo del nostro Dio perché viaggiasse con lui verso il mondo di luce.»

Il volto della Mwami Kazi si contrasse in una maschera dura: «Il tuo Dio avrebbe potuto salvarlo» disse, e andò a sedersi in terra in un angolo buio del padiglione, chiusa nel suo silenzio. Le lacrime che le scendevano sul viso erano l'unica luce nella sua tenebra. Marco capì che non poteva dire altro, ma capì anche che la sua visita era stata per lei un dono.

Ripartì con il cuore pesante, ma anche con la bella armonia della sua voce e il suono fiero e dolente delle sue parole.

Passò davanti alla fabbrica del caffè, mezza in rovina e dimora di fantasmi. Arrivò ai piedi delle montagne dove finiva la camionabile e imboccò la carrareccia sterrata che portava fino alla base della cascata del Luvubu. Da lì non si poteva avanzare oltre se non a piedi e scalò la ripida salita che fiancheggiava l'immensa, rombante colonna d'acqua fino al villaggio. Ricordava l'abitazione di Rugenge e immaginava il cocente dolore della madre sola.

Si avvicinò all'ingresso della capanna con cautela e la intravide mentre preparava un pasto per se stessa o forse per qualche ospite.

«Ti ricordi di me?» le disse affacciandosi alla porta.

«Sì, mi ricordo», e sorrise.

«Posso entrare?»

«Sei il benvenuto» rispose. Si sedette sulla stuoia e con un gesto invitò il visitatore ad accomodarsi.

Marco entrò e si sedette vicino a lei: «*Mama*, non voglio qui rinnovare il tuo strazio. So quanto avrai sofferto e mi pesa sul cuore di avere io chiesto a Rugenge di unirsi ai miei combattenti. Posso fare ben poco, ma ho voluto offrirti questa mia visita e donarti un sostegno per la tua solitudine. Tuo figlio ha guadagnato molto denaro e i suoi compagni ne hanno aggiunto altro come tributo di amicizia».

«Soldi? A noi?» echeggiò una voce alle sue spalle. Marco si volse di scatto e una figura nera contro il sole si stagliava nel vano della porta.

«Rugenge!» esclamò. Balzò in piedi e lo abbracciò. Sentì nell'abbraccio la durezza del legno là dove prima c'era la sua gamba.

Rugenge ricambiò l'abbraccio e sorrise: «Mi credevi morto?».

«Sì. Pensavo di aver perduto te come avevo perduto Louis e gli altri compagni. Ma come è possibile? Non credo ai miei occhi.»

«*Mama*» disse Rugenge, «portami qui fuori due sgabelli perché Marco possa sedersi alla sua maniera e io allungare la mia gamba matta.» Poi proseguì: «Quando siete ripartiti non avevo alcuna possibilità se non di tagliare la gamba, legare stretta la pelle con del nastro adesivo che avevo nello zaino e trascinarmi in un luogo nascosto. Forse hai sentito il mio urlo. Faceva molto male. Ma volevo vivere e non volevo vedervi morire».

Ecco spiegato quel grido interminabile e l'eco riflessa dalle montagne. Nessun colpo singolo, nessuna esplosione di granata. Marco ringraziò Dio in cuor suo per aver salvato la vita di Rugenge. Mangiò con lui il cibo che stava preparando la madre e restò in sua compagnia nel pomeriggio.

Venne l'ora di partire: «Rugenge, la mia gioia di averti trovato vivo è immensa perché ti avevo pianto per morto. Forse sarò chiamato nel mio paese o forse sarò inviato in chissà quale luogo del mondo. Questo significherà che non ti vedrò più, ma sarai sempre nel mio cuore».

«E tu nel mio, comandante.»

«Ti chiedo solo una cosa: dimmi che posso fare per te.»

Rugenge sorrise: «Hai un pezzo di gomma da darmi? Quando cammino la gamba mi fa male perché il legno è troppo duro».

Marco ricordò che aveva un pezzo di pneumatico sulla jeep, utile sempre per mille riparazioni, e mandò un ragazzo a prenderlo.

Tornò prima del tramonto e Rugenge salutò Marco per l'ultima volta: «Grazie, comandante. È stato bello combattere ai tuoi ordini». Rugenge allora si sentì un grande guerriero che i cantastorie avrebbero ricordato nei loro canti.

Tre giorni dopo la sua visita al villaggio di Rugenge, il superiore del collegio dei gesuiti si mise in contatto con Marco via radio per dirgli che era richiamato in Italia. Con urgenza.

Marco non aveva un soldo e non sapeva come fare per procurarsi un passaggio aereo. Cercò Renzo: «Devo rientrare in Italia urgentemente: mi puoi aiutare?».

«Sei matto? Con il mio trabiccolo?»

«Non ho voglia di scherzare, dài. Mi serve un passaggio.»

«Faccio un giro di chiamate e ti faccio sapere.»

Per fortuna che c'era Renzo, pensò tra sé Marco, e infatti prima di sera ricevette la chiamata: «C'è un C119 italiano che rientra su Roma Ciampino. Ti danno un passaggio. Ma devi essere a Shangugu entro un'ora».

«Grazie, Renzo, sei un amico.»

«Allora ti saluto perché mi sa che non ti vedo più.»

«Non dire fesserie. Certo che torno.»

«Buon viaggio allora... Mi spiace che parti.»

«Anche a me. Facciamo finta che ci rivediamo.»

«Ecco, facciamo finta» rispose Renzo.

Marco partì con quello che aveva indosso e il suo zainetto con l'indispensabile che portava sempre con sé.

Arrivò a Roma che era già buio. Ringraziò i ragazzi dell'equipaggio e poi s'incamminò verso la città facendo l'autostop. La sua congregazione aveva una sede confortevole non lontano dal Vaticano e vi arrivò verso le dieci, stanco morto. Suonò il campanello e una voce sgarbata di donna gracchiò dal citofono: «Chi è?».

«Sono padre Marco Giraldi, mi fa entrare?»

La donna brontolò: «È questa l'ora di disturbare la gente?», e aprì.

Marco entrò e si mise a cercare qualcuno che gli indicasse dove poteva trovare un letto, ma erano tutti davanti alla televisione a guardare Mina che cantava e a fumare e nessuno gli badò. Se ne andò e cercò di raggiungere a piedi la Stazione Termini.

«Dove va, padre?» domandò una voce: era un taxista.

«Vado alla Stazione Termini ma non ce li ho i soldi per il taxi.»

«Salga e non si preoccupi. Sto rientrando perché ho finito il turno. Termini per me è di strada. Non mi deve niente.»

Giunto alla stazione il taxista gli chiese se aveva il biglietto. Non ce l'aveva.

«Non fa niente: dove deve andare?»

«A Bergamo» rispose Marco.

«Benissimo» disse il taxista, «ci penso io.»

«Mi dispiace. Io non...»

«Mia madre non sta bene. Dica la messa di domani per lei. Così siamo pari. Anzi, ci guadagno io.»

«Volentieri. Grazie infinite.»

Dormì per tutta la notte e il mattino dopo giunse a Bergamo: camminò fino a casa e arrivò che sua madre stava preparando il caffè. Quasi le venne meno il respiro quando se lo trovò davanti con il suo zainetto. Lo abbracciò forte, poi si sedettero uno di fronte all'altra.

La madre lo guardò a lungo in silenzio, poi disse: «Sei magro da far paura. Ma non ti davano da mangiare da quelle parti?».

«No, mamma, non me ne davano.»

La madre non disse altro. Gli versò il caffè e gli mise accanto i suoi biscotti preferiti. Marco chiuse gli occhi e gli parve di essere a Ndolera dai signori Werpen. E c'erano anche Bashira e Louis che ogni tanto si scambiavano uno sguardo.

Si presentò a Parma una settimana dopo, per andare a rapporto dai suoi superiori e capì subito che il vescovo Vezzali aveva avuto tutto il tempo per convincere le altre autorità della congregazione che padre Marco Giraldi era un turbolento, un temerario che seminava disordine e confusione dovunque andava, un uomo da tenere il più lontano possibile da qualunque luogo in cui si prendessero decisioni per la salute della Chiesa. Vezzali tuttavia non aveva osato chiedere ammonizioni alle commissioni disciplinari della congregazione e la cassetta della posta a Bukavu Marco l'aveva trovata vuota.

Il superiore generale fu l'unico a trattarlo umanamente e lo esortò a prendersi un periodo di vacanza sulle sue montagne.

«Fai delle belle passeggiate» gli disse, «rimettiti in forze perché sei stremato, respira aria buona, respira il profumo dei fiori di montagna e poi ne riparleremo.»

«Grazie, padre generale, grazie di cuore» disse Marco congedandosi. «Seguirò il suo consiglio e lei, per favore, preghi per me e per i miei confratelli che non ce l'hanno fatta benché io ce l'abbia messa tutta.»

«Lo farò» rispose il superiore generale, «lo farò, ragazzo mio.»

Marco seguì il consiglio del superiore generale facendo lunghe escursioni in montagna, bevendo l'acqua delle sorgenti, contemplando le cime innevate delle Alpi, e giorno dopo giorno cominciò a sentirsi meglio. Si recò anche a salutare il vescovo, con cui era stato sempre in ottimi rapporti e mentre attraversava una grande piazza si ricordò di un giorno remoto, quando aveva assistito a una sfilata della Decima legione MAS e aveva parlato con un adolescente in uniforme: Piero e poi niente. Dov'era in quel momento? Gli aveva salvato la vita e non aveva nemmeno potuto salutarlo. Le sue telefonate non l'avevano mai trovato.

Trascorse così, più o meno serenamente, due settimane di vacanza. Poi un giorno, mentre leggeva il giornale e sorbiva un caffè, squillò il telefono:

«Pronto.»

«Sono Turenne, Marco. Come stai?» Aveva lasciato al colonnello il suo numero di casa per ogni evenienza.

«Non c'è male: che nuove?»

«Ci sono delle persone che vogliono incontrarti urgentemente. A Parigi.»

«Chi?»

«Non posso parlare al telefono. Te lo diranno loro. Fammi sapere quando puoi partire e in pochi minuti ti darò l'orario esatto e il luogo dell'appuntamento.»

Marco aprì la sua agenda e disse: «Dopodomani».

«Non uscire. Ti chiamo a stretto giro.»

Turenne richiamò dopo cinque minuti: «Alla Tour Eiffel alle sedici esatte».

«Va bene» replicò Marco e riagganciò.

Aveva quasi dimenticato che una giornata di pioggia nel Nord Europa a fine giugno può riportare un'atmosfera novembrina. Salì su un autobus che lo portò all'appuntamento giusto in tempo. Alla fermata aprì l'ombrello e si tirò su il bavero del cappotto grigio, un bel capo che gli avevano regalato le sue sorelle, i suoi fratelli e i suoi cognati sapendo che per il suo status di religioso non aveva mai denaro.

Li vide subito: Bob Denard e Jean Schramme, due colonnelli mercenari autonomi. Il primo era un uomo spietato e temerario, occhi penetranti e naso aquilino, idolo dei suoi uomini. Il secondo era nato in Congo e aveva in mente un cambio radicale della politica con Moïse Tshombe.

Niente convenevoli.

«Abbiamo una proposta importante per te» cominciò Denard.

«Di che si tratta?»

«Un grande progetto politico: Mobutu è un macellaio. Esiste un piano per riportare in Congo Moïse Tshombe dal suo esilio in Spagna e costituirlo come primo ministro, il che cambierebbe le sorti del paese.»

Intervenne Schramme: «Tu hai un'esperienza unica e una conoscenza del territorio straordinaria: se accetti avrai certamente incarichi di grande importanza e una ricompensa molto alta. Il paese ha bisogno di un uomo come te».

La pioggia, da acquerugiola, diventò acquazzone battendo sugli ombrelli con rumore tamburellante. I tre erano rimasti soli sotto la mole lucida della grande torre di ferro.

«Che cosa rispondi?» domandò duro Bob Denard.

«Ho condotto a termine il compito che mi ero prefisso» rispose Marco, «liberando gli ultimi due padri a Nakiliza e il Quinto Commando è stato sciolto. Torno alla mia missione. A fare il prete.»

I due comandanti mercenari se ne andarono senza proferire verbo e Marco restò solo sulla piazza deserta. Pensò di rientrare nella pensione dove era alloggiato, ma vide alla sua sinistra, sotto la Tour Eiffel, una cabina telefonica e si ricordò delle parole di Antoinette. Aveva il suo numero di telefono nel portafoglio, la chiamò.

«Antoinette...»

«Marco! Sei tu? Dove sei?»

«Sotto la Tour Eiffel. Avevo un incontro importante.»

«È vicino a casa mia. Ti vedrei volentieri se vuoi, il tempo di portare il bambino da mia madre e ti raggiungo. C'è un caffè alla tua destra: il Café Point Bleu. Aspettami lì.»

«Ti aspetto» rispose Marco.

L'acquazzone non accennava a calmarsi e Marco raggiunse correndo il caffè. Come l'avrebbe trovata? Era madre. Aveva mantenuto la sua decisione. Ricordò tutto, il *Miserere*, il suo canto dolente nella cattedrale. E poi l'incontro sull'aereo e la sua accorata richiesta di aiuto. Era deluso dal comportamento dei suoi superiori e quasi non si sentiva più membro della sua congregazione. Cosa avrebbe detto ad Antoinette?

La vide arrivare e la riconobbe subito. Indossava un trench color avorio, portava un foulard che le incorniciava il volto perfetto. Le andò incontro.

«Marco...» Gli diede un bacio sulla guancia. Lui la guidò per mano al tavolino e la fece accomodare.

«Come stai?» le domandò.

«Bene. E anche il mio bambino cresce bene.»

Ordinarono, lui un caffè macchiato, lei un tè.

Marco era intimidito dalla sua presenza, quasi non sapeva cosa dire. Ci fu per un momento un contatto di sguardi.

«Mi hai salvato la vita quel giorno sull'aereo, e poi al caffè a Léopoldville, e poi ancora all'aeroporto il giorno dopo. Vedessi com'è bello il mio bambino, Marco. Mi spiace, non ho neanche una fotografia.»

«Ti somiglia?»

«Sì, un po'.»

Marco restò in silenzio. Antoinette continuò a parlare del bambino. Poi, a un certo momento disse:

«Lo sai, durante i primi mesi nella casa dei miei genitori ho pensato a te tante volte... ho pensato... ho pensato che forse... se ci fossimo incontrati in un altro luogo... in un altro tempo...»

«Il caso ha voluto che ci incontrassimo in un tempo di sangue e di lacrime, e non ce ne sarà concesso un altro. Addio, Antoinette.»

Si allontanò sotto la pioggia battente.

Epilogo

Ospedale San Gaetano, Imola, 28 febbraio 2004

Seduto al bar dell'Ospedale San Gaetano, Masera lo osservò avvicinarsi con un giubbotto di cotone grigio-verde, i Ray-Ban sul naso e gli anfibi appena lucidati. Si alzò in piedi per andargli incontro e quando si furono seduti ordinò due caffè.

«Mi spiace, signor Lautrec, l'operazione del risveglio di padre Giraldi ha richiesto più tempo del previsto e i medici non hanno voluto forzare. Pronuncia ogni tanto qualche parola, ma purtroppo nessuno di noi capisce il portoghese...»

«Non è portoghese. È brasiliano. È in Brasile che ci siamo rincontrati...»

«Dal diario avrei detto che eravate insieme in Congo» disse Masera.

«Sì, ma quando era rientrato in Italia il suo vescovo aveva opposto un diniego tassativo al suo ritorno in Congo, dove noi invece ci stavamo concentrando. Nel luglio del '67 partì l'operazione progettata da Schramme e Denard con cinquecento mercenari e tremila katanghesi perfettamente addestrati. Occupammo Stanleyville e di lì cominciò la nostra avanzata su Léopoldville, l'attuale Kinshasa. Il nostro arrivo nella capitale avrebbe dovuto coincidere con l'arrivo di Tshombe che avrebbe preso il potere, ma il suo aereo fu dirottato in Algeria e la nostra catena di comando restò senza guida. Fallita la conquista di Léopoldville arretrammo a Stanleyville, ma le truppe dell'Armée erano troppo numerose e dotate di armi di ultima generazione contro le quali non potevamo resistere. Quindi arretrammo ancora fino a Bukavu e ci trincerammo nel collo della penisola sul lago Kivu. Altri confluirono su Kinshasa cercando un imbarco verso qualunque destinazione. Ma Mobutu ordinò un rastrellamento e li fece fucilare tutti. Noi resistemmo sulla penisola per quattro mesi sotto un fuoco incrociato e incessante e continui bombardamenti. Alla fine qualche nostro ignoto protettore negoziò con la Croce Rossa internazionale il nostro passaggio in Rwanda. I tremila katanghesi però vennero esclusi e Mobutu li fece fucilare dal primo all'ultimo.

Avevo giurato che l'avrei ucciso il giorno del suo compleanno, nel trentennale del massacro dei mercenari, ma un destino beffardo lo fece morire il giorno prima, privandomi della vendetta.

Non pochi fra noi ripararono in Brasile, e io fra loro. Alcuni vennero reclutati dai grandi proprietari terrieri e ben pagati per sterminare gli indigeni della foresta. Io, invece, e altri tre dei miei compagni venimmo ingaggiati per uccidere un uomo solo e disarmato: padre Giraldi.»

Masera allibì.

«I giornali riportavano la notizia che era scomparso da nove giorni e non se ne era trovata traccia, ma io lo conoscevo bene e conoscevo la sua tattica. Radunai in un bar di Altamira gli altri tre e dissi, mostrando loro una fotografia: "Ora andremo alla ricerca di quest'uomo, perché abbiamo bisogno di guadagnare, ma ucciderò chiunque di voi gli torca un capello". Poi, una notte, telefonai alla sua missione. Mi rispose: "Missione di São José".

"Non riconosci la mia voce?"

"Piero!"

"Dove sei stato tutto questo tempo? Ho letto i giornali, ti cercavano dappertutto."

"Nella foresta, mangiando pesciolini crudi pescati con la mia camicia."

"Lo sai, vero, che vogliono ammazzarti?"

"Certo. E ci sono quasi riusciti."

"E so anche il perché. Quelli defogliano la foresta con la

diossina e tu ne hai rubato un campione per farlo analizzare e farli sbattere in galera. Giusto?"
"Più o meno."
"Se vuoi, te li levo di torno entro ventiquattr'ore."
"Ti ringrazio, ma ormai la giustizia farà il suo corso."
"Il solito sognatore."
"Già".»
In quel momento squillò il cellulare di Masera.
«Venga» disse a Lautrec. «Venga subito!» E si mise a correre verso l'ascensore. Lautrec non prendeva mai l'ascensore e lo precedette correndo su per le scale.
«Che succede?» domandò Lautrec a Masera proprio mentre stava entrando nella stanza numero nove.
«Venga dentro, venga subito» disse ancora Masera.
Lautrec entrò. «Che succede?» ripeté.
«Si sta svegliando» rispose. «Può restare se vuole: questione di minuti.»
«No» disse Lautrec, «meglio di no... meglio sparire.»
Uscì.
La voce di padre Marco risuonò alle spalle di Masera: «Chi c'era con te?».
«Piero» rispose Masera.
«Piero e poi?»
«Piero e poi niente.»

Nota dell'autore

Ho incontrato l'uomo cui è ispirato il protagonista di questa storia otto anni fa al premio Scanno. Io ero candidato per la letteratura, lui per la difesa dell'ambiente. Era, e tuttora è, un padre saveriano che in Amazzonia si era battuto come un leone contro i grandi proprietari terrieri i quali, non potendo più appiccare incendi che si sarebbero visti dai satelliti e avrebbero infamato il governo, facevano ricorso a un potente veleno a base di diossina, molto simile all'agente arancio che l'esercito americano aveva utilizzato in Vietnam per defogliare la foresta e rendere visibili dai ricognitori i movimenti delle colonne di Viet Cong.

Padre Marco (questo il nome del suo personaggio nel romanzo) aveva sottratto un campione di quel veleno da un grande fusto di metallo ed era fuggito, inseguito da cani e sorveglianti per tre giorni e tre notti, poi era stramazzato al suolo al centro del suo villaggio Xavante ed era rimasto diciannove giorni in coma. Quando si era svegliato era stato portato in ospedale dove però aveva assunto dei comportamenti aggressivi con il personale e quindi trasferito in un manicomio. Il suo ordine lo rimpatriò, ma un anno dopo padre Marco si trovò nelle medesime condizioni che erano la conseguenza della terribile intossicazione da diossina da cui era affetto e della interruzione del trattamento.

Con le cure, riacquistò la salute e riprese a lavorare come niente fosse in campagna e nell'orto. D'altra parte due anni prima aveva ucciso un giaguaro che era entrato nella sua canoa, con un sol colpo di remo. Dopo Scanno diventammo amici e mi raccontò una storia formidabile: la sua avventura in Congo durante la guerra civile fra il 1960 e il 1966. Prima del 30 giugno 1960 la Santa Sede aveva previsto che sarebbero esplosi scontri sanguinosi e cruente battaglie con la concessione dell'Indipendenza del Congo con un numero altissimo di morti, feriti e ogni sorta di orrori. Si pensò quindi di evacuare i padri Bianchi, quasi tutti belgi e potenziali vittime, e sostituirli con saveriani italiani privi di un passato coloniale in Congo. All'inizio lo stratagemma sembrò funzionare ma quando il Katanga, l'area più ricca di tutto il paese, dichiarò la secessione spalleggiato dalle grandi multinazionali, quando il primo ministro democraticamente eletto, Patrice Lumumba, si rivolse senza risultati all'ONU e si appoggiò infine all'Unione Sovietica, gli americani appoggiarono l'ex braccio destro di Lumumba, Mobutu Sese Seko, e scoppiò la guerra civile con orrori inenarrabili. Padre Marco riferì al nunzio apostolico quello che aveva visto in una missione oltre il Congo: suore stuprate, sgozzate e centinaia di ragazze dell'orfanotrofio rapite. Il nunzio, inorridito, gli chiese se se la sarebbe sentita di liberare gli ostaggi prigionieri e di evacuare le missioni. Accettò, e alla testa di un commando di cinquantadue mercenari, il Quinto Commando, con il grado di colonnello, liberò in due anni più di mille ostaggi affrontando imprese impossibili. Nell'ultima spedizione, dopo aver subìto la perdita di alcuni dei suoi amici più fedeli, congedò il Commando e marciò disarmato e tutto solo, percorrendo a piedi quattrocentoquaranta chilometri in undici giorni, perdendo diciotto chilogrammi di peso e liberando alla fine i due padri tenuti in ostaggio dai ribelli Simba.

In mesi e mesi che siamo stati insieme a parlare, discutere, a fare tante domande che forse saranno destinate a restare senza risposta, mi sono reso conto di chi era quell'uomo. A volte si fermava e restava immobile a fissare il vuoto finché non lo riscuotevo dicendo: «Andiamo avanti?». Allora, con un lieve sussulto, riprendeva a raccontare la sua straordinaria vicenda. La sua memoria era incredibile: ricordava i nomi di ogni fiume, ogni ruscello, ogni villaggio, ogni pianura, i nomi di tutti i protagonisti e di tutti i comprimari.

«Come fai?» gli chiedevo.

E lui una volta mi rispose: «Per me è come un film in cui rivivo tutta la mia vita. C'è solo una scena di cui non ricordo nemmeno un misero fotogramma».

«Quale?» domandai ancora.

«Quella della mia ordinazione sacerdotale» disse, e chinò il capo in silenzio.

«Hai mai ucciso qualcuno?» continuai.

«È come se lo avessi fatto» rispose.

«Perché?»

«Arrivai con il mio Commando a circondare un battaglione di Simba che tenevano prigionieri circa centoquaranta ostaggi: uomini, donne, bambini. Potevano accorgersi di noi da un momento all'altro e diedi l'ordine di attacco. Quando arrivammo a ridosso dei Simba vidi che avevano appena squartato un mio confratello e ne stavano mangiando il fegato. Premetti il grilletto del mio Kalashnikov ma l'arma s'inceppò. Forse Dio non volle che mi macchiassi le mani di sangue. Ma tanto i miei mercenari facevano comunque quello che io non avevo il coraggio di fare.»

Quando tornò in Italia e restò per qualche tempo con la madre nella casa di famiglia a Bergamo ricevette dopo alcuni giorni una telefonata del colonnello Turenne, un ufficiale belga che aveva spesso collaborato con lui. Gli disse che qualcuno gli aveva chiesto di combinare un incontro fra lui e due importantissimi personaggi che l'avrebbero aspettato sotto la Tour Eiffel. Marco partì, il biglietto era già stato acquistato. I due straordinari personaggi erano Jean Schramme e Bob Denard, i due più potenti comandanti mercenari di tutta l'Africa. Stavano preparando un colpo di Stato per sostituire il presidente Mobutu con Moïse Tshombe, che sarebbe atterrato all'aeroporto di Kinshasa (Léopoldville) nel momento in cui tremila mercenari sarebbero entrati in città. Gli proposero di guidarli attraverso i due terzi del Congo: nessuno conosceva il territorio come lui. Gli promisero una montagna di soldi se avesse accettato. Disse che non gli interessava.

«Ma come?» domandò Schramme. «Non è possibile: un uomo come te... Che cosa farai ora?»

«Il prete» rispose. E se ne andò.

VMM

APPENDICE

Carta generale della Repubblica Democratica del Congo (ex Congo Belga)

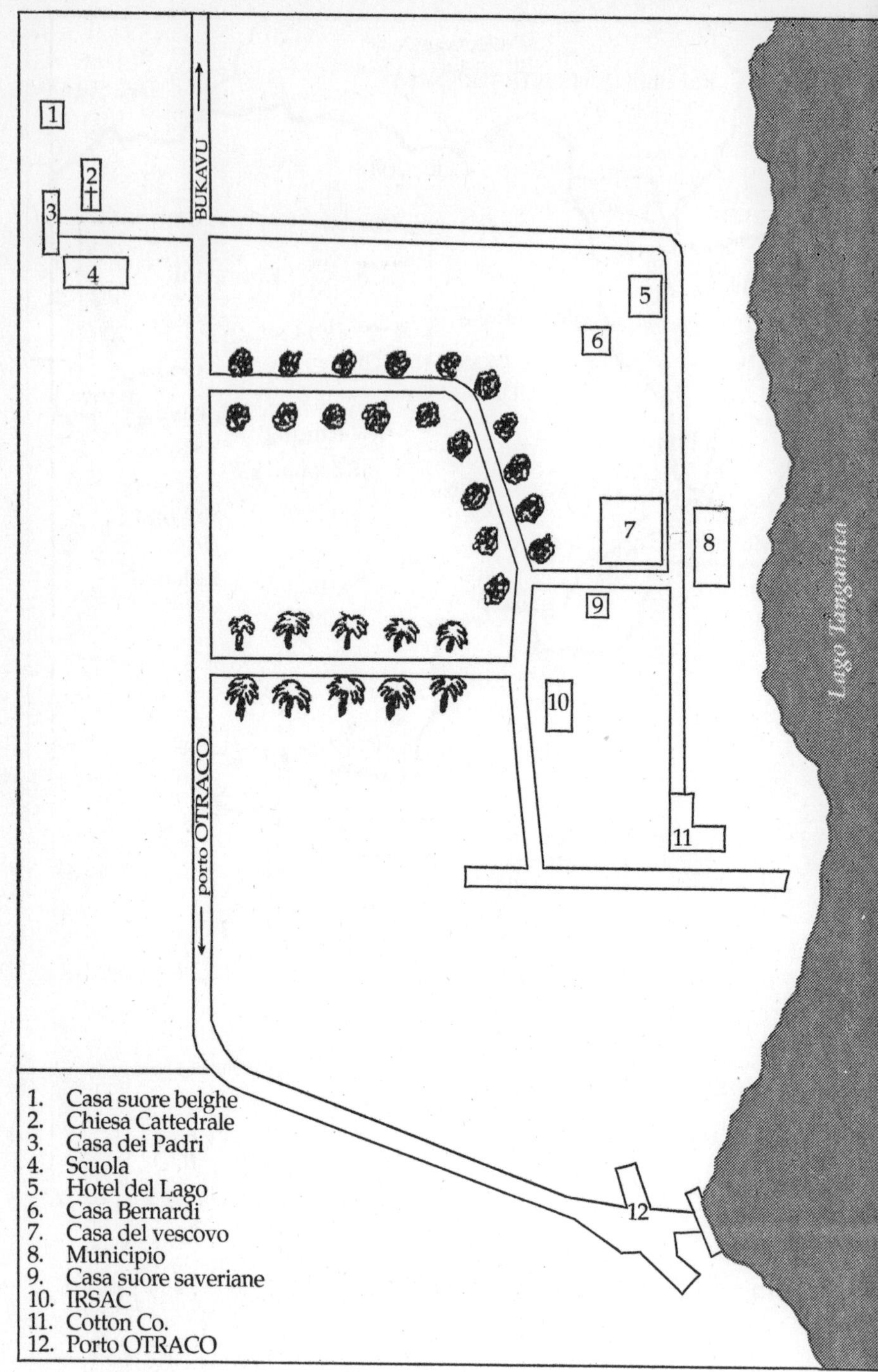

Pianta della città di Uvira

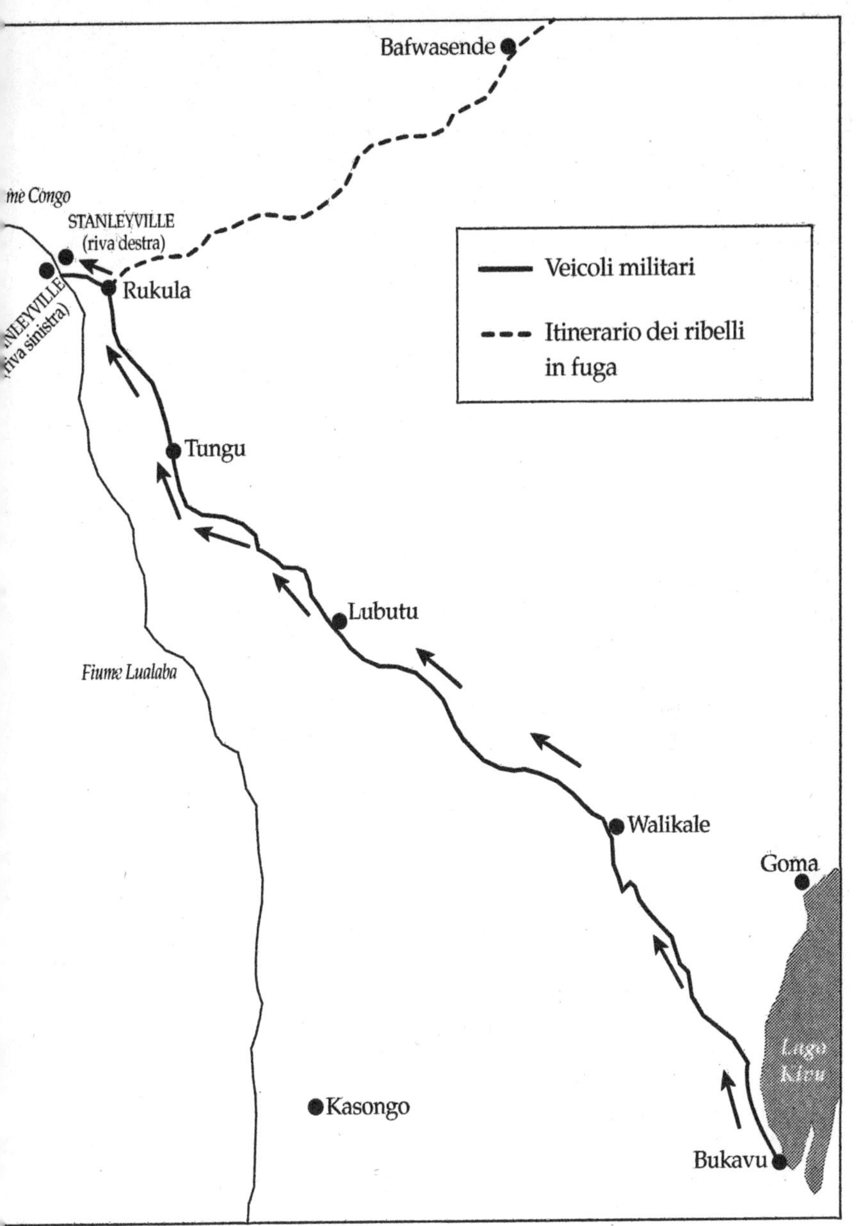

64
ima missione del Quinto Commando: Bukavu-Stanleyville (riva sinistra)

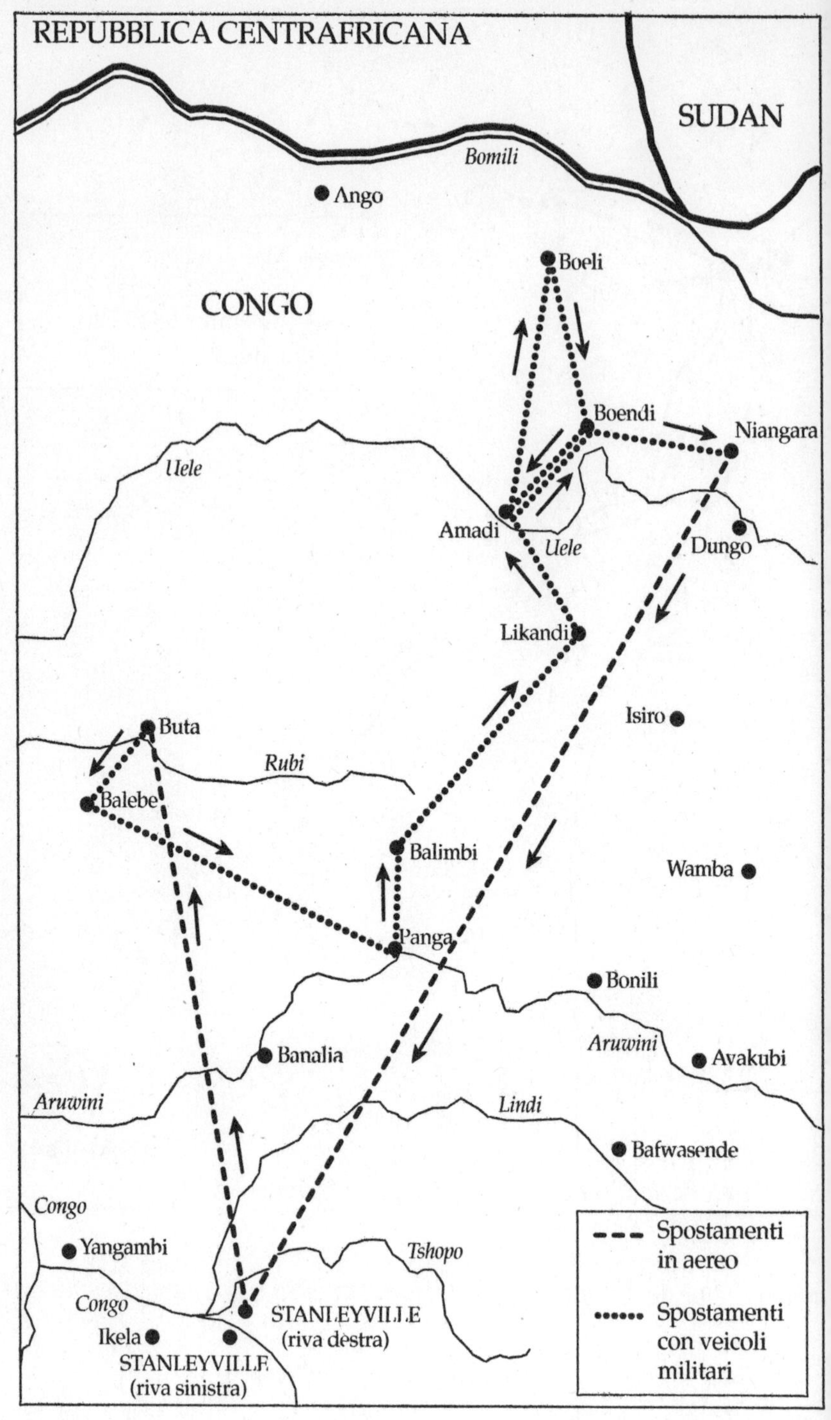

1964

Seconda missione del Quinto Commando: Stanleyville-Amadi-Niangara

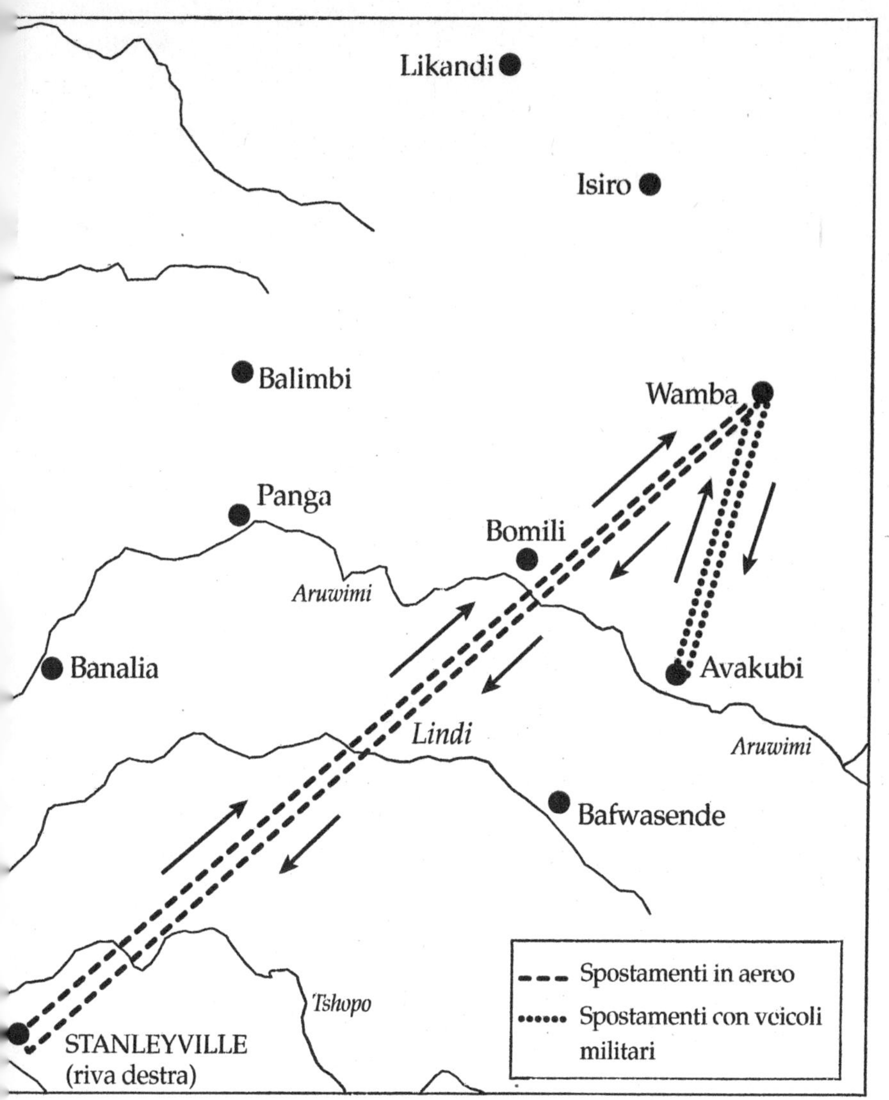

964
'erza missione del Quinto Commando: Stanleyville-Avakubi

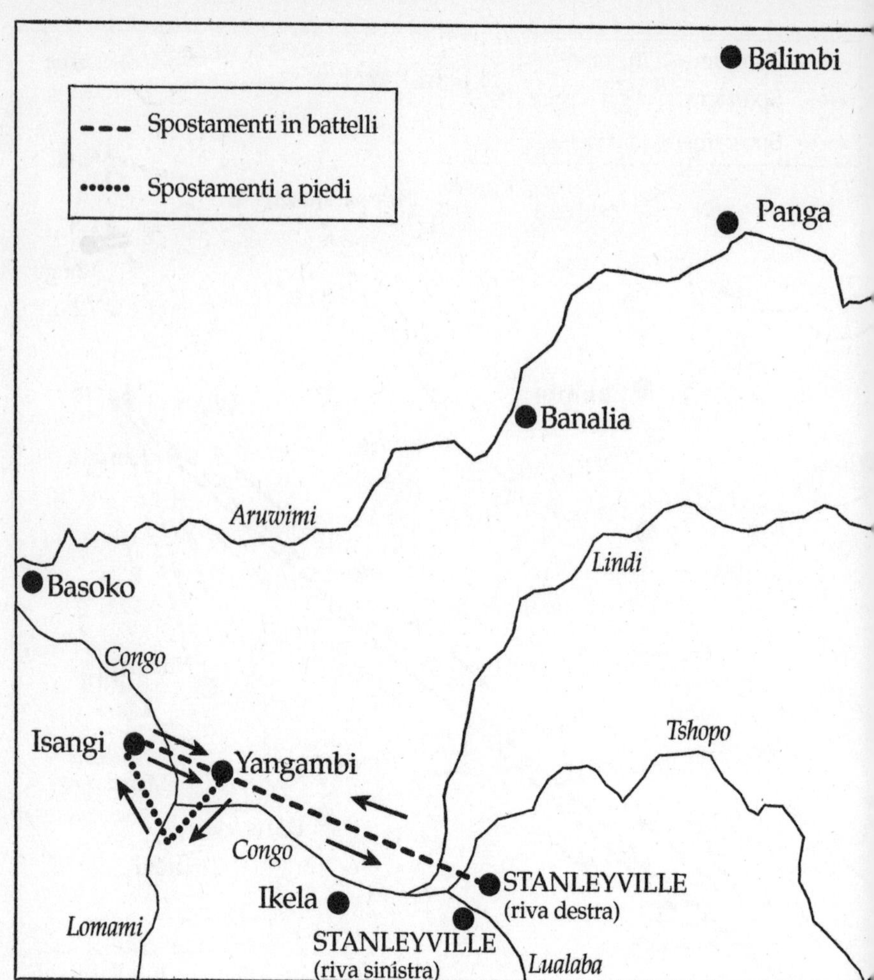

1964
Quarta missione del Quinto Commando: Stanleyville-Isangi

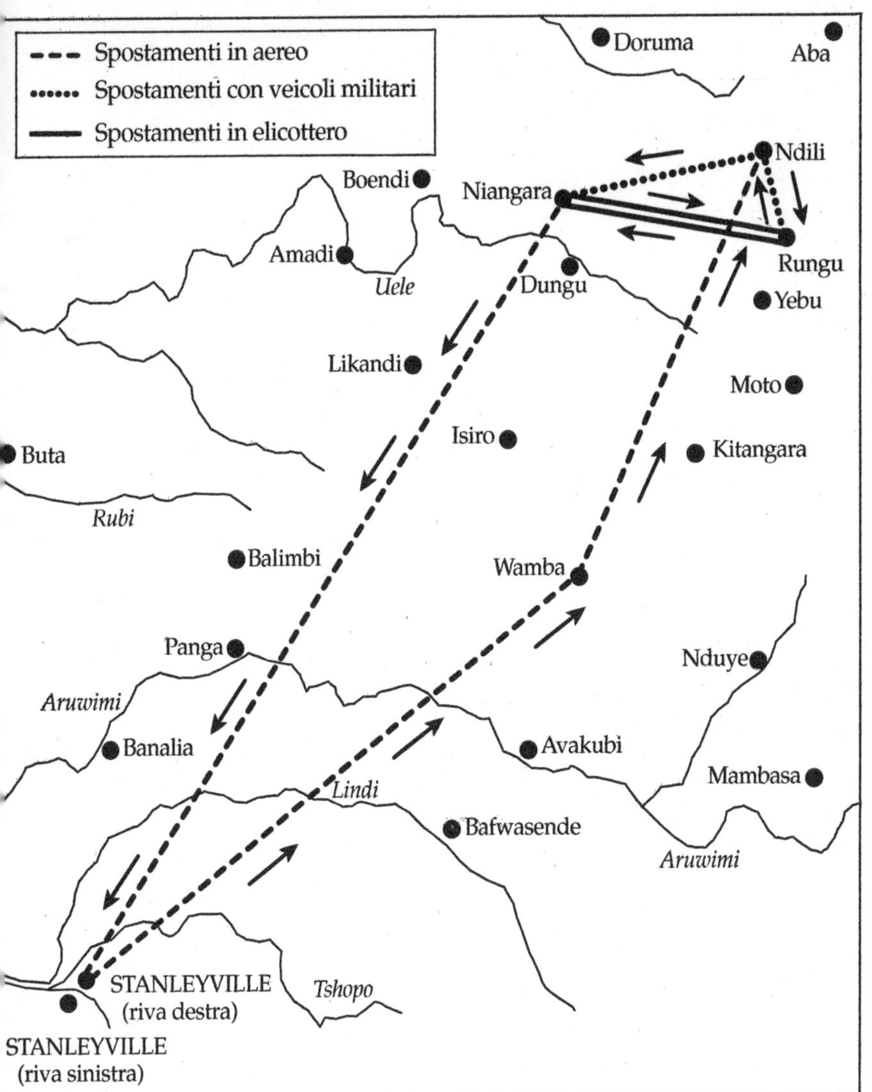

964

)uinta missione del Quinto Commando: Stanleyville-Rungu

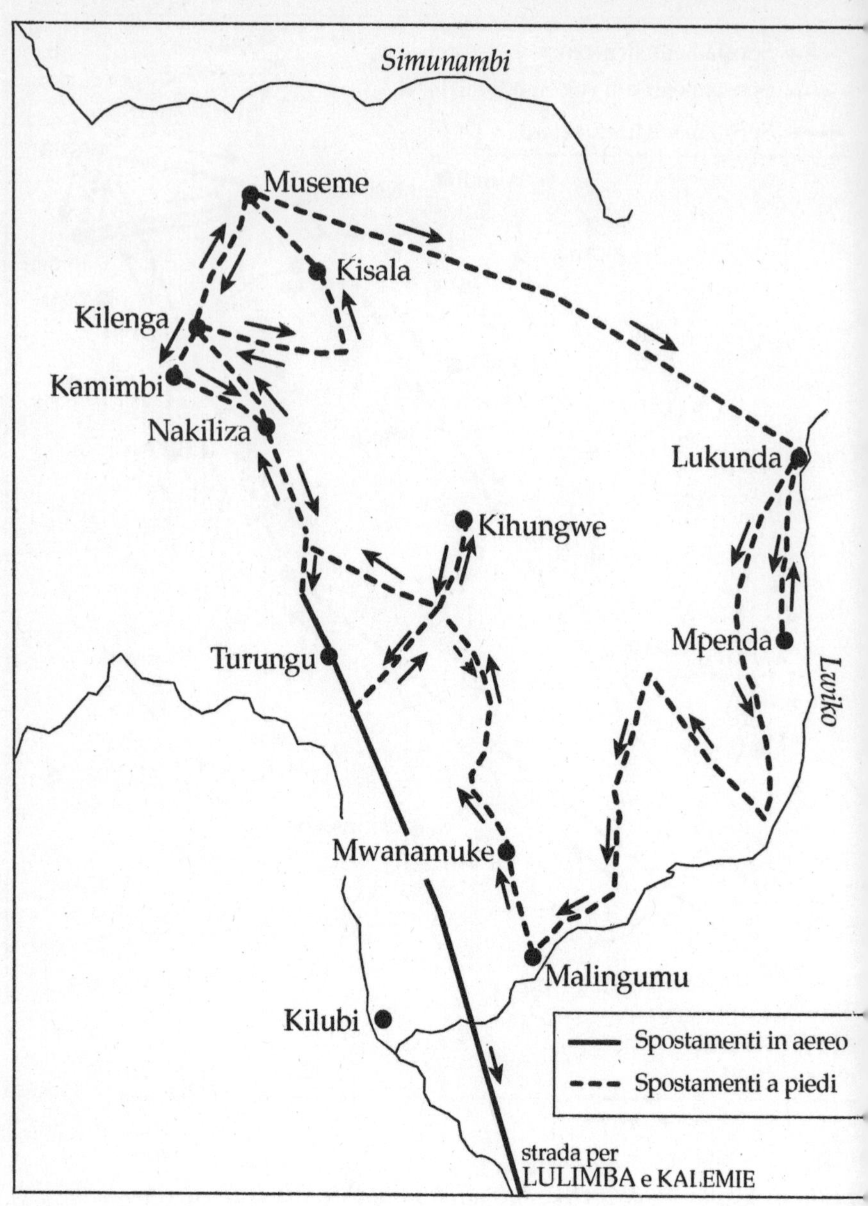

1966
Liberazione dei padri di Nakiliza

Questa mappa è stata ricostruita sulla base della testimonianza e dei ricor
del missionario cui è ispirato il protagonista del romanzo.

Mondadori Libri S.p.A.

Questo volume è stato stampato
presso ELCOGRAF S.p.A.
Stabilimento - Cles (TN)

Stampato in Italia - Printed in Italy